Gli Studi

Storia

Di Giuseppe Carlo Marino gli Editori Riuniti hanno pubblicato *Storia del separatismo siciliano 1943-1947*, (1979) e *L'autarchia della cultura. Intellettuali e fascismo negli anni trenta* (1983).

Giuseppe Carlo Marino

Autoritratto
del Pci staliniano

1946-1953

Editori Riuniti

I edizione: febbraio 1991
© Copyright by Editori Riuniti
Via Serchio 9/11 - 00198 Roma
Grafica Luciano Vagaggini
CL 63-3434-2
ISBN 88-359-3434-6

Indice

Premessa

Se a volte è utile evidenziare quel che ognuno può subito riconoscere come scontato, non è forse superflua questa preliminare precisazione: «staliniano», l'aggettivo che appare nel titolo, è per l'autore un termine nient'affatto sinonimo di «stalinista». Pur essendo controverso nel suo significato, esso viene qui usato per designare una forma storica del comunismo internazionale, assai nitida negli anni cinquanta, che il Pci riuscí a riempire di contenuti presto sviluppatisi in una direzione diversa, e persino opposta, rispetto a quella segnata dallo stalinismo.

Inoltre va segnalato che la ricerca fu avviata qualche anno fa, quando non erano prevedibili gli avvenimenti del 1989, nel clima di un dibattito che aveva al centro il giudizio su Togliatti e sulla politica del suo partito ai tempi di Stalin. Fu allora una spinta importante la curiosità di indagare sui processi della mentalità e della cultura comuniste in Italia, al fine di approntare un bilancio storiografico che, per cosí dire, mettesse le cose a posto, liquidando le strumentali motivazioni della polemica antitogliattiana.

Capita adesso che il libro veda la luce in un clima assai diverso ed è una fortuna che riesca a rispondere a certe domande di conoscenza storica di una nuova fase del dibattito. Purché non lo si metta nel conto della temperie polemica che è in corso a sinistra sul «nome» e sulla «cosa».

Non è certo compito della storia inseguire la cronaca. Ma c'è da compiacersi per il fatto che i risultati del lavoro compiuto restino di attualità, in particolare sul grande tema del rapporto tra il comunismo italiano e la democrazia: un tema arduo soprattutto per lettori non italiani, dati i caratteri nazionali assai specifici che hanno reso originale e irripetibile la funzione storica del Pci in Italia e nel panorama internazionale.

Lo stesso spessore delle questioni affrontate garantisce la natura squisitamente scientifica almeno delle motivazioni della ricerca. Epperò non ci sarebbero motivi di disappunto per l'autore se qualche lettore cogliesse nel libro anche i caratteri di un'estrema testimonianza dell'orgoglio dei comunisti italiani per la loro speciale tradizione. Questo orgoglio, infatti — se unito all'autocritica — avrebbe ancora un vitale valore culturale per la sinistra, a fronte di troppo disinvolte rimozioni e di angosciati oblii.

Nel licenziare le bozze per la stampa, ricordo le persone che hanno avuto una parte importante nel mio triennio di lavoro: primo fra tutti, l'indimenticabile Paolo Spriano che alla vigilia della sua prematura scomparsa lesse i primi capitoli del manoscritto e non poco contribuí a migliorarne la stesura; ed Enzo Santarelli, alla cui attenta e amichevole lettura devo l'eliminazione di numerose imperfezioni; e Rosario Villari — anch'egli tra i miei primi autorevoli lettori — che è stato generoso di consigli preziosi e di incoraggiamenti. Mentre dichiaro che è del tutto mia la responsabilità degli eventuali errori rimasti nel testo, esprimo riconoscenza, per vari motivi, ad altri pazienti e generosi amici: Roberto Bonchio, Napoleone Colajanni, Pino Garritano, Arcangelo Leone de Castris, Giuseppe Vacca.

Non sarebbe completo l'elenco delle persone da ringraziare se non ricordassi i funzionari dell'archivio romano dell'Istituto Gramsci, i solerti e solleciti Marcello Forti e Fabrizio Zitelli.

Infine, molto al di là della stessa gratitudine, ho da riflettere sull'incommensurabile valore dell'affettuosa collaborazione della mia compagna, Doris Van de Mötter, che è anche, *of course*, la mia prima lettrice non italiana. A lei questo libro è amorevolmente dedicato.

Giuseppe Carlo Marino

Autoritratto del Pci staliniano

Introduzione

1. Questo, forse, non sarà l'ultimo libro sul Pci. Ma è certo il primo concepito per offrire a varie generazioni di militanti l'occasione di guardarsi allo specchio ed eventualmente riconoscersi, senza narcisismo e senza vergogna, quali parti integranti del ritratto che del partito può costruirsi dando una forma organica ai dati conservati dai suoi archivi.

Si tratta di un'operazione storiografica insolita e ardita — al limite della cosiddetta sociologia storica — che consiste nell'assumere i vari elementi del dibattito comunista raccolti e registrati dai verbali delle federazioni provinciali e delle sezioni e cellule di base, in un periodo «forte» della sua tradizione marxista-leninista (quello del dopoguerra fino all'anno della morte di Stalin), come manifestazioni della vita di un indivisibile soggetto collettivo: il partito nella sua unità di pensiero e azione.

Cosí impostato, lo studio tende a ricostruire la rappresentazione e il concetto che il Pci aveva di se stesso ed è intenzionalmente animato da una volontà di riproduzione fedele, e di compenetrazione con il vissuto dei militanti, tanto intensa da essere incline talvolta a sperare che il bilancio conoscitivo, piú che un ritratto, sia addirittura un autoritratto.

È inevitabile che in un'operazione storiografica il materiale documentario subisca le mediazioni interpretative dell'autore. Comunque la rivisitazione *in vivo* dei comportamenti militanti, la ricerca delle assonanze corali nei riti della militanza, l'esercizio costante del cogliere il senso, e le individuali connotazioni di valore, dell'esperienza collettiva di organizzazione e di lotta, lo sforzo di collocare l'analisi all'interno della mentalità dei compagni e la stessa forma di una scrittura tendente ad appropriarsi di un linguaggio e di uno stile assai caratteristici (nati da una volgarizzazione della cultura marxista e da un martellante dettato catechistico, sui princípi e sugli ideali del partito, diffuso dalla burocrazia stalinista), dovrebbero consentire ai lettori un accesso, il piú possibile immediato, a quel mondo comunista che per i non comunisti spesso è stato e rimane inquietante, misterioso, ineffabile.

A non pochi lettori comunisti, soprattutto ai piú anziani, il guardarsi allo specchio non potrà non provocare emozione e turbamento. È probabile che alcuni di essi, per evitare di mettersi in crisi, si considerino ingiustamente deformati da una maliziosa caricatura. Certo non è gradevole, anche sotto le intimazioni catartiche dello straordinario anno 1989, riconoscere che un tempo ci si inorgogliva per idee e comportamenti che oggi non sarebbe consentito apprezzare senza essere nel contempo commiserati o irrisi per testardo passatismo.

Ma una lettura attenta rivelerà, alla fine, a quegli stessi anziani lettori comunisti, che il libro è stato concepito per rendere perfetta giustizia alla loro esperienza, nell'unica forma consentita a un lavoro storiografico, cioè in quella del giudizio critico che rende liberi dalla passione e dalla mistificazione.

L'autore, infatti, è il primo ad avvertire intense e contrastanti emozioni nel rapporto con la sua personale memoria di militante; epperò soltanto ritraendosene del tutto, con un impegno di equanimità conforme alle ragioni e ai fini del suo mestiere, può porre e tentare di risolvere un problema storiografico che è centrale per comprendere la natura, la portata e il senso delle trasformazioni avvenute nell'Italia repubblicana: come è potuto accadere che il Pci sia riuscito a svolgere un ruolo determinante ai fini della formazione e della crescita di una società democratica di massa, pur con quelle indiscutibili forme leniniste e staliniste che hanno caratterizzato e condizionato a lungo la sua struttura e la sua cultura; come è potuto accadere che un partito-

Chiesa, aduso ad una liturgia di cui non è azzardato denunziare il carattere quasi clericale, sia stato una fondamentale forza dei processi di laicizzazione della realtà italiana; come è potuto accadere che un'organizzazione verticistica, controllata da una burocrazia di professionisti della politica, sia stata ugualmente una reale scuola di libertà e di democrazia per milioni di italiani; come è potuto accadere che un partito nato e cresciuto negli ideali bolscevici della rivoluzione proletaria, sia stato in concreto il principale motore italiano dei processi riformatori svoltisi entro un quadro istituzionale liberaldemocratico.

Tutto questo, ben al contrario di quel che è dato constatare per i partiti comunisti dell'Europa orientale; sicché non è azzardato rilevare quanto la storia del Pci sia stata, ben più che originale, stupefacente nel costruire un patrimonio civile alle cui sorti tutti i democratici, compresi i non comunisti e gli anticomunisti, sono oggettivamente interessati.

2. Fare luce su un fenomeno di tanta complessità comporta innanzitutto la fatica di rivisitarne dall'interno, senza pregiudizi di parte, i fattori costitutivi e i processi dinamici. Cosí, restituita vitalità alla sua memoria, il partito dà testimonianza di se stesso e spiega, per quel che è stato, il suo ruolo storico alle nuove generazioni di un mondo radicalmente cambiato: un mondo, infatti, nel quale — per usare il linguaggio del Machiavelli — pare sia sempre più diffusa l'istanza compendiata dalla formula «Stato senza scettro e cittadini principi», mentre il Pci nella fase più caratteristica e decisiva della sua storia volle essere, con spregiudicatezza adeguata all'astuto servizio rivoluzionario che intendeva assicurare alle masse popolari, il «moderno principe» teorizzato da Gramsci e attuato da Togliatti.

Questa sostanziale autorappresentazione machiavellica indotta dalla lezione gramsciana, in virtú della quale fu possibile mantenere un ininterrotto rapporto con l'italianissima tradizione politica del Rinascimento, e con i caratteri umanistici della sua cultura, fu un fondamentale dato di originalità che il Pci riuscí a conservare, a dispetto di una formale, ribadita adesione alla teoria leninista dell'«avanguardia» — cosa di matrice giacobina, affatto diversa dal «moderno principe» — con la quale, per tutti gli anni cinquanta ed oltre, il partito tenne fede alla sua scelta di campo filobolscevica pagando il prezzo di assimilare e difendere formulari ideologici, moduli organizzativi, stilemi e riti imposti dalla vulgata staliniana del marxismo-leninismo.

In altri termini, può dirsi che l'originalità del partito di Togliatti consiste proprio nella dialettica con la quale esso tentò di superare una sua fondamentale contraddizione: quella, appunto, tra una cultura umanistica impegnata a realizzarsi come cultura nazionalpopolare e un'ideologia di fonte bolscevico-leninista piú o meno deformata dallo stalinismo.

Incontestabilmente negli anni cinquanta l'ideologia, con le sue contingenti intimazioni staliniane, prevalse sulla cultura.

Per spiegare il fatto occorre assumere alcuni riferimenti storici assai precisi e tenerli sempre presenti, anche ai fini di una corretta lettura dei prossimi capitoli. Il primo di essi è un dato generale, quasi ovvio, a proposito del quale ogni discussione sarebbe superflua: la radicalizzazione del conflitto internazionale est-ovest dopo Jalta, con l'avvio della guerra fredda e con la contestuale formazione dei blocchi. Il che rese oggettivamente impossibile al Pci continuare ad essere un partito comunista senza un ostentato legame di ferro con l'Unione Sovietica e con il suo capo.

Altri importanti riferimenti vanno individuati nella situazione italiana e nei suoi intrecci con quella internazionale. Qui ci si limiti a registrare schematicamente i dati piú vistosi, rinviando a nuove ricerche gli opportuni approfondimenti.

3. Il principale dato sul quale si può subito richiamare l'attenzione è costituito dal clima politico che precedette e seguí le elezioni del 1948.

Come è noto, la Dc uscí schiacciantemente vittoriosa da quella esperienza elettorale, conquistando una maggioranza assoluta, alimentata anche da un massiccio afflusso di voti di destra, che divise in due parti il paese riproducendovi, in modo chiaro ed evidente, le medesime condizioni di contrapposizione frontale tra comunisti e anticomunisti presenti sulla scena internazionale.

Poco dopo le elezioni, il 14 luglio, lo studente messinese Antonio Pallante attentò alla vita di Togliatti. Ne seguí una spontanea reazione popolare di enormi proporzioni in una situazione caotica alimentata dalle contrastanti interpretazioni della volontà politica che stava al fondo della proclamazione di uno sciopero generale a tempo indeterminato da parte della Cgil. In parecchie città — Genova, Torino, Milano, Venezia — intorno alle fabbriche occupate o presidiate dai lavoratori, le tensioni dello scontro con la polizia del ministro Scelba raggiunsero un livello preinsurrezionale. Forze non esigue della base comunista, guidate da ex partigiani armati e decisi a combattere (come combatterono infatti a Genova, a Torino e nel territorio dell'Amiata), ritennero che fosse finalmente giunta l'ora dell'assalto rivoluzionario allo «Stato della borghesia e del capitalismo».

La dirigenza comunista, compreso lo stesso Pietro Secchia (nel quale si riconoscevano i militanti dell'ala operaista e partigiana del partito), insieme alla leadership sindacale rappresentata da Giuseppe Di Vittorio, riuscí a far prevalere una linea di moderazione che bloccò subito l'eventualità di una guerra civile.

Ma il ritorno alla normalità non avvenne senza turbamenti e conflitti all'interno del Pci. Cominciò a delinearsi una differenziazione di mentalità e di fini tra i «compagni morbidi» che guardavano piú all'allargamento del consenso e alle alleanze sociali che alla rivoluzione e i «compagni duri» che avevano subíto la decisione politica togliattiana di impedire avventure insurrezionali come una «mazzata sulla testa».

Togliatti aveva già elaborato e definito — nel senso di una marcia verso il comunismo dentro le istituzioni, mediante una battaglia per le riforme e per la piena attuazione della Costituzione — la strategia della democrazia progressiva. Su quel terreno strategico, «duri» e «morbidi» si ritrovarono insieme per sviluppare una continuativa azione di lotta popolare nel quadro della legalità repubblicana; anche se della democrazia progressiva si continuarono a dare almeno due versioni interpretative diametralmente opposte, perché alcuni la pensavano come un fine, altri soltanto come un mezzo. Di qui, due linguaggi, pur con le stesse parole del vocabolario leninista, due anime, spesso conviventi in una sola persona: una doppiezza denunziata varie volte con sincera preoccupazione dallo stesso Togliatti, ma non rimossa per contingenti motivi di opportunità politica.

4. Dal fronte opposto — ecco un altro fondamentale riferimento da non perdere di vista — venivano soltanto segnali di guerra: non solo la rottura dell'unità sindacale e la conseguente formazione di una Cisl anticomunista; non solo la repressione delle lotte popolari che, al nord del paese soprattutto, erano una risposta allo strapotere conquistato dal padronato industriale (sulla falsariga della politica deflazionistica ispirata da Luigi Einaudi) nella determinazione dei livelli salariali e nella manovra sulla manodopera e, al sud, consistevano nell'offensiva del movimento contadino per la riforma agraria; non solo le provocazioni quasi quotidiane rivolte persino contro il movimento per la pace e l'alimento offerto a una costante tensione fra forza pubblica e lavoratori di cui furono numerosi i tragici effetti di sangue e di morte come a Modena e a Melissa; non solo tutto questo, ma anche la minaccia incombente della possibile decisione di mettere fuori legge il Pci, il partito che piú di ogni altro aveva combattuto il fascismo, aveva formato e guidato le forze decisive del secondo risorgimento nazionale, aveva offerto un contributo determinante alla nascita di una nuova democrazia e all'elaborazione della Costituzione repubblicana.

Ad accentuare l'allarme dell'intera sinistra per le stesse sorti della democrazia in Italia, sarebbe poi intervenuta, nel luglio del 1949 — al culmine di un conflitto non soltanto ideologico — la medioevale Bolla di scomunica emanata dal Sant'Offizio contro i comunisti e i loro alleati. La decisione vaticana aveva pure le sue motivazioni nell'insensata durezza della politica anticattolica, e antireligiosa in genere, dell'Urss e dei regimi dell'est, ma, con essa, Pio XII compiva una scelta di campo che, a livello internazionale, contribuiva a rafforzare il mito del «mondo libero», mentre nel quadro di una società ad egemonia cattolica come quella italiana, dove anche la stragrande maggioranza dei comunisti manteneva il tradizionale costume devozionale, mirava a fare esplodere — a partire dai nuclei familiari organici alle comunità di parrocchia, nel cuore di un'antica *pietas* presidiata in gran parte dalle donne — il conflitto drammatico tra coscienza religiosa e coscienza politica.

Non a caso numerosi comunisti di base, con un'ingenuità che era di per se stessa un sintomo rivelatore della profondità del loro dramma, risposero alla scomunica rivendicando — alla maniera del guareschiano Peppone — il «diritto ai sacramenti». Nel complesso il calcolo vaticano di provocare defezioni e abiure tra le masse popolari partecipi alle lotte guidate da comunisti e socialisti non ebbe successo.

Contribuirono non poco alla sdrammatizzazione del conflitto tanto le coraggiose scelte evangeliche, al limite dell'accusa di eresia, di sacerdoti come don Primo Mazzolari, quanto la linea accorta adottata dal Pci che respinse la provocazione ed evitò di cadere nelle insidie dell'anticlericalismo.

Ma l'accortezza con la quale da sinistra si affrontò il dramma, com'è ovvio non fu da sola sufficiente per eliminarlo, tanto piú che l'ideologizzazione in chiave religiosa dell'anticomunismo corrispondeva ad un ben preciso progetto politico di una parte del paese che mirava a stabilizzare e a rendere permanenti i risultati elettorali del 18 aprile 1948 dando vita ad un regime totalitario cattolico-sanfedista con caratteri simili a quello del portoghese Salazar o dello spagnolo Franco.

Tale progetto, consono alla mentalità della destra clericale tanto acutamente studiata da Andrea Riccardi, familiare all'Azione cattolica e ai Comitati civici di Luigi Gedda, sempre presente nell'orizzonte della propaganda religioso-politica dei gesuiti e in ispecie di quel loro padre Lombardi detto «microfono di Dio», comportava una strategia di piena immedesimazione con le vocazioni ierocratiche e di primato sociale cattolico del pontificato di Pio XII e postulava un sottile favoreggiamento della rifascistizzazione del paese (evidenziato dalla denigrazione della Resistenza e dall'avvio di una sistematica persecuzione degli ex partigiani) e una liquidazione, nei fatti, della normativa democratica della Costituzione, oltre che il tentativo — registrato con angoscia crescente dall'intero mondo laico — di innalzare il bigottismo alla dignità di cultura ufficiale.

Si è adottata qui, per designare globalmente una siffatta progettualità di fanatismo ideologico e di reazione politica, l'inedita definizione «repubblica guelfa» che i lettori vedranno ricorrere varie volte nelle prossime pagine.

Quella «repubblica guelfa», per fortuna dell'Italia democratica, non fu molto di piú di un'ipotesi di clericalizzazione della società e dello

Stato, respinta e liquidata anche per merito di uomini di governo e soprattutto di Alcide De Gasperi che non cedette a tentazioni di trionfalismo cattolico, riuscí a contenere la pressione delle richieste clericali e ancorò la politica del suo partito a una ferma linea liberaldemocratica. Tuttavia le tensioni e i veleni ideologici della «repubblica guelfa» restarono a lungo nei circuiti della vita sociale. E il fatto spiega come e perché i comunisti divennero oggettivamente la fondamentale forza alla quale l'intero mondo della ragione laica e degli ideali progressisti affidò, in modo piú o meno diretto, con una fiducia condizionata che non rimuoveva le riserve e la diffidenza, le sorti della civiltà democratica.

5. Dal canto suo il Pci — ed ecco qui un altro aspetto importante della sua originalità italiana — evitò di lasciarsi imbrigliare da un ruolo esclusivo di rappresentanza della società laica. Piuttosto, si impegnò in una laboriosa fatica di mediazione tra mondo laico e mondo cattolico. Diventò, cosí, il volano di un processo osmotico i cui effetti di sintesi, di superamento dialettico delle distanze tra le due parti, si sarebbero registrati alla distanza, in un contesto unitario, coinvolgente l'intera base sociale del paese.

La scelta togliattiana di coniugare un costume di sostanziale fedeltà alla cultura e ai fini ultimi del marxismo rivoluzionario con un'azione politica tutto sommato moderata tendente a fare avanzare il progresso mediante la lotta per le riforme, non era soltanto il frutto di un'astuzia tattica dettata dallo stato di necessità di dovere operare in uno spazio capitalistico, ma anche e soprattutto la prova di un'adesione profonda alla lezione gramsciana che sul concetto leninista della dittatura del proletariato aveva fatto prevalere quello, tutto italiano, di un potere popolare da fondare come egemonia e quindi da realizzare come democrazia concreta, verificata dal consenso delle grandi masse.

Quel che oggi nella politica togliattiana può essere ingenerosamente rivisitato e detestato come prodotto di una volontà ubbidiente all'Urss stalinista, ancora qualche tempo fa era oggetto di vituperio, per opposti motivi, da parte delle frange estremistiche della sinistra che ne lamentavano gli eccessi di prudenza e di moderazione.

Ma la verità sta al di sopra delle polemiche contingenti. Della politica togliattiana, in sede di sereno giudizio storico, può dirsi che fu soprattutto una politica realistica, cioè adeguata ai dati della realtà sociale italiana del tempo.

Quell'Italia percorsa dalle «madonne pellegrine», semidistrutta dalla guerra, culturalmente impoverita da un ventennio di fascismo, pervasa da passioni e paure, succube dei miti e attratta dai miracoli, era allora una ben povera Italia, ben distante dalla matura modernità industriale degli anni sessanta.

Nel travaglio delle trasformazioni verso il nuovo, resisteva — soprattutto ai livelli piú popolari della società — un rapporto profondo con idee e valori di tradizione contadina, senza distinzioni apprezzabili tra comunisti e anticomunisti. In quel contesto il Pci fu qualcosa di simile a un grande laboratorio per la modernizzazione delle masse che non avrebbe potuto funzionare senza utilizzare gli ingredienti disponibili, che erano in concreto quelli offerti da una situazione socioculturale ancora arretrata.

6. Dallo schematico bilancio di memoria storica messo a punto nei precedenti paragrafi e in particolare dalle ultime osservazioni si può passare alla formulazione di un'ipotesi interpretativa che consentirà, forse, ai lettori di comprendere la natura e il senso dell'inscindibile convivenza tra stalinismo e democrazia che emerge con nettezza dall'autoritratto del Pci di Togliatti.

Per vedere correttamente è sempre necessario restare all'interno dell'orizzonte sociale degli anni cinquanta. Si vedrà allora che le forme ideologiche e culturali dello stalinismo presente nel Pci erano simmetriche a quelle del fanatismo occidentalista e della crociata cattolica contro il comunismo. Questa simmetria, com'è ovvio, non giustifica gli uni e non giustifica gli altri. Ma era l'espressione di una società che, nel suo complesso, con differenziate e spesso contrastanti progettazioni del futuro, aveva ancora bisogno delle fedi e dei miti.

Di qui una sorta di clericalismo rosso al quale una parte del popolo collegava i suoi bisogni di rassicurazione e il progetto del futuro a fronte degli inquietanti e rapidi cambiamenti introdotti dai processi appena innescati dal neocapitalismo; esattamente come un'altra parte si affidava al clericalismo in senso proprio e all'anticomunismo, in risposta ai medesimi turbamenti e ai medesimi allarmi.

Stalin e l'Unione Sovietica insieme costituivano il *transfert* di una società non ancora uscita dalla civiltà contadina che tentava di esorcizzare l'inquietudine provocata dagli sviluppi in corso, vagheggiando il mito di un mondo nuovo e giusto nel quale i valori tradizionali e il senso della vita ereditato dal passato potessero essere salvaguardati ed esaltati.

La parola «Stalin» e, l'altra, «Urss» — che ne definiva le realizzazioni storiche (la vittoria sul nazifascismo, l'edificazione in concreto del migliore dei mondi possibili) — ben al di là della bonaria immagine di un grand'uomo del popolo con i baffi alla quale si riferivano, valevano come una metafora laica del paradiso cattolico: esprimevano unitariamente l'ideale di una felicità assoluta, sintesi di moralità e benessere, in alternativa alle promesse inquietanti e corruttrici del capitalismo americanista. Tale metafora — la indicheremo d'ora innanzi con l'inedita definizione «metafora staliniana» — era pertanto l'indice delle tensioni progressiste di una società ancora arretrata verso una rassicurante modernità, una dimensione di vita capace di assicurare la piú larga ed equilibrata fruizione collettiva di tutte le risorse materiali e spirituali disponibili, al di là dei limiti del sistema vigente, ritenuto ingiusto ed oppressivo.

Essa era, in definitiva, l'ipotesi di una paradossale modernizzazione conservatrice, corrispondente ai desideri e alle capacità progettuali di masse popolari come quelle italiane condizionate da una persistente mentalità cattolica.

Si tratta di un'ipotesi interpretativa dello stalinismo italiano che qui rimane appena accennata. La si è già verificata, con il ricorso a un'abbondante documentazione, in un ampio saggio che per motivi di economia editoriale non può trovare spazio in questo libro. Ma, fin d'ora, se ne faccia generosamente credito all'autore, per una visione piú penetrante dell'autoritratto comunista che prenderà corpo nelle prossime pagine.

Parte prima
Il principe e il suo popolo

I. Le forme organizzative del partito

Un partito nuovo di massa e un'avanguardia

Per un quarantennio ed oltre il Pci avrebbe orgogliosamente rivendicato la sua diversità che però, negli anni cinquanta, stentava a mettersi in luce. Infatti, pur nel crescere delle novità, si tenne fermo, almeno formalmente, il riferimento ai caratteri delle origini, quelli della forma-partito marxista-leninista. Il fatto risulta evidente solo a rileggere le definizioni in uso a quei tempi: «avanguardia del proletariato» e «grande partito nazionale»[1], secondo la formulazione togliattiana piú volte ripresa da Alicata nel clima della svolta di Salerno e della guerra di liberazione, il Pci si sarebbe a lungo attestato su quest'autorappresentazione senza coglierne l'inadeguatezza e persino l'incongruità ideologica rispetto al processo avviato nel 1944 per la costruzione del partito nuovo.

«Il Pci», insegnavano i docenti delle scuole comuniste, «è l'avanguardia organizzata e cosciente della classe operaia. Il Partito è il capo politico della classe operaia, la sua avanguardia dirigente, il distaccamento piú avanzato, quello che comprende i migliori elementi della classe dotati di vasta esperienza, di spirito di sacrificio e di devozione illimitata alla causa del proletariato»[2]. E poi, ancora, con gusto ossessivo della ripetizione, perché i concetti restassero ben inchiodati nella mente, si reiterava la parola «avanguardia» e, a scanso di equivoci sul carattere catechistico di siffatte affermazioni, si precisava che «il partito deve essere il cervello pensante che sa dove, come e quando muoversi e in quale direzione, senza tuttavia perdere mai il collegamento con le masse, senza essere cioè troppo innanzi ad esse»[3].

Resta da vedere se c'era un argomento plausibile che aiutasse i militanti a capire in quale modo un'avanguardia, un distaccamento avanzato, un cervello pensante, potesse essere simultaneamente un partito di massa. Si trattava, certo, di una contraddizione. Al suo superamento avrebbe contribuito il graduale approfondimento della dottrina gramsciana dell'intellettuale collettivo, ancora poco nota alla fine degli anni quaranta.

Un difficoltoso tentativo di chiarificazione veniva intanto dall'elaborazione di Togliatti. «Partito nuovo, — aveva scritto il leader del Pci nel dicembre del 1944 —, è un partito della classe operaia e del popolo il quale non si limita piú soltanto alla critica e alla propaganda, ma interviene nella vita del paese con una attività positiva e costruttiva la quale, incominciando dalla cellula di fabbrica e di villaggio, deve arrivare fino al Comitato centrale, fino agli uomini che deleghiamo a rappresentare la classe operaia e il partito nel governo»[4]. L'assai generica definizione togliattiana era traducibile in formule che ne rimarcavano ora gli elementi verticali (il Pci «è la *guida* riconosciuta delle masse lavoratrici italiane»[5]), ora gli elementi orizzontali (il «partito della classe operaia e del popolo lavoratore»[6]).

In ogni caso l'identità del partito veniva decisamente ancorata alla classe operaia, sua originaria forza costitutiva, sua base naturale e legittimante fonte dei valori e dei fini, mentre il resto del «popolo lavoratore» le si giustapponeva come un piú vasto corpo in espansione.

Se è vero che per gli effetti di un lungo processo, interno alla storia del movimento operaio italiano e agli stessi sviluppi del modello bolscevico, era ormai del tutto fuori causa l'identificazione del partito con la classe, è pur vero che la crescente complessità sociale del Pci non nasceva affatto da qualcosa che potesse assomigliare alla scelta di affidarsi a un proselitismo spensierato e a improvvisate modalità di reclutamento. La crescita quantitativa non avrebbe dovuto comunque compromettere la qualità comunista dell'organizzazione. Il numero degli iscritti, com'è ovvio, sarebbe stato l'indicatore fondamentale della forza di massa effettivamente conquistata. Ma partito di massa, secondo il concetto togliattiano, non era affatto sinonimo di partito massificato. Anzi, lo stesso sviluppo quantitativo avrebbe consigliato di alzare la guardia contro i pericoli di snaturamento, sollecitando il piú efficace funzionamento dei meccanismi di selezione e di «vigilanza» e controllo.

Nell'aspirare alla maggiore estensione possibile nel sociale, il partito avrebbe dovuto contestualmente potenziare al massimo le sue capacità di gestire in modo organico e unitario l'esperienza di un'accelerata moltiplicazione di militanti e nuclei di lavoro politico (cellule, sezioni, organismi collaterali o derivati), annullando le spinte centrifughe in un sistema rigorosamente guidato e controllato dal centro direttivo nazionale e dalle sue articolazioni territoriali.

L'unità di direzione avrebbe garantito non tanto una generica compattezza della forza di massa organizzata, a fronte dei suoi avversari, quanto piuttosto l'unificazione politica e culturale di tutte le eterogenee figure sociali reclutate nel mondo del lavoro (dagli intellettuali ai lavoratori manuali dei vari settori produttivi delle città e delle campagne) nelle forme dell'attività rivoluzionaria che la dottrina marxista assegna fondamentalmente alla classe operaia.

È facile notare che una siffatta concezione avrebbe fornito un incrollabile fondamento teorico allo spirito storico-missionario dei dirigenti, fornendo gli elementi giustificativi del potere dei funzionari (i «rivoluzionari di professione») e del culto della personalità che da Stalin, supremo capo del movimento operaio internazionale, poteva estendersi, senza soluzione di continuità, al segretario nazionale del partito. Ma è bene limitare le proiezioni interpretative e vedere se dall'approfondimento delle osservazioni fin qui svolte si può addivenire alla definizione del modello-Pci anni cinquanta.

Ricapitoliamo. L'originalità progettuale della proposta togliattiana consisteva soprattutto nell'ipotesi di un partito di massa, finalmente riscattato dal vecchio sovversivismo rivoluzionario, che evitasse comunque di risolversi in una formula organizzativa interclassista. Si trattava, pertanto, di impostare un meccanismo di selezione e di gestione politica che assicurasse una continua recuperabilità classista — al segno del primato ideale del movimento operaio — delle eterogenee forze sociali che venivano al partito dalla totalità del mondo del lavoro. Un siffatto recupero non sarebbe stato in concreto realizzabile se non nei termini di un *transfert* ideologico che desse a ogni iscritto al partito — fosse un professore, un impiegato, un barbiere o un bracciante — la sensazione di essere parte integrante del *proletariato* e di condividerne intimamente le qualità rivoluzionarie e la missione storica.

Ecco che, in conformità con il suo progetto, il partito nuovo fu, fin dall'inizio, qualcosa di molto piú complesso di una semplice sommatoria di operai e di popolo. Fu piuttosto pensato e costruito come un'entità organica nella quale le originarie differenze di ceto, e persino di classe, dei suoi elementi costitutivi venivano eliminate da un forte processo di omologazione ideologica.

Le vie di accesso al comunismo erano infinite e alla militanza comunista si attribuiva il valore di una sublimante sintesi di passione rivoluzionaria e di comportamento civile: una sintesi insieme politica e culturale che imponeva un particolare costume e una conseguente disciplina regolata da rituali e liturgie.

L'orizzonte del reclutamento comprendeva la totalità delle masse lavoratrici, ma soltanto una parte di esse possedeva le qualità ufficialmente necessarie per diventare comunista. «Tra i lavoratori», chiariva il testo delle direttive per la campagna di tesseramento del 1949 «vi sono migliaia e migliaia di operai, di impiegati, di contadini, che durante le lotte, le agitazioni, gli scioperi, rivelano il loro spirito onesto e combattivo e che possono essere quindi reclutati al nostro partito perché sono gli elementi di avanguardia»[7].

Questa cura selezionatrice non impediva affatto che in concreto si largheggiasse nel riconoscimento dei titoli idoneativi a quanti chiedevano l'iscrizione al partito. Persino l'avere militato nel Pnf o in altre organizzazioni fasciste non era considerato un fatto ostativo e meno che mai per la generazione giovanile formatasi all'ombra del Littorio nelle cui inquietudini Togliatti ritenne di potere individuare «spunti ideologici nuovi, una nuova coscienza in embrione dei problemi sociali [...], una curiosità vivissima delle grandi e nuove conquiste e realizzazioni sociali e politiche progressive [...], fermenti, ricerca» e sicure propensioni al rinnovamento[8].

Sta di fatto che nel passaggio dalla clandestinità alla legalità, sotto la spinta della mobilitazione resistenziale e della successiva esperienza di partecipazione al governo nazionale, il Pci ebbe una crescita impressionante che gli consentí, tra il 1946 il 1947, di superare il traguardo dei due milioni di iscritti. A un numero cosí grande di persone era ormai riconosciuto il titolo di «elemento d'avanguardia»; ma senza particolari e severi accorgimenti che garantissero la continuità metodologica del leninismo nell'organizzazione e nella gestione politica, sarebbe stato il partito a perdere il carattere di avanguardia, rischiando di perdersi e di esaurirsi in un vasto movimento di forze popolari genericamente ispirate da idealità comuniste.

Ben consapevole del pericolo, Togliatti fu fermissimo nella difesa dei caratteri originari della sua nuova costruzione politica: «dobbiamo mantenere questo carattere di massa al nostro partito; ma, creato un partito cosí numeroso, bisogna riuscire a farlo funzionare come un partito comunista»[9]. Il partito di massa doveva essere «in pari tempo una forza dirigente»[10].

La forma leninista del partito di massa: gerarchia e democrazia

Le irrinunciabili esigenze leniniste vennero garantite da un sistema organizzativo fondato in pratica sulla distinzione tra *compagni dirigenti* (di norma i funzionari, rivoluzionari di professione) e *compagni di base* (i semplici militanti senza responsabilità di direzione politica). Questi ultimi, fin dal momento della loro iscrizione al partito, venivano immessi in un ordinamento nel quale i compiti di direzione politica facevano capo ad una struttura gerarchizzata che, vista dal basso in alto, andava dagli organi e dal personale delle segreterie di cellula e di sezione ai vertici delle sedi decisionali nazionali, attraversando i livelli intermedi costituiti dagli organigrammi delle federazioni provinciali.

Ovviamente a nessuno dei compagni di base era negata la possibilità di conquistarsi una funzione dirigente. Anzi, questa possibilità valeva innanzitutto come una doverosa tensione di autopromozione politica che ciascun militante era chiamato a coltivare; e se ne favoriva dall'alto la realizzazione con una continua e intensa iniziativa per la formazione di quadri nuovi e giovani che coinvolgeva gli elementi piú attivi e potenzialmente piú preparati della base.

Il ricambio del personale dirigente era notevole soprattutto ai livelli intermedi delle federazioni provinciali e il frequente spostamento da una sede all'altra dei compagni piú sperimentati serviva egregiamente lo scopo di fare sviluppare il partito nelle aree del paese piú resistenti alla penetrazione comunista e di favorire la formazione di dirigenti locali spesso destinati a un brillante avvenire nazionale.

Tuttavia è difficile condividere fino in fondo l'ottimismo interpretativo con il quale Giorgio Amendola vede già nel 1944, «coll'inizio della Resistenza», la fine definitiva della «storia del partito comunista di quadri, ristretto e severamente selezionato, bolscevizzato, secondo la direzione impressagli dai suoi fondatori — ed essenzialmente da Antonio Gramsci — e le severe direttive dell'Internazionale comunista»[11]. Gli si può dare ragione per quanto riguarda alcuni dati certi di un'evoluzione in corso: la vistosa crescita quantitativa; il superamento di un'impostazione che, in passato, aveva limitato l'impegno politico «soltanto alla critica e alla propaganda»[12]; la contestuale liquidazione delle originarie stimmate di partito sovranazionale (sezione del Comintern) e la piena acquisizione dei caratteri di un «partito nazionale italiano» capace di assumere, con adeguata mentalità di governo, un ruolo propulsivo «per la costruzione di un regime democratico» in Italia «accanto alle altre forze conseguentemente democratiche»[13]; il conseguenziale impegno per l'eliminazione di ogni residua tendenza all'arroccamento e al settarismo.

Però è lecito coltivare dubbi consistenti sulla fine della bolscevizzazione (a meno che al processo non si dia un senso del tutto particolare che illustreremo fra poco) e non regge affatto il confronto con la realtà l'osservazione che dà per scontato il superamento del sistema dei quadri.

Infatti, il partito nuovo continuava ad essere un'organizzazione molto controllata al suo interno, nonostante l'appariscente apertura verso l'*esterno*; un'organizzazione molto attenta a scongiurare il pericolo dell'infiltrazione degli avversari, severamente vigilante e selettiva nell'attribuzione delle responsabilità di direzione politica, preoccupata di assicurare a tutti i livelli la compattezza delle forze mediante un esercizio unitario delle funzioni di comando; un'organizzazione, pertanto, nella quale diventava inevitabile, in conseguenza della stessa trasformazione in partito di massa, una sempre piú accentuata dicotomia tra i rivoluzionari di professione e i semplici militanti.

Nell'insieme, si trattava di un'entità politica assai complessa il cui modello si sarebbe potuto confrontare con quello di una Chiesa dotata di una forte base di fedeli e governata da pastori formalmente eletti da sovrani organismi comunitari (le assemblee, i congressi, i comitati federali, il Comitato centrale), ma in realtà nominati, prescelti, promossi e avviati a uno specifico *cursus honorum* da una gerarchia attenta a vagliare, utilizzare e premiare le testimonianze di fede.

Non a caso la figura del dirigente, a partire dai livelli intermedi dell'organizzazione, coincideva con quella del funzionario di partito e, a tutti i livelli, dalla cellula al Comitato centrale, la promozione degli iscritti alle cariche politiche avveniva con il metodo della cooptazione, risolvendosi, pertanto, in una pura e semplice designazione dall'alto.

Per un'oggettiva qualificazione derivante dal distinto *status* politico, corroborata spesso da soggettive predisposizioni al comando, i dirigenti funzionari costituivano una sorta di clero informale dotato di un'investitura, nella quale l'ideologico surrogava il sacro, che ogni membro doveva continuamente verificare, nel titolo e nel merito, con l'efficienza di un lavoro politico svolto, a tempo pieno, in assoluta dedizione al partito.

Integrato con quello «sacrale» e continuo dei dirigenti, l'impegno piú volenteroso che professionale dei semplici militanti ne costituiva insieme la fruttificazione e la fonte di legittimazione. Questo non significa affatto che alla massa degli iscritti senza responsabilità direttive fosse attribuito il ruolo passivo e subalterno di un gregge da condurre al pascolo. La condizione di *part time* in rapporto al lavoro politico-organizzativo non comportava un affievolimento del valore formale e della qualità della militanza. Ogni compagno aveva il diritto-dovere di una diretta assunzione personale di tutti i valori e i fini del partito; ognuno aveva la responsabilità e l'onore di essere comunista integrale, quale che fosse la sua quotidiana attività lavorativa, in una fabbrica o in una scuola, in una fattoria agricola o in un ospedale: comunista, *uno* e *indivisibile*, per mentalità e costume, in pubblico e in privato, attivo e vigilante nei confronti degli avversari, sempre pronto ad offrire testimonianza di fede e di determinazione nella lotta.

Le affinità con una condizione di militanza ecclesiale son fin troppo evidenti per rimarcarle ancora. Epperò il Pci, nel suo complesso, aveva anche da affrontare un problema che di solito per le Chiese non esiste: partito fattivamente in lotta per il rinnovamento democratico del paese, partito che chiamava le masse ad un'intensa partecipazione politica, doveva fare funzionare innanzitutto al suo interno la democrazia.

Si vedrà piú avanti se e in quale misura, e in quali forme, questa esigenza venne concretamente appagata. Frattanto è utile rilevare che l'impianto organizzativo e soprattutto la dicotomia dirigenti-militanti (nonostante tutti gli accorgimenti e gli sforzi per eliminarla) costituivano, in proposito, degli ostacoli superabili solo con molta difficoltà e comunque nell'ambito di una concezione della democrazia molto distante da quella della tradizione liberalborghese.

Nel partito nuovo di Togliatti la debolscevizzazione rilevata da Amendola operava non nel senso di ridurre la forza di direzione e il potere decisionale dei quadri, ma di trasformare la vecchia *membership* esclusiva e ristretta del modello leninista in un sistema molto piú articolato e complesso nel quale i rivoluzionari di professione (formalmente eletti dai congressi e dalle assemblee di base) diventavano gli elementi di una gerarchia piramidale impiantata su una base di massa e da essa alimentata.

Se non si vuole insistere ancora nel raffronto con il modello-Chiesa, si può comunque, e forse piú correttamente, rilevare che si trattava dello sviluppo verso una forma di *partito-Stato* in qualche modo simile a quella realizzatasi nell'Urss con il Pcus staliniano[14]. In altri termini, il Pci stava attraversando, nella sua specifica situazione nazionale, una fase di rinnovamento organizzativo in linea di massima tutt'altro che difforme dall'itinerario delle trasformazioni del partito sovietico da Lenin a Stalin.

Tuttavia, in Italia, anche per la particolare sensibilità politica e culturale della leadership togliattiana, la questione della democrazia nel partito non era facilmente accantonabile o mistificabile. Conseguentemente, con tutti i limiti del suo marxismo-leninismo in vulgata staliniana, la vita del Pci sarebbe stata costretta a svolgersi come una permanente scommessa democratica, tra autoritarismo e consenso, partecipazione e disciplina.

Lo sviluppo e la netta evidenziazione di originali caratteri italiani sarebbero andati di pari passo, negli anni, con la crescente influenza del pensiero di Gramsci sulla dottrina e sui processi organizzativi del partito. Il gramscismo avrebbe disgregato e via via liquidato la morfologia sovietico-staliniana, su un terreno, peraltro già fertile, preparato da Togliatti, fin dal 1944, dai tempi della svolta di Salerno.

Nel quadro di una riflessione sollecitata dalle esigenze italiane e corroborata anche dall'esperienza spagnola[15], il leader comunista aveva definito una strategia per la transizione al socialismo fondata sull'assunzione diretta, da parte dei comunisti, di un ruolo guida nelle lotte per la rinascita dal fascismo e per la realizzazione di una «democrazia progressiva». Con questa definizione progettuale intendeva indicare una prospettiva temporalmente indefinita di radicali cambiamenti nell'ordine dei rapporti istituzioni-potere-economia-società, per la fondazione dell'egemonia operaia: fare intervenire nella realtà italiana «come elemento nuovo di direzione di tutta la nazione, la classe operaia e attorno ad essa, serrate in un fronte unico, le grandi masse lavoratrici del paese»[16]. Tale egemonia sarebbe stata la condizione necessaria per un'eventuale conquista comunista dello Stato: un processo prevedibilmente travagliato di progressivo insediamento comunista nel sociale, di sperimentazione e di verifica di capacità di governo in alleanza con le forze democratiche della borghesia, e di contestuale rivoluzione culturale, «per arrivare a sviluppare la democrazia fino al limite estremo, che è precisamente quello del socialismo»[17], seguendo «strade nuove», strade diverse da quelle «per esempio seguite dalla classe operaia e dai lavoratori dell'Unione Sovietica»[18].

Già intimamente intrecciato con la dottrina togliattiana della transizione e con la strategia della democrazia progressiva, il gramscismo — come vedremo ancora nell'analisi di altre questioni — fungeva, tra gli altri quaranta e i primi anni cinquanta, soprattutto da modulo di traduzione *in italiano* dell'esperienza sovietica. In seguito, dall'approfondimento della lezione dei *Quaderni del carcere* sarebbe venuto — con pressanti indicazioni per la stessa prassi del partito — l'orientamento ad assumere il concetto di egemonia non come l'idea di un sistema di condizioni dalle quali partire per realizzare la dittatura del proletariato, bensí come il fondamento strategico di un'ipotesi di governo indissociabile dal concetto di democrazia nel rapporto tra dirigenti e diretti[19].

Comunque incupito dall'ombra intatta e densa dello stalinismo, il Pci di Togliatti svolgeva concretamente un grande ruolo nazionale, un ruolo capillare di rinnovamento per la società italiana di cui valuteremo l'intensità e i risultati.

Concepito e rappresentato dai dirigenti e dai militanti come una *societas perfecta* in costante espansione in una vasta area ostile dominata dalla borghesia capitalistica, esso — nel suo modello-Chiesa e, quindi, con il suo clero, la sua dommatica, i suoi riti — avrebbe coinvolto una parte molto ampia ed eterogenea della società italiana, aggregando sul fronte di opposizione alla «repubblica guelfa» masse provenienti da una miriade di ceti.

Cosí, il Pci sarebbe stato, al di là del dato quantitativo pur rilevantissimo dei suoi iscritti, il fondamentale polo di sinistra della dialettica svoltasi nell'Italia degli anni cinquanta tra antifascismo e fascismo residuale, tra proiezioni del processo resistenziale e tentazioni reazionarie, tra progresso e conservazione, cioè tra i vari fattori di contraddizione di una democrazia ancora incerta, dislocatisi dopo il 18 aprile del 1948 sui due grandi fronti contrapposti dell'Italia laica e di quella cattolica. Paradossalmente laico, quanto paradossalmente clericale, avrebbe filtrato e convertito in tensioni progressiste — rendendole direttamente utilizzabili da parte del movimento operaio — le istanze, le inquietudini e persino gli elementi di arretratezza culturale e politica che venivano dalle basi piccolo borghesi e agrario-contadine della società italiana. In questa faticosa esperienza di mediazione e di sintesi, avrebbe assorbito, nella sua organizzazione e nella sua cultura, forme di mentalità e di costume, metodi, procedure e stilemi, originati da un mondo popolare che aveva le sue radici nella tradizione cattolica.

Linea politica e dialettica governanti-governati:
il centralismo democratico

Assicuratasi una dimensione di massa predisposta ad una illimitata espansione, e insieme preoccupato di salvaguardare gli originari caratteri leninisti dell'«avanguardia», il «partito nuovo» si trovò ad esperire subito la contraddizione tra l'*intensità* (i valori qualitativi del comandare e dell'ubbidire, misurati in rapporto ad una ideale purezza ideologica e a una pratica unità dei fini) e l'*estensione* (la forza quantitativa, misurata dal numero degli iscritti).

Immanuel Kant ha scritto che l'estensione è «la quantità nella quale la rappresentazione delle parti rende possibile la rappresentazione del tutto»[20]. Questa definizione bene si attaglia al Pci togliattiano nel quale ogni cellula tendeva a rappresentarsi come una miniatura dell'intero partito.

Ma il problema di tradurre la quantità in qualità era pur sempre assai difficile, soprattutto per il processo di formazione delle decisioni politiche che dovevano risultare tanto normative quanto unitarie e sostenute da un universale consenso, prescindendo dalla consueta dialettica liberaldemocratica tra maggioranza e minoranza. Per risolvere il problema si tentò di combinare il metodo sbrigativamente dirigistico dell'avanguardia leninista con la cura di fondare e di verificare le decisioni in un «ampio e costruttivo» dibattito che avrebbe dovuto coinvolgere, possibilmente, l'impegno di analisi e di riflessione di tutti i militanti. Dalla combinazione ci si attendeva l'auspicata sintesi di qualità e quantità, di forza unificante e di consenso diffuso: cioè non l'effetto di un astuto esercizio autoritario coperto dall'estorta condiscendenza di una base di credenti, ma l'espressione, e la puntuale registrazione, in forma normativa, di una roussoiana «volontà generale» del partito «uno e indivisibile». Si trattava di quel sistema di metodi e procedure correntemente denominato «centralismo democratico». Vediamo subito come esso veniva spiegato ai catecumeni delle scuole di partito.

La minoranza deve sottomettersi alla maggioranza ed impegnarsi ad applicare lealmente la linea politica adottata.

Perché il partito possa funzionare le organizzazioni inferiori debbono sottomettersi alle organizzazioni superiori ed ogni compagno alle decisioni dell'organizzazione di cui fa parte.
Sarebbe assurdo pensare che da questo sistema derivi una disciplina meccanica e caporalesca. Al contrario. Una viva corrente di idee, di opinioni, di esperienze, giunge dalla base al centro del partito [...]. La struttura democratica e centralizzata del nostro Partito deve servire a renderlo piú forte e perciò piú unito. Da qui sorge l'esigenza di Lenin di una «completa soppressione di ogni frazionismo»[21].

Erano concetti che venivano da lontano, dall'itinerario dell'esperienza bolscevica, dalle fonti teoriche della sua insanabile frattura con i menscevichi, dall'elaborazione leninista del *Che fare?* e di *Un passo avanti e due indietro*. La loro formulazione catechistica riproduceva, quasi alla lettera, un brano del secondo capitolo (paragrafo cinque) della staliniana *Storia del Pc (b) dell'Urss*[22]. Per individuarne le origini, occorre risalire — seguendo il tracciato esplicitamente indicato da Lenin — ai modelli di organizzazione della lotta politica messi a punto dai giacobini francesi[23].

Il centralismo democratico era, quindi, una silloge bolscevica del giacobinismo. Il valore che vi assumeva il concetto di maggioranza era molto piú ampio e profondo di quello di un mero modulo tecnico per disciplinare il processo delle decisioni politiche. Esso idealizzava una sintesi a superamento della pura e semplice sommatoria delle volontà particolari. Cosí, depurata da influenze personali, assoluta e oggettiva — *volontà generale* e non *volontà di tutti* — identificava quella che correntemente veniva indicata come la «linea politica» del partito, un ideale-concreto che richiamava un alcunché di trascendente e di mistico, un comando autorevole dall'alto, sostanziato di democratico consenso, ineffabile per chiunque non fosse un militante ideologicamente maturo.

È difficile acquisire conoscenza chiara e distinta della paradossale vitalità democratica del Pci in quel suo inestricabile intreccio di autoritarismo e di consenso. Formalmente la linea politica — cioè la sintesi della normativa politica, la volontà del partito — veniva «elaborata, discussa, stabilita, adottata a maggioranza» dal congresso nazionale[24] costituito dai delegati eletti dai congressi regionali, a loro volta costituiti dai delegati eletti dai congressi provinciali, a loro volta costituiti dai delegati eletti dai congressi delle sezioni e delle cellule. Il tutto sembra, a prima vista — o, meglio, nell'articolazione formale disciplinata dallo statuto — un impeccabile sistema di selezione democratica dal basso in alto. Ma le cose in realtà stavano in un modo assai diverso perché il processo funzionava soltanto dall'alto in basso.

Il laborioso e articolato procedimento seguíto per l'elezione dei delegati nel concreto consisteva in un meccanismo di cooptazione mediante il quale l'establishment dei vari livelli dell'organizzazione si sceglieva il personale funzionale alla sua riproduzione. Cosí, come nel noto paradosso di Brecht («il popolo ha perso la fiducia dei dirigenti? Basta eleggerne un altro!») erano di norma gli elettori a dipendere dagli eletti e non viceversa, dato che i delegati ai congressi, da quelli di sezione al congresso nazionale, venivano di volta in volta prescelti sulla base di una designazione dei dirigenti.

In pratica, il procedimento elettorale predeterminava i suoi risultati, perché nessuno avrebbe potuto essere eletto se non fosse stato preliminarmente riconosciuto *in linea* col partito e un siffatto riconoscimento — qualcosa di simile a una vera e propria investitura — era di pertinenza pressoché esclusiva dei dirigenti, cioè dei primi depositari e interpreti ufficiali della *linea* che, ai vari livelli dell'organizzazione, avevano uno scontato diritto alla prima e all'ultima parola.

Cosí i congressi si risolvevano nella ritualità, talvolta accentuatamente coreografica, di un dibattito democratico il cui compito fondamentale — a parte gli auspicati arricchimenti di analisi e di riflessione che sarebbero potuti venire dagli interventi e che sarebbero stati alla fine registrati dalle conclusioni — consisteva nell'offrire una legittimazione formale (un'ufficiale approvazione) agli argomenti e alle tesi illustrate dalla relazione introduttiva e nell'assicurare l'elezione alle persone prescelte dalla leadership per i conseguenziali impegni esecutivi. Né sarebbe stata immaginabile un'esperienza diversa in assisi congressuali che erano solite chiamare alla presidenza onoraria dei loro lavori «Carlo Marx, Federico Engels, Wladimiro Ilic Lenin, Antonio Gramsci, tutti i caduti per la causa della libertà, del lavoro e del socialismo, i piú amati dirigenti del movimento comunista e democratico: Giuseppe Stalin, Palmiro Togliatti, Mao-Tse Tung, Kim Ir Sen»[25].

Formalmente, nei congressi e nelle varie sedi decisionali, i militanti delegati avrebbero dovuto fungere da forza legiferante di fronte alla forza di governo costituita dal gruppo dirigente; ma poiché soltanto quest'ultimo fruiva di una composizione organica che conferiva ai suoi membri la qualità perfetta dei rivoluzionari di professione, era quasi naturale che fosse la stessa forza di governo la piú abilitata a interpretare la «volontà generale» del partito e quindi anche a legiferare con uno scontato consenso, attribuendo all'intero corpo dei militanti il ruolo di fonte e di fondamento delle sue decisioni.

In questo modo, la metodologia giacobino-bolscevica del centralismo democratico coinvolgeva inscindibilmente, a tutti i livelli, da quelli inferiori o di base a quelli superiori, sia il processo di formazione e di convalida della leadership (mediante un concreto meccanismo di selezione-cooptazione), sia il processo di formazione e di perfezionamento, e di definizione finale, della linea politica. La scelta dei candidati alle cariche di partito avveniva di norma sulla base di liste preparate puntigliosamente dai comitati direttivi (delle cellule, delle sezioni, delle federazioni, ecc.) e trasmesse alle commissioni elettorali dei rispettivi congressi che, dopo averle formalmente vagliate (attuando, se opportuno o necessario, ulteriori operazioni di dosaggio a fini di efficienza organizzativa) le rinviava al caloroso applauso del corpo elettorale, costituito ora da tutti i militanti come nel caso delle assemblee di base, ora dai delegati eletti dalle assemblee di base, come nel caso dei congressi di federazione e, ovviamente, del congresso nazionale[26].

A sua volta, la linea politica elaborata, discussa e stabilita dal congresso era, in concreto, la sintesi, verificata e legittimata dal consenso, dell'orientamento impresso all'azione del partito dall'apparato dirigente: compiutosi il rito della legittimazione congressuale, con un procedimento di impianto gerarchico (le tesi e le proposte offerte al giudizio della base erano quelle stesse elaborate in *alto* e fatte discendere verso il *basso* seguendo la trafila delle relazioni affidate a compagni dirigenti di sicuro mestiere), «tutte le organizzazioni del Partito si impegna[va]no a seguire e a realizzare le direttive stabilite»[27]. In altri termini, «una volta stabilita la linea, le istanze inferiori» dovevano «subordinarsi alle istanze superiori»: anche «l'eventuale minoranza» doveva «subordinarsi alle decisioni della maggioranza e lavorare per la loro realizzazione»[28].

Ora ognuno vede che, nonostante i suoi caratteri di proposta democraticamente elaborata e verificata, la linea politica era qualcosa di simile a un surrogato laico della verità religiosa: oggettiva fino a perdere qualsiasi contatto con i suoi processi di formazione, diventava norma *super partes*, con un alcunché di trascendente e di mistico per i singoli militanti. È vero che, come precisava Carlo Salinari, la linea politica andava conquistata da tutti i militanti, «nello stesso partito, lottando all'interno del partito, obbligando, se necessario, a fare prendere in esame le istanze della base, perché ciò corrisponde[va] ad un più giusto lavoro per una più giusta realizzazione della politica del partito»[29]; ma è pur vero che sempre le esigenze dell'unità — secondo quanto era richiesto, si badi, non soltanto dai dirigenti, bensí dagli stessi militanti — dovevano prevalere su perplessità, dubbi e diversità di opinione. «Ogni militante del nostro partito», ammoní l'esemplare operaio della Fiat Salvatore Contini, «deve correggersi e attenersi esclusivamente alle direttive del nostro organo dirigente affinché non si cada in contraddizioni dannose all'unità popolare, che maggiormente deve serrare le file, per mantenersi più che mai compatta e unita»[30].

Questo orientamento dei compagni più duri e bolscevizzati non era comunque universale e cominciava ad essere contestato da numerosi elementi della stessa base operaia. Per esempio, l'operaio della Fiat Secondino Cerrato rilevava che fin troppi compagni si attenevano alla linea del partito: «ci dovrebbe essere più sincerità fra compagni e compagni»[31]. Qualcuno osava addirittura denunziare il carattere coercitivo e antidemocratico del costante rinvio alla linea politica:

Altri troncano le discussioni dicendo all'interlocutore: «basta, inutile parlare con te, tanto tu non sei in linea con il partito!» Ma chi garantisce che il primo, in fatto di politica e di partito, sia più quadrato del secondo?[32]

Tuttavia — come si vedrà meglio in altro paragrafo — sul valore della fedeltà alla linea, caposaldo intangibile della morale comunista, non era lecito nutrire dubbi. Il che stabiliva un legame di fondamentale importanza che non consisteva tanto nella comune subordinazione a una rigorosa disciplina quanto, e soprattutto, nella sensazione soggettiva e oggettivante di appartenere a una forza compatta e inscindibile guidata da una superiore verità storica.

Come scriveva Giulio Trevisani a proposito del suo *Calendario del popolo*, le direttive del partito e le riflessioni che su di esse i comunisti erano chiamati ad elaborare in spirito unitario producevano una «luce diffusa di panorami di verità»[33]. In virtú della profonda permeazione delle coscienze operata da una siffatta illuminazione, veniva assicurato a tutti i livelli un rapporto di immediata immedesimazione dell'ideologia bolscevica (il primato del *politico* e la funzione-guida dell'avanguardia o del «partito dirigente») con la vasta, dilatata area di militanza del «partito diretto».

In sostanza, il principio della fedeltà alla linea consentiva al vecchio partito dei rivoluzionari di professione di trasformarsi nel togliattiano partito di massa, senza smarrire il senso e i caratteri di fondo della sua originaria identità.

Gli organi di base del lavoro politico e l'identità dei militanti

In tutta l'Italia non si sarebbe trovato un solo comunista che non fosse convinto del valore apodittico e universale della fantasiosa metafora adottata da un compagno, Giuseppe Pinto, della Federazione di Bari per definire l'impianto organizzativo del Pci: «Il partito è come una nave, per la quale occorre tutto il personale che svolga coscienziosamente il suo lavoro onde permetterle di andare speditamente innanzi. Se qualcuno dell'equipaggio dovesse mancare ai suoi impegni la nave potrebbe deviare la sua rotta»[34].

Dedizione e spirito critico, partecipazione e ubbidienza, iniziativa individuale e individuale disciplina nell'organico e indivisibile ordine delle varie unità organizzative, senso di responsabilità e passione, omologavano le diverse attitudini d'impegno politico dei militanti nel contesto di un'esperienza alimentata da una sua conforme quotidianità di convincimenti e costumi, di riti e liturgie. In quel contesto, le identità sociali esterne al partito (quelle, tanto per intenderci, definite dai mestieri, dalle professioni, dalle tradizioni di famiglia e dai livelli ufficiali di cultura) venivano, per cosí dire, disgregate e riaggregate in forme nuove e peculiari, sicché indifferentemente, per esigenze di volta in volta valutate in funzione del lavoro politico da svolgere, un operaio avrebbe potuto diventare dirigente, mentre un compagno intellettuale sarebbe rimasto un semplice militante di base; un contadino avrebbe avuto l'incarico di presiedere un'assemblea, di tenere un comizio o di guidare un'organizzazione di massa, mentre uno studente o un professore sarebbero stati destinati all'affissione dei manifesti, al volantinaggio o alla diffusione della stampa di partito.

Questa reinvenzione politica delle identità sociali e la notevole mobilità e intercambiabilità dei compiti assegnati contribuivano in modo decisivo a fondare nella quotidiana concretezza di un lavoro comunitario il senso della definizione «compagno» e quindi ad accendere in ogni militante la coscienza di essere portatore e protagonista di un impegno rivoluzionario.

L'organismo vivente della militanza e il propulsore del protagonismo rivoluzionario, nella comune percezione degli iscritti, prima ancora che nel formale dettato statutario, era la cellula, insediata nelle sedi di lavoro, nelle fabbriche, nei cantieri, dove si realizzava la piú immediata sintesi tra la condizione professionale esterna al partito (l'essere un operaio, un impiegato, un lavoratore) e il lavoro politico svolto per e nel partito.

È nella cellula — recita il testo di una minuziosa circolare della Federazione di Brescia, riprendendo note affermazioni di Lenin — che si riuniscono i comunisti, è la cellula che tiene i rapporti, è la cellula che dirige le masse lavoratrici nel proprio ambito di azione. È la cellula che elabora e realizza la linea politica del partito, che prepara i piani di lavoro, che fissa ad ogni militante il suo compito. È la cellula che rappresenta la vita del partito e che recluta i nuovi compagni e che procede all'espulsione e a qualsiasi provvedimento disciplinare. Solo nella cellula il comunista è un dirigente della classe operaia [35].

Analogo ruolo veniva attribuito all'altra unità organizzativa di base, la sezione, che era l'equivalente della cellula nel quadro dell'articolazione territoriale del partito. Si potrebbe anche osservare che si trattava di un nucleo organico di militanza la cui funzione, rispetto alla federazione provinciale, era molto simile a quella assolta, nella Chiesa cattolica, dalla parrocchia nei confronti della diocesi.

Era, infatti, la sezione, la basilare unità di impegno politico comunista nel territorio ben delimitato che costituiva la sua circoscrizione: lí viveva, si organizzava, si verificava, la quotidianità della lotta di classe dei compagni; lí si pensava, si discuteva, si studiava, si operava. Era il centro direttivo di una capillare rete di attivisti e «collettori», il motore del lavoro politico, della propaganda e del reclutamento, l'assise della vigilanza e della disciplina, il faro per l'orientamento ideologico, la casa comune.

Ovviamente il massimo dell'attivismo si registrava in quelle aree nelle quali il partito era piú forte e radicato, come a Bologna dove le sezioni e le cellule, al di là del routinario lavoro di propaganda e di proselitismo, si dedicavano con particolare impegno, con una cura quasi ossessiva e una metodologia catechistica, all'attività «per accelerare e migliorare il livello politico e ideologico dei compagni»[36] e diventavano osservatori attenti della realtà sociale circostante, veri e propri centri-studi popolari:

> Bisogna [...] che per ogni sezione si prepari una cartella la quale non contenga soltanto dati di carattere amministrativo [...] ma la parte piú importante, piú curata [...] è quella di mettere in quella cartella i dati sulla situazione economica, sociale, politica, ecc. della circoscrizione della zona dove esiste quella sezione. Questo obbligherà noi a studiare, assieme ai compagni che abitano e lavorano lí, la situazione, li arricchirà di una esperienza concreta[37].

Un compito costante era quello di realizzare una diffusione capillare della stampa comunista, imitando i cattolici, come suggeriva Giuseppe Dozza («alle domeniche organizzare di continuo lo strillonaggio dell'*Unità* in tutti i luoghi»[38]); un lavoro umile e penetrante, da valutare per i suoi effetti a lunga scadenza:

> [...] mi diceva il compagno Magi che aveva dato da leggere *Rinascita* a un suo collega medico, ebbene, questo, che prima non sapeva nemmeno dell'esistenza della rivista gli è piaciuta e adesso la legge di continuo[39].

Non era esclusa dalle sezioni — anzi, se ne apprezzavano gli esiti positivi ai fini della «fraternizzazione» degli iscritti e dell'allargamento dell'influenza politica sul tessuto sociale del territorio — l'attività ricreativa che spesso, nella comune fruizione del tempo libero, in occasione di celebrazioni come quelle degli anniversari della rivoluzione d'ottobre e, scontato il 1° Maggio, anche alla data di feste del calendario cristiano (il Natale, la Pasqua), integrava le famiglie, le parentele, le amicizie, l'intero mondo delle relazioni sentimentali dei compagni, con banchetti, tombole, gite, pomeriggi danzanti, veglioni.

Talvolta si esagerava nel fare funzionare le sezioni come circoli ricreativi. Il dirigente Italo Scalambra ebbe a denunziare il fatto che a Ferrara «tutta l'attività» fosse svolta «in senso puramente commerciale»: nelle sezioni, rilevò con indignazione, certo esagerando la valutazione di fatti che in realtà erano soltanto occasionali, «si pensa soltanto a guadagnar quattrini col ballo; non dico che questo non si debba fare, ma non deve essere il principale pensiero»[40].

Altrove si perdeva tempo a giocare a carte. Nei vecchi locali della sezione Bertolini di Messina, per esempio, «il gioco incominciava alle nove del mattino per terminare a tarda ora la sera», sicché — rilevò il compagno Nino D'Agostino, responsabile della Commissione-quadri provinciale — la sezione si era trasformata in «una vera e propria bisca, perché si giocava d'azzardo e la posta non era indifferente»[41].

Vizio, questo dei perditempo, piuttosto diffuso soprattutto nel meridione, come avveniva a Bari, dove, rilevavano Arianin Guelfi e Renato Scionti, «un aspetto caratteristico della vita delle nostre sezioni è la permanenza nella sede del partito di un numero, piú o meno grande, di compagni che non vengono in sezione né per scopi ricreativi, né per lavorare, ma soltanto per stare seduti: ciò tende a trasformare l'aspetto di alcune sezioni, anche per l'età di questi compagni, in circoli di pensionati»[42].

Ovviamente, la stessa preoccupazione che sollevavano i casi lontani dallo standard medio dell'efficienza organizzativa rivelava il rigore con il quale ci si occupava del problema di assicurare anche e soprattutto ai compagni di base la condizione di esponenti attivi di un lavoro rivoluzionario.

Si trattava ogni volta di indurre il convincimento dell'importanza di tutti i compiti politici affidati ai singoli, fossero pure i compiti di per se stessi piú umili ed elementari, alimentando nelle attività del giorno per giorno, dentro il partito e fuori, la sensazione di un continuo stato di lotta e di vigilanza: una sensazione da mantenere tanto piú carica di capacità reattive e d'iniziativa, e allarmata da pericoli sempre in agguato, in quelle zone del paese, lontane dalla situazione privilegiata delle regioni rosse, dove invece le sezioni comuniste spesso sperimentavano tutte le difficoltà di un isolamento simile a un assedio.

Disciplina e liturgia: il battesimo comunista

L'impegno con il quale Togliatti sosteneva la sua politica per fondare, radicare e ampliare un partito rivoluzionario di massa era inevitabilmente pagato dai militanti in termini di rigorosa disciplina e di attivismo partecipativo: se, infatti, il numero certificava la massa, soltanto la qualità assicurata dalla consapevolezza del lavoro politico da svolgere, ed effettivamente svolto, certificava il fedele rapporto degli iscritti con le finalità rivoluzionarie. Pertanto, le forme e i modi della partecipazione dei singoli alle lotte del partito erano soggette ad un continuo controllo.

La quantità della base militante andava ampliata con il proselitismo, e nel contempo, con il coinvolgimento attivo dei suoi soggetti nel lavoro politico, se ne verificava, caso per caso, persona per persona, l'affidabilità. A questi fini assumeva un ruolo assai particolare l'operazione del tesseramento, ripetuta ogni anno con procedure che affinavano e interiorizzavano quel senso quasi religioso della decisione personale di iscriversi al partito che faceva parte di un'antica tradizione dei movimenti politici della sinistra: vero e proprio battesimo laico per i nuovi iscritti, il tesseramento assumeva per i già militanti il valore di una responsabile riconferma nella fede.

Il rinnovo della tessera da parte del militante comunista, e la nuova iscrizione al partito per il lavoratore di avanguardia, è di per se stessa un'azione di lotta, è un impegno al combattimento, un giuramento di fedeltà ai princípi del marxismo ed alla lotta delle masse. La tessera è per il militante comunista il documento che lo lega alla grande famiglia dei comunisti; rappresenta l'ideale per il quale si è battuto, si batte e si batterà[43].

Prescriveva Arturo Colombi che la consegna della tessera non poteva e non doveva essere «un atto formale e meccanico, ma doveva essere visto e sentito, nell'intimo e nella forma esteriore, come un atto politico di alto contenuto ideale»: compiere per la prima volta o «rinnovare l'atto di fedeltà al partito»[44]. Non granché dissimile dal battesimo cattolico, anche il tesseramento comunista (lo si precisava nei fogli d'ordine e nelle circolari del partito) avrebbe dovuto assumere un «carattere di gioiosa festività»: all'uopo era consigliata l'organizzazione di «feste di cellula e di sezione per la consegna collettiva di tessere ai nuovi iscritti», perché, precisavano i dirigenti della Federazione di Bari, «avere la tessera del nostro Grande Partito deve essere un avvenimento da festeggiarsi»[45].

Gli obiettivi della campagna di tesseramento erano, per cosí dire, pensati in grande e tuttavia realizzati con calcolata prudenza. L'importanza della tessera comunista escludeva l'eventualità che la si potesse concedere senza criterio. «Bisogna reclutare al partito», ammoniva Valdo Magnani a Parma, «ma sapere chi si recluta»[46]. Occorreva fare attenzione a negare la tessera «ad elementi indesiderabili che avevano già dato prova di essere indegni di appartenere al partito»[47]: evitare che persone estromesse per indegnità o per altro da una sezione venissero poi iscritte in un'altra.

Il candidato all'iscrizione avrebbe dovuto in ogni caso possedere una ben riconoscibile qualità di «lavoratore d'avanguardia». Sarebbe stato prudente non darla mai per scontata tale qualità, tanto piú che il tesseramento, dopo il 18 aprile del 1948, andò assumendo nella percezione dei dirigenti e dei militanti «un carattere maggiormente politico e non solo amministrativo»[48].

Tesserare tutti i compagni già iscritti al partito, aumentarne il numero reclutando gli elementi di avanguardia, elevare il livello ideologico e politico, lo spirito di iniziativa e di combattività del partito, vigilare affinché gli agenti del nemico non penetrino nelle nostre organizzazioni, curare le condizioni per battere con successo ogni manifestazione di infiltrazione ideologica avversaria, allargare ed intensificare sempre piú i legami del partito con tutte le masse degli sfruttati, creare un partito di avanguardia e combattivo ben organizzato alla testa delle masse: ecco gli obiettivi della campagna del tesseramento. Ogni compagno, ogni compagna, coscienti dei doveri del militante comunista, sono impegnati con tutte le loro forze alla realizzazione di questi obiettivi[49].

Cosí finalizzato, il tesseramento era anche il banco di prova dell'efficienza delle strutture organizzative e dei loro operatori. Per i dirigenti e per i quadri intermedi esso costituiva un'occasione di affermazione ai fini della carriera politica nel partito; per il compagno di base, un'esperienza insostituibile di accertamento del suo valore che poteva aprirgli la strada verso l'alto.

L'operazione chiamava certo in causa la fantasia, ma esigeva l'adozione di un metodo rigoroso ed efficace. Era escluso che lo spontaneismo potesse surrogare l'organizzazione. Niente doveva restare improvvisato: né il procedimento, né il risultato da conseguire (prefigurato in base a una valutazione anticipata delle possibilità di conquistare nel territorio nuove iscrizioni al partito al di là del numero già acquisito delle tessere da rinnovare).

Secondo quanto precisava a Napoli Abdon Alinovi, la campagna del tesseramento avrebbe dovuto costituire di per se stessa «una lotta contro l'opportunismo nella pratica» (cioè contro l'ipotesi di una felice improvvisazione), «una battaglia contro la spontaneità nel lavoro [politico]»[50]. Questa indicazione valeva come una vera e propria direttiva metodologica ben nota a tutte le federazioni: «I compagni», ribadiva infatti a Padova Adolfo Tinarelli, «si mettono seriamente al lavoro se i comitati di sezione non lasciano il lavoro di tesseramento e del reclutamento alla spontaneità, ma l'organizzano sulla base di un piano e alla realizzazione di questo piano danno tutte le loro cure»[51].

Tra le istruzioni piú organiche e puntuali si possono citare quelle diffuse con un opuscolo a stampa dalla Federazione di Milano.

Il tesseramento deve essere fatto nel modo piú decentralizzato possibile. In troppi casi il tesseramento viene fatto al centro da parte delle sezioni: non è la sezione che deve realizzare il tesseramento, ma sono le cellule, tramite il collettore. Ogni cellula deve suddividere i propri iscritti in gruppi di dieci e affidarli ai collettori, i quali avranno il compito di realizzare il tesseramento. La sezione si deve limitare a prelevare le tessere in federazione, e timbrarle, a firmarle e a consegnarle ai comitati di cellula che a loro volta provvederanno a riempirle delle generalità dell'iscritto e a consegnarle all'interessato. La sezione ha il compito di controllare se le cellule svolgono questo lavoro e intervenire dove esse non funzionano. In questo modo potremo mobilitare migliaia e migliaia di compagni per la campagna del tesseramento. Lo strumento fondamentale per la realizzazione del tesseramento deve essere il collettore. La campagna del tesseramento deve essere un motivo di piú per riuscire ad introdurre in tutte le cellule, dove ancora non esistono, i collettori, e ad attivizzarli dove già esistono[52].

Mentre a Milano, e in genere nelle aree industriali, si faceva leva sulle organizzazioni di cellula coordinate e controllate dalle sezioni territoriali, altrove — principalmente nel Mezzogiorno — ci si avvaleva in modo preponderante delle strutture di sezione con un'utilizzazione intensiva dei compagni piú attivi e la stessa strategia del reclutamento era piú estensiva che intensiva, poiché diventava comprensibilmente primaria, in realtà sociali di stentato e difficile radicamento del partito, l'esigenza di conseguire risultati soddisfacenti dal punto di vista della quantità delle iscrizioni.

La spinta di una siffatta preoccupazione si coglie, per esempio, nelle istruzioni del dirigente napoletano Salvatore Cacciapuoti il quale suggeriva di dare «respiro politico» alla mobilitazione delle sezioni nel territorio cominciando la campagna di tesseramento con «comizi di apertura ben fatti, non generici, ma argomentati con problemi politici che esistono localmente», aiutando «i compagni e le masse a vedere» come la lotta che conduceva al partito passasse in concreto «per ogni singolo comune o frazione», dato che ovunque si potevano registrare i fattori oggettivi dello scontro con gli avversari di classe, persino nella «periferia del blocco reazionario»[53]:

> Occorre puntare su un nucleo di sezione e mandare sul posto attivisti della Commissione di organizzazione in modo permanente per il mese di reclutamento. Bisogna avere un nucleo d'assalto da potersi spostare per alcuni giorni in diverse sezioni, capace di fare il lavoro di caseggiato, il lavoro organizzativo, ecc., in modo da essere di esempio sul posto oltre a dare un contributo fattivo [...]. Noi dobbiamo raccogliere organizzativamente non solo quello che abbiamo già d'influenza tra le masse, ma anche impostare un'azione politica differenziata comune per comune[54].

In ogni caso e ovunque il tesseramento avrebbe dovuto assumere, come precisava *Toscana nuova*, i caratteri di una «grande manifestazione politica»: insieme una prova di rigore e di fede, un'operazione organizzativa e una festa, con una ritualità a volte persino pedantesca che non lasciava al caso neppure i piú minuti particolari.

> Ogni cellula deve assicurare come minimo dieci compagni per la compilazione delle tessere [...]; tutti gli scritturali devono essere muniti dell'occorrente [...]; tutti i segretari delle cellule saranno convocati alla sezione, ciascuno con la bandiera della propria cellula; essi a loro volta dovranno avere convocato i capi-gruppo collettori alle rispettive sedi; non appena quindi le tessere saranno compilate, verranno portate dai segretari alle sedi delle cellule e da qui, immediatamente, attraverso i capi-gruppo, consegnate a domicilio ai compagni[55].

Naturalmente erano previste anche delle gare di emulazione, con premi per quanti si fossero distinti in tanto impegno. A Milano, Colombi, Alberganti, Vergani e Brambilla fissarono per i primi dieci collettori, cioè per i compagni che avessero ottenuto «la completa realizzazione delle quote 1948» e la «piú alta percentuale di iscritti rispetto al 1948», la gratificante elargizione di «dieci opere di cultura marxista»[56]. Consapevole del suo prestigio di epicentro rosso, la Federazione di Reggio Emilia lanciò addirittura «una sfida a tutte le federazioni d'Italia» per un confronto su due specifici obiettivi di impegno e di efficienza: «quale sarà la federazione che terminerà per prima il tesseramento; quale sarà la federazione che riuscirà a distribuire il maggior numero di tessere [...] in rapporto al numero degli iscritti al partito e agli abitanti»[57]. Si studiò anche un modo per rendere accattivante l'iniziativa ed ecco l'offerta che avrebbe dovuto dare la spinta all'emulazione: «il premio è costituito dalla bandiera per il tesseramento accompagnata da un discorso politico del compagno Valdo Magnani segretario della federazione»[58].

Ad Alessandria, il merito individuale dei compagni piú attivi sarebbe stato cosí remunerato: al primo classificato, una fotografia di Togliatti con firma autografa; al secondo, una fotografia di Longo con firma autografa; al terzo, una fotografia di Secchia con firma autografa. Gli altri della graduatoria di merito avrebbero dovuto accontentarsi di un biglietto di seconda classe per un viaggio a Roma. Alla sezione piú efficiente sarebbe stata assegnata «una bandiera di seta pura con dicitura *Emulazione socialista sul tesseramento*»[59].

Ben piú concretamente, la Federazione di Firenze, per la sua gara di emulazione provinciale del 1950, mise in palio biciclette e macchine da scrivere e, premio tra i premi, una lambretta da assegnare alla «sezione prima classificata in assoluto»[60].

Va precisato che le gare non riguardavano soltanto l'obiettivo della crescita delle iscrizioni al partito, ma anche quello di conseguire le maggiori entrate finanziarie mediante le sottoscrizioni volontarie dei compagni per il pagamento della tessera. A Reggio Emilia la tessera-sostegno costava mille lire e, nel 1949, la federazione mirò a triplicarne il numero rispetto all'anno precedente[61].

Ovunque la disponibilità a versare al partito un contributo finanziario proporzionato ai personali redditi era considerato «motivo di onore e di valore politico»[62] insieme all'impegno dispiegato nell'azione di proselitismo. A parte la quota-tessera iniziale — alla quale si poteva aggiungere un meritorio abbonamento all'*Unità*, a *Rinascita* o ad altri organi di stampa ufficiali — il militante di solito si impegnava anche a pagare i bollini mensili. «La regolamentazione del pagamento delle quote mensili», rilevavano a commento delle direttive nazionali i dirigenti anconitani, «è senza dubbio un problema di fondamentale importanza politica; si tratta di dare al partito i mezzi finanziari per sostenere le lotte che esso imposta e conduce per la pace, la libertà, il benessere delle masse lavoratrici»[63].

I redditi personali dei militanti comunisti erano nella stragrande maggioranza dei casi assai modesti, talvolta inferiori — si pensi alla massa dei disoccupati — alla soglia minima della sopravvivenza: come osservava il Lampredi a Bari, c'erano «numerosi compagni che, anche volendolo, non avrebbero potuto pagare nemmeno le 100 lire della tessera perché mancavano del pane da dare ai loro figli»[64].

A sua volta il Biondi lamentava, a Bologna, il fatto che molti compagni fossero ormai arrivati «a un limite di saturazione», perché, osservava, «un compagno cosciente per essere in regola con la tessera e con i bollini medi, seguire la stampa del partito e i periodici che il partito pubblica, dovrebbe spendere 16.850 lire annue e molti non possono arrivare a una cifra simile»[65].

Il partito insisteva comunque sull'esigenza di chiedere e ottenere regolari impegni — se necessario di entità simbolica — e puntuali pagamenti.

> Né si tratta, del resto, di chiedere ai nostri compagni di base ciò che essi non potrebbero dare, non si tratta dell'entità del contributo. Si tratta di quel contributo compatibile con le loro condizioni economiche e che può anche essere di poche lire al mese, ma che assolve alla sua concezione politica e organizzativa [...] e che fa sentire ad ogni compagno di essere in regola [...] con i suoi impegni di combattente[66].

L'indubbia ritualità delle procedure del tesseramento e il valore intensamente simbolico assegnato alla tessera (la certificazione di un'identità politica indissociabile dalla personalità sociale) erano dunque funzionali all'astuzia organizzativa della dirigenza che utilizzava proprio quella ritualità e quel valore simbolico come forze di coesione e di mobilitazione permanente, nonché come strumenti per ampliare e rafforzare le basi del partito. Dal tesseramento nasceva il compagno e, mediante il rito del tesseramento, il compagno si perpetuava e, per così dire, generava altri compagni. L'operazione rendeva compatibile la concezione ancora leninista dell'accesso alla militanza (l'innalzamento dell'iscritto al rango di membro attivo di una forza combattente) con la prassi di un partito di massa che ormai reclutava i suoi membri a prescindere da un accurato vaglio della loro conseguita idoneità ideologica. Per legittimare la titolarietà comunista, ad ogni iscritto vecchio o nuovo si richiedeva non proprio una qualche maturità teorica nel marxismo, ma l'attitudine ad una fedeltà operosa, insieme alla consapevolezza dell'alto valore morale e civile della scelta di appartenere al Pci.

Così, tanto il sentire bolscevico dell'appartenenza ad un'avanguardia rivoluzionaria, quanto la coscienza di prestare volontario servizio ad un comune lavoro per la democrazia e per il progresso sociale, ne venivano rassicurati ed esaltati.

Tutto questo induceva fervore e sicurezza e a ciascun militante poteva assicurare il senso pieno della vita. Era una sensazione intima e ineffabile, come diceva quel tale compagno Scarabelli della Federazione di Bologna, «l'orgoglio della tessera in regola e dei bollini più alti possibile»[67].

II. Il lavoro politico dei compagni

Testimonianza e catechesi nel lavoro politico

Se il «battesimo» dava o confermava la fede, l'attivismo ne verificava l'intensità: quindi fondava i meriti e stabiliva le graduatorie d'importanza tra i compagni nelle piccole gerarchie, quasi informali, di cellula o di sezione e nelle piú grandi gerarchie provinciali e regionali.

Il numero dei componenti dei comitati direttivi variava da un minimo di tre a un massimo di cinque per le cellule e da un minimo di nove a un massimo di diciannove per le sezioni: la composizione sociale, se possibile, avrebbe dovuto essere in prevalenza operaia[1].

Le circolari dei dirigenti provinciali invitavano alla massima cura nella scelta dei quadri chiamati a far parte dei direttivi. La prescrizione era perentoria: «La scelta deve cadere in compagni che abbiano già dato prova di attaccamento e fedeltà al partito e che sono in grado di assolvere alla loro funzione e di saper applicare la linea politica del partito»[2].

Le relative «elezioni» avvenivano con il metodo del centralismo democratico di cui si è detto in un precedente paragrafo. Tra i membri dei direttivi e gli attivisti occasionali o a tempo limitato — impegnati nelle piú varie attività di propaganda e di organizzazione, quali la preparazione dei giornali murali delle sezioni, la vendita dell'*Unità* e della stampa di partito, il «mese della Resistenza», il «mese dell'a-

micizia Italia-Urss», le feste del 1° Maggio e dell'*Unità*, la raccolta
di fondi, le manifestazioni per la pace e le contestuali raccolte di firme, l'esecuzione del «piano Cgil» — c'era quasi un esercito di minuti
e diligentissimi operatori politici.

Qualche federazione, con metodi sovietici d'ispirazione stakano-
vista, li premiava con medaglie, diplomi, coppe, opere di Stalin e men-
zioni speciali[3].

Un netto rilievo di qualità semiprofessionale assumevano, tra i vari operatori politici di base, i propagandisti, i cosiddetti agit-prop, «militanti in grado di condurre giorno per giorno l'azione di propaganda,
di agitazione, di proselitismo in mezzo a tutti gli strati sociali produttivi della nazione»[4], persone bene addestrate «capaci di tenere comizi
e conversazioni, riunioni di caseggiato e di cascina, capaci di discutere e di convincere, di battere l'avversario in qualsiasi luogo e in qualsiasi momento»[5].

Era persino previsto che essi operassero come qualcosa di simile
a delle unità di «pronto soccorso ideologico» o, se si preferisce, a delle «squadre mobili» di iniziativa politica (ovviamente non violenta)
per contrastare con tempestività gli attacchi degli avversari:

> una sezione, una cellula, una stessa federazione, è bene che abbia un gruppo
> di *propagandisti volanti*: cinque, dieci, cinquanta compagni che possano gi-
> rare per le strade e le piazze, fermarsi nei crocchi, organizzare piccole riu-
> nioni e chiarire la situazione in base all'esame che ne hanno fatto prima
> di muoversi: ribattere e annullare l'effetto di una massa avversaria, lan-
> ciare le nostre parole d'ordine[6].

Soprattutto i «duri», quelli convinti della necessità di «sviluppare
di piú lo spirito rivoluzionario»[7], vedevano nel perfezionamento degli strumenti organizzativi la via migliore per mantenere in vita un
partito sempre preparato al «combattimento» che fosse, se si vuole,
la versione adeguata a tempi di guerra fredda di quella che era stata
la forza armata della Resistenza in tempi di guerra calda.

Entro una siffatta concezione, l'agit-prop tendeva a diventare l'e-
spressione caricaturale delle vocazioni rivoluzionarie di un partito ormai definitivamente acquisito a una prassi democratico-legalitaria. Egli
era la figura che oggettivava la contraddizione tra l'ideologico e il po-

litico, il simbolo incarnato della doppiezza rilevata dallo stesso Togliatti: generoso per la sua appassionata diligenza di combattente, grottesco per lo schematismo delle sue testimonianze di fede regolate da
una mentalità costruita da slogan, parole d'ordine ed enunciati dot-
trinari, appresi spesso «nelle ore serali, presso le sezioni che organizzavano corsi per propagandisti, mediante lezioni per cicli di due-tre
settimane»[8].

Non a caso la sua figura e il suo ruolo ottenevano la maggiore valorizzazione da parte di quei dirigenti come Pietro Secchia che, nello
sforzo di operare la maggiore estensione possibile del modello bolscevico al partito di massa, coltivavano una concezione quasi militare della
disciplina. Secchia, in particolare, insisteva sui compiti di sollecitazione e insieme di controllo della militanza che avrebbero dovuto svolgere dei propagandisti dotati di particolare qualificazione politica, i
cosiddetti capigruppo. Egli calcolava che, per un partito ormai diventato un esercito di due milioni di militanti, i capigruppo dovessero
essere almeno duecentomila (uno ogni dieci compagni, secondo gli au-
spici del VII Congresso nazionale), con la migliore preparazione ideologica per svolgere i seguenti compiti: «riscuotere le quote, stimolare
il rinnovo della tessera, l'abbonamento ai giornali comunisti, la loro
diffusione [...]; assicurarsi se [i compagni] leggevano i giornali e la rivista del partito; illustrare ai compagni le questioni politiche piú importanti del giorno, convocarli alla riunione di cellula; verificare la
causa del loro eventuale assenteismo; controllare che ogni compagno
del suo gruppo [fosse] iscritto ed attivo nel sindacato; assicurarsi che
ogni compagno [avesse] un lavoro da compiere [...]; controllare che
il lavoro affidato [venisse] assolto; dirigere i compagni nel lavoro di
propaganda verso le singole persone»[9].

L'accuratezza della preparazione dei propagandisti consisteva nella loro verificata capacità di utilizzare con efficacia — e con un rigore
che di solito escludeva ogni eventuale tentazione di personale fantasia — il linguaggio, lo stile neutro e uniforme, le formule schemati-
che, i contenuti preconfezionati di un elementare catechismo politico. E poiché ogni volta si trattava di informare a dovere o, se si preferisce, di catechizzare gli altri compagni, per evitare il pericolo di
distrazione o errori si preparavano accuratamente degli schemi di con-

versazione, tra i quali avevano un valore esemplare quelli pubblicati periodicamente, ad uso delle federazioni e delle sezioni, dal foglio settimanale *Il Propagandista*. Eccone un esempio, sul tema della lotta per la pace:

> In quale direzione è necessario esercitare in primo luogo l'azione di propaganda per la pace e con quali argomenti.
> Quali argomenti useresti per avvicinare e discutere con un socialdemocratico di base dei problemi della pace e della guerra? E con un cattolico in buona fede? E con un impiegato o un piccolo commerciante senza partito?
> Quali sono i temi che piú possono attirare l'attenzione sul problema generale della guerra e della pace?
> Come spiegheresti il pericolo del riarmo e delle spese di guerra in una piccola riunione di caseggiato?
> Come spiegheresti la necessità di lottare per la pace in una piccola riunione di operai di fabbrica?
> Come chiariresti ai tuoi colleghi di lavoro le conseguenze della politica di preparazione alla guerra condotta dagli attuali governanti dei paesi imperialisti?
> Come risponderesti ad un tuo conoscente che si rifiuta di firmare l'appello per un Patto di pace tra le Cinque grandi Potenze dicendo «tanto la mia firma non serve a nulla»?[10]

Sulle varie ipotesi discorsive dello schema, i propagandisti avrebbero dovuto avere, già ben chiare in mente, argomentazioni e risposte precostituite, tesi e suggerimenti «facili e accessibili», esposti «con intelligenza e con tatto», insistendo suasivamente «con calma e con tenacia», tenendo presente di avere a che fare con persone semplici e, quindi, adottando come metodo costante «la semplicità del ragionamento e dell'esemplificazione»[11].

Per acquisire le informazioni utili al suo lavoro, e per allenarsi, il propagandista — oltre a leggere puntualmente la stampa di partito — avrebbe dovuto partecipare «alle riunioni di qualsiasi natura», portandosi dietro «il suo quadernetto di appunti» per segnarvi «tutto ciò che poteva interessarlo»[12].

> Quando interviene [il propagandista] non lo fa mai a caso e tanto per parlare ma per porre questioni e per riferire esperienze pratiche di lavoro. Sempre, in ogni caso, il suo intervento deve basarsi su appunti scritti, anche se brevi e schematici.
> Il propagandista di base deve essere sempre in grado di riferire quello che

si dice in giro senza esagerare ma neppure sottovalutare l'importanza di ciò che fa l'avversario. Il partito non può condurre una buona azione di propaganda se è costretto a parlare senza sapere bene, giorno per giorno, che cosa pensa la gente [...]. Quindi, oltre allo studio del nostro materiale, il propagandista deve anche studiare l'ambiente in cui deve lavorare[13].

Alcuni schemi di conversazione, assai pedanti e burocratici, fissavano sia le domande che le risposte, tentando persino di prevedere le eventuali richieste e obiezioni dei potenziali interlocutori. Ecco come, nel 1946, si poteva giustificare, ai compagni prima ancora che agli avversari, il fatto della partecipazione dei comunisti al governo.

Oggi perché partecipiamo e a quali condizioni?
La Repubblica è nata con due soli milioni di maggioranza; noi partecipiamo al primo governo repubblicano perché:
a) è necessario difendere la Repubblica;
b) fermare il pericolo dell'asservimento coloniale o semicoloniale del nostro popolo;
c) è necessario dare al nuovo Stato un contenuto economico-politico o sociale che rappresenti la migliore difesa della democrazia, assicuri il benessere e il progresso delle masse lavoratrici e costituisca un passo avanti verso il socialismo.
A quali condizioni partecipiamo?
Noi siamo sempre stati per un governo democratico di unità nazionale basato su tre grandi partiti di massa: è chiaro che la formazione di un tale governo [...] dovesse imporci dei sacrifici circa il nostro programma. Ma su alcuni punti non potevamo cedere; e abbiamo preteso che essi punti fossero immessi nel programma.
Quali sono questi punti?
L'azione governativa dovrà soddisfare:
a) le necessità urgenti della ricostruzione nazionale;
b) i bisogni inderogabili delle masse lavoratrici;
c) le aspirazioni del Mezzogiorno e delle isole [...];
d) il desiderio di rinnovamento politico, economico e sociale.
Perciò, provvedimenti economici di emergenza, con l'impiego totale della mano d'opera disoccupata [...], con l'adeguamento di salario, stipendi e pensioni per la vecchiaia, al costo della vita, con una riforma tributaria imperniata su un'imposta progressiva sul reddito che assicuri lo sgravio delle tasse dei meno abbienti, con le riforme agrarie, industriali e bancarie[14] [...].

L'estrema semplificazione delle argomentazioni politiche, la loro traduzione in formule brevi e ripetibili che ciascuno avrebbe potuto tenere a mente senza difficoltà, il metodo monocorde di un ragionamento esercitato a parcellizzarsi in tesi e punti definiti come quoteparti di una verità ufficiale (frutto di una verifica collettiva trascendentalizzata dal concetto della linea politica), la reiterazione dei moduli di un linguaggio uniforme e intensamente prescrittivo («è bene», «è necessario», «occorre», «si deve»), erano tutti elementi di una tradizione terzinternazionalista canonizzata in sommo grado dallo stile e dai contenuti delle opere di Stalin, elementi che — a partire dai dirigenti, in alto, fino agli agit-prop della base e tramite essi — contribuivano ad omologare i militanti nella figura-tipo del credente disciplinato, bene informato sull'essenziale, attivo nel quotidiano lavoro politico, appassionato ma non passionale, sempre ragionevolmente pronto sia all'attacco che alla difesa.

Di conseguenza, l'uniformità, concreto modulo pratico per verificare la compattezza nei confronti degli avversari, era un valore ben più riconosciuto ed apprezzato dell'eventuale attitudine ad una creativa iniziativa personale. Persino i discorsi politici e le conferenze in occasione di campagne elettorali o di celebrazioni ufficiali del calendario comunista si svolgevano di solito sulla base di rigidi canovacci predisposti dalle federazioni. Se ne veda rapidamente uno tra i tanti, quello elaborato dalla Federazione di Biella per l'anniversario della rivoluzione d'ottobre.

7 novembre 1917 — distruzione regime zarista, zarismo reazionario degno fascismo —. / Inizio costituzione nuovo stato, nuova società — Fare risaltare il significato mondiale della rivoluzione di ottobre — che non è solo una data dell'Unione Sovietica, è una data dell'Umanità / È la rivoluzione che ha permesso la creazione del grande Esercito Rosso che ha tenuto testa alle orde hitleriane (sviluppare) / Che sarebbe avvenuto nel mondo se non ci fosse stato Stalingrado? / [...] La grande vittoria sulla Germania — tracciare grandi cenni (Stalingrado, Charkov, Odessa, Sebastopoli, Berlino) — liberazione mondo dal pericolo nazifascista dopo averlo liberato dallo zarismo. / Riconoscenza dell'umanità, riconoscenza dell'Italia, lavoratori italiani, per soldati, marinai, aviatori, partigiani, partigiane, operai e operaie, contadini e contadine, intellettuali sovietici. / Come dimostrare questa riconoscenza? / [...] Qual è la politica dell'Urss? / [...] Nel nostro paese noi assistiamo ad una accanita campagna contro l'Urss — Essa è dovuta ai reazionari, che cercano di intorbidire l'acqua ed impiantare un nuovo nazionalismo imperialista italiano, con funzione antislava e antisovietica; imperialismo di vassalli, ha detto Togliatti[15] [...]».

Schematismo metodologico e dommatismo di contenuto vanno considerati non soltanto come gli inevitabili modi di esplicazione di una mentalità collettiva iperideologizzata, ma anche come degli espedienti pratici, di grande efficacia, per una rapida acculturazione politica dei militanti e per garantire ai quadri intermedi, ai piccoli dirigenti, il possesso di informazioni, tanto elementari quanto chiare e sicure, con le quali ciascuno avrebbe potuto affrontare senza imbarazzo la polemica con gli avversari e svolgere nelle cellule e nelle sezioni, con la certezza di rappresentare l'ortodossia, e di esprimere pertanto la volontà generale, i normali compiti di direzione e di orientamento dei compagni.

Si trattava in altri termini, di offrire, insieme a un frasario-standard, quei materiali conoscitivi essenziali e quelle formule d'interpretazione che riuscissero immediatamente gestibili da parte di una base comunista che doveva fare i conti tanto con i limiti della sua assai modesta preparazione marxista, quanto con la complessiva arretratezza della cultura politica degli avversari.

Rigore politico e controlli: la vigilanza rivoluzionaria

Un risvolto positivo, seppure paradossale, dell'imbonimento catechistico consisteva nel suo concreto esercizio di esperienza di iniziazione di massa alla politica. Esso svolgeva un ruolo elementarmente democratico — ben al di là dei suoi contenuti, ben al di sopra delle sue forme oggettivamente grottesche — la cui importanza era avvertita dal partito come indissociabile dalla quasi ossessiva attenzione rivolta alla formazione delle persone chiamate ad esercitarlo.

Come precisava, tra gli altri, un ben avvertito compagno di Iesi, i quadri — i dirigenti sindacali e di partito, i segretari di sezione, i collettori del tesseramento, i capigruppo — erano elementi da non lasciare a se stessi, ma da «seguire nel loro lavoro politico di tutti i giorni, nelle loro attività», sí da assicurare, a ciascuno, di stare «al giusto posto» e, all'organizzazione, di potere contare, in tutte le sue articolazioni, sui «compagni migliori, compagni combattivi, animati da elevato spirito di sacrificio», avviando e perfezionando una prassi quasi calvinista di giudizio e di verifica dei comportamenti e delle attitudini, consistente in qualcosa di simile a dei periodici processi pubblici da svolgere nelle sezioni con specifiche riunioni: «dare giudizi collettivi sui compagni, esaminando compagno per compagno, fare un esame dei quadri sezionali, delle commissioni interne, ecc.»[16].

Come nell'antica Chiesa ginevrina, il controllo reciproco dei «fedeli» veniva cosí a coniugarsi con lo spirito della partecipazione attiva alla vita della comunità. Se questo non si realizzava in ogni parte dal Pci, ma soprattutto laddove prevaleva la componente operaistica o comandavano ex partigiani, tuttavia costituiva almeno una tendenza ovunque registrabile. I militanti comunisti, all'atto dell'iscrizione, o successivamente, erano invitati a compilare dei questionari, pressoché identici in tutte le federazioni, nei quali venivano annotati i fondamentali dati relativi alla situazione del partito nello specifico territorio di residenza[17].

Si trattava in pratica di schede-memorandum la cui compilazione serviva allo scopo di fissare nella mente dei militanti, e a maggior ragione in quelle degli attivisti, le informazioni ritenute essenziali per lo svolgimento del lavoro politico. Ma esistevano anche altri tipi di schedatura. C'erano le «autobiografie» nelle quali gli stessi militanti — in particolare quelli investiti di compiti di organizzazione o di direzione — si esercitavano a raccontare, e talvolta a commentare, le loro personali esperienze politiche, offrendo cosí un quadro di riferimento che all'occorrenza poteva servire al partito per piú puntuali indagini e accertamenti, relativi al carattere, alle capacità e al livello di cultura, persino alla moralità, alle abitudini e ai comportamenti nella vita privata, che non di rado si concretizzavano in vere e proprie note caratteristiche riservate, cioè precluse alla conoscenza dei rispettivi intestatari e conservate negli archivi delle federazioni per l'uso discrezionale che avrebbero potuto farne i dirigenti di grado superiore. Se ne veda qui almeno una, probabilmente tra le piú misurate e burocratiche, per avere un'idea di quel che potrebbero rivelarci le altre, numerosissime, che a tutt'oggi non sono consultabili.

Jülg Carlo fu Carlo e Spath Maria, nato a Trento, 3 maggio 1891 da famiglia piccolo-borghese, intellettuale. Professione: professore di ruolo in lingue

straniere. Di tendenza comunista fin dal ventesimo anno. Di carattere contemplativo, privo delle qualità di uomo politico attivo, entrò nel Pci nel
1936 perché costretto a iscriversi dal Pnf (presentatore E. Sereni). Condannato dal Tribunale Speciale a 14 anni di carcere nel 1937, uscí dal carcere in agosto 1943. Ha la qualifica di partigiano combattente. Nel 1945
fu insegnante-aiuto alla I Scuola regionale del Pci ad Ancona. Conosce
direttamente le opere principali del marxismo-leninismo. Dal 1943 ebbe
vari incarichi nel Pci a Cervia (Cln), Ravenna, Ancona, Trento, Messina
(Stampa, Propaganda, Quadri, Scuola) nell'apparato federale e sezionale.
Non sa improvvisare e deve preparare pazientemente ogni suo intervento. Adatto all'insegnamento elementare. La sua resistenza fisica è — in
conseguenza della vita carceraria e partigiana — ridotta[18].

Tra la Commissione quadri e la Commissione di controllo, funzio-
nanti come organi nazionali e riprodotte ai vari livelli inferiori, dalle
federazioni alle sezioni, il Pci aveva organizzato un efficiente sistema
per la verifica della qualità della militanza, un sistema che elaborava,
catalogava e archiviava dati e informazioni dai quali veniva inevitabilmente condizionata la posizione politica dei compagni nel partito.
Il meccanismo, pure esposto alle detestabili conseguenze delle maníe
inquisitorie e delle paranoie burocratiche su basi ideologiche, mirava
ad assolvere finalità selettive e razionalizzatrici nell'attribuzione dei
compiti e delle responsabilità politiche agli iscritti.

Tuttavia la maggiore estensione, a vari livelli, dell'idea di un partito che funzionasse come un grande sistema di interrelazioni simmetriche, nel quale tutti fossero ad un tempo controllori e controllati,
fu dovuta in gran parte alla pressione di ineludibili esigenze di auto-
difesa avvertite intensamente dopo il 18 aprile 1948. Occorreva, intanto, fare i conti con le non sopite tentazioni di mettere fuori legge
il Pci, coltivate dalle forze oltranziste della «repubblica guelfa» che
premevano in tal senso su De Gasperi e Scelba. Inoltre, nell'orizzonte della guerra fredda incupito, per quanto riguardava i comunisti,
dagli allarmi sollevati dalla defezione di Tito e dall'«eresia jugoslava», crescevano le diffidenze reciproche, i sospetti e le vigilanti preoccupazioni nella paura collettiva di poter subire l'opera nefasta di provocatori, traditori, infiltrati, spie del «nemico».

La questione della «vigilanza rivoluzionaria» — ufficializzata dalla risoluzione della Direzione nazionale pubblicata dall'*Unità* il 17 set-

tembre 1948 — era stata sollevata da Stalin in persona con il suo celebre telegramma-rimprovero al Pci all'indomani dell'attentato a Togliatti. E sotto i colpi della persecuzione di Scelba e della campagna
ideologica vaticana, era una questione che inquietava in profondità
i quadri e i militanti di base. Non si nutrivano dubbi sul fatto che
la lotta di classe si fosse gravemente acutizzata e i dirigenti enfatizza-
vano il duro monito di Stalin: «Bisogna finirla con la bonomia opportunistica derivante dall'errata supposizione che, nella misura in cui
aumentano le nostre forze, il nemico diventi sempre piú mansueto e
innocuo»[19]. L'invito conseguenziale era quindi tutt'uno con una
preoccupazione vicina al panico: stare all'erta, vigilare «non solo sul-
l'incolumità dei dirigenti», ma impegnarsi di piú, con sistematica attenzione, in una «vigilanza politica intelligente: vigilanza — dice Pessi
a Genova — che deve sempre tener presente che ognuno di noi è membro del Pc, di un partito rivoluzionario, che ha intorno a sé nemici
spietati, senza scrupoli, decisi a compiere le azioni piú abbiette, a ricorrere ai mezzi piú disonesti, agli atti piú criminali»[20]. Tutti i pericoli, a quel punto, avrebbero dovuto essere individuati, vagliati, misurati. La reazione — si temeva — fuori e dentro il partito, non avrebbe desistito dai suoi perversi tentativi: indebolire «l'unità ideologica
attraverso il contrabbando di ideologie avversarie», minare «la forza
politica, influendo sugli elementi piú deboli» e meno capaci di comprendere e seguire la linea, attentare alla «compattezza organizzativa, facendo penetrare nelle file [comuniste] elementi già venduti al
nemico» e aiutandoli «ad occupare posti di responsabilità per condurre un'opera di costante disgregazione»[21].

«Il nemico di classe e l'imperialismo americano», ammoniva Valdo
Magnani a Parma, «non hanno mai cessato di condurre un'azione permanente per indebolire il nostro partito e la polizia, il governo, conti-
nuano nella loro azione di organizzazione di provocazioni nei nostri
confronti»[22]. E reiterò il monito a Reggio Emilia: «Dobbiamo guar-
darci dalle spie, dagli agenti del nemico politico e di classe che cercano spesso tra i giovani di provocare e diffondere idee estremiste che
possono dare adito a episodi non voluti e condannati dal partito»[23].

Dalla base veniva la richiesta di misure idonee per rendere effettiva la vigilanza. E qui e là, dappertutto, si formulavano proposte sul

da farsi. Con opposte, ma alla fine confluenti motivazioni, gli elementi piú intransigenti diffidavano dei moderati e questi ultimi degli intransigenti: del resto, come si vedrà in un prossimo capitolo, il confine tra settarismo e opportunismo nelle definizioni della morale comunista era, in genere, assai incerto. E sia che si apparisse settari, sia che si apparisse opportunisti, c'era il rischio di essere sospettati di agire, o soltanto di pensare, per conto del nemico di classe. Comunque, data la linea di ragionevolezza e di prudenza adottata dal partito per liquidare del tutto quelle tendenze all'azzardo rivoluzionario che erano pericolosamente emerse dopo l'attentato a Togliatti, il peggio che potesse capitare era l'essere sospettati di intenti provocatori.

Quanti emissari della reazione «pagati da Truman e da De Gasperi»[24] avrebbero potuto camuffarsi da rivoluzionari, contestando o boicottando con iniziative intemperanti la linea del partito? E quanti compagni incauti sarebbero stati pronti a lasciarsi trascinare «in buona fede dai provocatori e dagli agenti di polizia»[25]? Certo non risultava facile scoprirli e difendersene, perché se talvolta si evidenziavano inequivocabilmente i provocatori volgari, erano ben piú numerosi, e abili a mimetizzarsi, i subdoli provocatori intelligenti: «I primi», rilevava il compagno Bertolini della Federazione di Genova, «sono quelli che cercano di provocare tumulti ed altri intralci nelle riunioni e nell'attività del partito e che possono essere inviati da qualsiasi commissario di polizia; i secondi il piú delle volte sono sempre d'accordo con la linea del partito, pur facendo delle insinuazioni in modo sottile per discreditare i dirigenti del partito: questi sono piú difficili a scoprire e piú pericolosi, sono gli inviati dei servizi di informazione italiani e stranieri»[26].

Anche il dirigente Pessi ne era convinto: il compito di «smascherare i provocatori» doveva fare i conti con «le infinite forme particolari» della loro attività: sempre sabotatori prezzolati, quasi sempre furbi e sinuosi, operavano con i piú «insidiosi strumenti della borghesia controrivoluzionaria», cioè mediante la «penetrazione» ideologica e la «corruzione»[27]. Il compagno Ovaldi riteneva di avere registrato da vicino, nella sua sezione, gli indizi di una «provocazione» strisciante che avveniva «attraverso il contrabbando ideologico delle informazioni social-democratiche»[28].

Stessero quindi attenti i militanti a cogliere in anticipo i piú diversi segnali — comportamenti eccessivi o temerarie manifestazioni d'opinione non condividibili alla luce delle direttive del partito — che avrebbero rivelato l'avvio di processi di inquinamento, o di vera e propria infiltrazione, pilotati dal «nemico».

Nell'immediato, a parte le subdole operazioni degli americani e dei preti, c'era da attendersi che i maggiori pericoli venissero da Tito, soprattutto nelle regioni vicine alla frontiera jugoslava.

Da parecchi centri della provincia si hanno notizie secondo le quali elementi avversi al partito, e piú particolarmente legati ai controrivoluzionari titini, starebbero cercando di influenzare i nostri compagni in senso antipartito e specialmente in senso antisovietico.
Gli istruttori del partito sono invitati a vigilare attentamente su questo problema, segnalando immediatamente alla Segreteria provinciale del partito tutte quelle manifestazioni di cui fossero a conoscenza e che possono far supporre l'esistenza in una delle nostre organizzazioni, o ai suoi margini, di attività antipartito del genere[29].

Analoghe preoccupazioni sul pericolo del titismo erano coltivate a Firenze da Ernesto Ragionieri che richiamava — in particolare la Fgci, piú esposta alle suggestioni ideologiche e quindi anche al velenoso fascino delle eresie — ad una «vigilanza rivoluzionaria strettamente necessaria»[30].

Caratteri di provocazione assoluta, dalla quale occorreva immunizzare in tempo le coscienze, rivestiva dunque l'azione del Partito comunista jugoslavo che — rilevavano qui e là i dirigenti allarmati — tentava di «corrompere il Pci con la diffusione di messaggi e di stampa di vario genere, facendo leva su elementi politicamente deboli»[31].

Ossessione di spie, traditori, provocatori, agenti del nemico

Dalla situazione interna del partito al fosco quadro dei conflitti nazionali e internazionali si moltiplicavano gli indizi dell'attività aggressiva della reazione. Se ne elaborava nelle varie assise comuniste la rappresentazione nel quadro di un drammatico stato di emergenza.

L'allarme sollevò un'ondata emotiva di inusitate proporzioni quando si vide che la stessa vita di Togliatti era minacciata.

Nell'immaginario collettivo di una militanza i cui protocolli culturali di base talvolta venivano, senza soluzione di continuità, da una trasformazione bolscevico-staliniana delle idee e dei miti cattolici, la reazione — fosse di volta in volta il fascismo, l'antisovietismo, l'americanismo, l'eresia jugoslava, il clericalismo, la repressione antipopolare di Scelba, la politica di compressione salariale della Confindustria — assumeva i caratteri terrifici del nero diavolo delle beghine. Per esorcizzarlo, si invocava il maggiore rigore nell'assunzione e nell'uso delle misure di organizzazione che avrebbero reso concreta ed efficace l'invocata vigilanza rivoluzionaria: «l'autodisciplina dei singoli compagni e degli organismi tutti» per assicurare il massimo di dedizione «ai compiti affidati»[32]; un'attuazione non troppo disinvolta del tesseramento per evitare «l'infiltrazione degli elementi indesiderabili e degli agenti del nemico»[33]; «la mobilitazione politica [...] contro le tendenze deviazionistiche organizzate sempre dai nemici di classe e dalla polizia americana»[34]. Però, si rilevava dovunque, a ben poco sarebbero servite le misure organizzative senza vigilare sui comportamenti dei singoli compagni. In proposito si registravano inquietanti ritardi.

A Parma, Valdo Magnani — pur nell'ambito di un'azione mirante a controllare i facinorosi e, in particolare, certi ex partigiani non ancora rassegnatisi a deporre le armi — sosteneva che sarebbe stato il caso di saperne di piú sull'«origine dei compagni»[35]. A Bari, Guelfi e Scionti rimproveravano la faciloneria con la quale, prima del 1948, si erano attribuiti i compiti di responsabilità negli organismi direttivi delle sezioni: «Abbiamo bisogno di conoscere piú a fondo i compagni destinati ai posti di direzione e impegnare tutto il partito, specialmente alla base, a controllare di piú la vita dei compagni e la loro attività»[36].

Il poliziesco Masetti invocava, a Bologna, un non meglio precisato «controllo epistolare» e pretendeva che tutte le sezioni facessero ogni volta regolari verbali delle loro riunioni, da inviare alla «Commissione d'organizzazione perché la stessa potesse di continuo seguire l'attività di lavoro»[37] in modo che non le sfuggissero puntuali informa-

zioni su «come il compagno *X* discute[va] un determinato problema
o il compagno *Y* vede[va] la situazione del momento»[38]. E il machia-
vellico Montomoli vantava a Livorno il suo sistema di vigilanza rivoluzionaria che si studiava di utilizzare la delazione come strumento
di mobilitazione democratica per individuare e colpire gli «elementi
antipartito»[39]:

> [...] abbiamo posto un'attenta vigilanza: ogni compagno ha il dovere di
> ascoltare e segnalare alla sezione tutti i compagni che fanno del personali-
> smo e che esprimono concezioni personali, sia organizzative che politi-
> che; la sezione a sua volta chiama quei compagni segnalati a esporre il pro-
> prio punto di vista davanti a tutto l'attivo di sezione il quale poi serena-
> mente dovrà pronunciarsi[40].

Altri, in vario modo, con toni e intenti analoghi, insistevano sulla
necessità di perfezionare gli interventi ideologici e organizzativi di
controllo, fino a sollecitare escavazioni profonde nel vissuto e nelle
coscienze individuali dei compagni.

Che non si trascurasse il rigoroso rispetto delle norme statutarie
circa «l'approvazione delle iscrizioni», raccomandava l'operaio Fabbri e insisteva sull'opportunità di concedere l'onore dell'iscrizione al
partito soltanto a quegli aspiranti che avessero superato le «prove politiche» di un ragionevole «periodo di candidatura»[41]. A sua volta, il
Tonini avrebbe voluto che il militante, per cosí dire, cedesse la sua
anima al partito; però si accontentava di un «controllo politico e organizzativo dall'alto in basso [sui compagni], nelle loro manifestazioni, espressioni, affermazioni, nel comportamento pubblico e privato»,
essendo convinto del fatto che i comunisti, una volta iscritti e investiti di responsabilità politiche, non fossero piú «dei privati cittadini,
ma rappresentanti della classe operaia e del popolo»[42].

Tra il luglio del 1948 e i primi anni cinquanta la sensazione di esperire quotidianamente lo scontro frontale con il nemico di classe era
cosí acuta e generalizzata da indurre tensioni ed ansie che nei «Cipputi» e nei piccoli dirigenti della base di partito creavano stati d'animo di indicibile drammaticità, anche se non tutti vivevano l'esperienza
di quel tale Napoli, segretario della Sezione Bertolini di Messina, che
era letteralmente «ossessionato dal problema delle spie: [...] un vero

e proprio incubo, di cui non sa[peva] liberarsi, come ingenuamente aveva sperato»[43].

In un clima del genere era facile che indagini, inchieste, ispezioni, schedature, note riservate, e piú spesso vociferazioni e commenti su limiti e vizi pubblici e privati dei compagni fossero ingredienti normali, e persino apprezzati, della gestione politica del partito. Le piú varie intemperanze, i piú casuali errori di comportamento potevano assumere l'importanza di indizi per la ricerca di verità nascoste. Com'è ovvio, le paranoie di certi «vigilantes» non arretravano neanche dinanzi al grottesco. L'esperienza della clandestinità o del carcere negli anni fascisti avevano abituato non pochi dirigenti di partito ad una esasperata e deformante percezione dei segni. Se ne potrebbero fornire numerosissimi esempi.

La scarsa qualità comunista poteva sospettarsi nei compagni troppo inclini alle suggestioni borghesi del benessere. Chi mangiava cioccolatini in ufficio come l'ottimo Luigi Diemoz, direttore editoriale della Cooperativa del libro popolare a Milano, rischiava di sollevare i sospetti del segretario federale[44]. Il compagno messinese Giovanni Carbone fu espulso dal partito per il solo fatto di ostentare un «tenore di vita lussuoso», indiscutibilmente «poco proletario», che ingenerava sospetti di «illecita attività»[45]. L'uso di superalcolici anglosassoni, qualche cenno di condiscendenza per la moda, un tocco insolito di eleganza e di raffinatezza, un abito di foggia non conformista, un tratto qualsiasi che apparisse non giustificato dalle condizioni di origine e pertanto giudicabile come «piccolo-borghese», potevano screditare, irritare, insospettire.

E che dire di quell'apparecchio telefonico installato a casa sua da un certo Aronica sul quale la Federazione di Messina, sollecitata da quella di Genova, aveva promosso un'indagine? «Ha un assai modesto negozio di frutta», scrisse il responsabile della Commissione quadri messinese, «e il tenore di vita non si confà cogli assai modesti introiti della vendita della frutta, né si spiega per quale scopo egli abbia il telefono»[46]. Ancora per una questione di telefono fu inquisito a Genova il compagno Angelo Mascara. Costui «effettuava, sebbene non autorizzato, frequenti telefonate con Messina», usando l'apparecchio telefonico della Sezione Natalini. Ma quale mistero celava allora il

Mascara? «Vi saremmo grati», chiese il segretario della Natalini ai dirigenti della federazione messinese, «se prendeste informazioni atte a rintracciare le persone a cui tali telefonate erano dirette, corrispondenti ai numeri 10699 e 13014 di Messina, facendo indagini atte a precisare quali rapporti esistevano tra le persone suddette e il nominato Mascara»[47]. I messinesi appurarono che il compagno sospetto telefonava a due famiglie e che in una delle due «vi era qualche elemento antidemocratico»[48]. Nulla dicono le carte sul prosieguo della vicenda che, dati i tempi, avrebbe potuto concludersi con qualche solenne ammonizione dell'inquisito, se non addirittura con la sua radiazione dal partito per sospetta intelligenza con il nemico.

Evidentemente, la sindrome di persecuzione e isolamento che rendeva angosciosa la ricerca di tutti gli indizi utili per svelare e sventare le trame reazionarie tendeva ad assumere forme acute negli stalinisti di ferro, nei militanti piú inclini al dommatismo, sensibili alla pressione normativa degli slogan, a vario titolo permeati dalla mentalità militarpartigiana acquisita negli anni di piombo e pertanto predisposti a una prassi settaria, giustificata adesso dall'esigenza di risolvere il «problema delle spie». Espliciti incoraggiamenti in tal senso erano venuti anche dall'alto e non è difficile ritrovarne numerose testimonianze nella grande stampa di partito. Per esempio, su *Rinascita*, in un articolo di Celso Ghini si legge l'ammonizione a non scambiare il progetto del partito di massa — che si era fatto bene a impostare e a realizzare adottando una politica «atta a influenzare e dirigere gli strati decisivi della popolazione» — con la detestabile idea tradeunionista di un «partito di tutti»: perché il Pci, per tutelare la sua «funzione di avanguardia», avrebbe dovuto mantenere «le caratteristiche di una fortezza le porte della quale si aprono soltanto ai migliori, ai piú coscienti e combattivi esponenti della classe operaia e dei lavoratori»[49]. Inequivocabile era in Ghini la preoccupazione per quanto minacciava la natura «prettamente bolscevica» del partito:

> [...] i successi ottenuti nella *quantità* hanno portato ad una oggettiva sottovalutazione della *qualità*, ma quando sparisce la differenza tra il comunista e il semplice simpatizzante (perché entrambi iscritti al partito), sparisce il limite fra il partito e la massa, il partito cessa di esistere come tale e di esercitare la sua funzione[50].

Di qui il rimprovero di avere «largheggiato in omaggio al feticcio del numero maggiore», e di non avere sempre e dovunque provveduto alla «liquidazione delle infiltrazioni estranee e all'elevazione del livello politico e ideologico dei militanti»[51].

Non era pertanto fuori linea, ma conforme a posizioni che trovavano sostegno al vertice del partito (*Rinascita*, è bene ricordarlo, era organo diretto dallo stesso Togliatti), quell'orientamento vigilante-repressivo da cui nascevano, qui e là, le sollecitazioni per una generalizzata caccia alle spie. Tuttavia, anche il partito di massa, con la sua inevitabile sovrabbondanza, con la sua auspicata dilatazione in tutti gli strati della società, e quindi con il suo necessario marxismo-leninismo da vulgata, e con il suo rischio permanente di inquinamento, era ormai una scelta irrinunciabile e irreversibile che non consentiva tolleranze per le tentazioni settarie di quei compagni ancora fermi a idealizzare, magari in segreto, con inconfessabile tenacia terzinternazionalista, un partito dei «pochi ma buoni».

Se si fossero accolte le varie richieste di epurazione — espresse per opposti motivi sia dagli elementi piú moderati, sia da quelli piú intransigenti e oltranzisti — si sarebbe tradito lo spirito del partito nuovo. Ecco, pertanto, che la questione della «vigilanza rivoluzionaria» appariva, qual era in realtà, come una fattispecie inquietante della «doppiezza» del Pci togliattiano: come conciliare l'incrollabile natura bolscevica con la vocazione e la prassi democratiche?

Piuttosto che a risolvere l'irrisolvibile, ci si dedicò ad eludere la contraddizione. Alla fin fine — si rilevò da piú parti — si trattava soltanto di una questione di ragionevolezza e di misura. «Essere vigili contro le provocazioni dell'avversario e vigili contro le tendenze opportunistiche di destra, contro la capitolazione di fronte al nemico di classe» non escludeva, ma anzi confermava, l'impegno di «combattere il settarismo di coloro che affermavano *pochi ma buoni*»[52]. Ai settari — si diceva a Massa e Carrara, dove la vasta tradizione anarchica radicata nell'ambiente rendeva piú acuta e pressante la questione — occorre rispondere in modo fermo e forte: *molti e buoni*[53]. Lo stesso segretario della Federazione di Genova, il «duro» Pessi, si affrettò a mettere le cose a posto per evitare fraintendimenti della linea: «Non si tratta», precisò, «di rivedere tutti gli iscritti da tre anni a questa parte, in quanto la situazione storica del nostro paese esige un partito di massa», sicché «il problema dell'epurazione non esiste assolutamente; il partito è quello che è con le sue deficienze, con compagni ideologicamente deboli»[54]. L'attività di «vigilanza rivoluzionaria», dunque, avrebbe dovuto svolgersi mediante «l'elevamento politico e ideologico e non certo con epurazione ma, se mai, intervenendo con piú decisione e fermezza nei singoli casi che si potevano presentare»[55].

I dirigenti e i militanti

Il metodo degli interventi caso per caso potenziava i poteri di controllo dei funzionari di partito, istituzionalmente investiti dei compiti di vigilanza, interpreti ufficiali della linea, dottori dell'ideologia, di volta in volta consiglieri e tutori, inquisitori, censori e giudici, secondo i titoli che ciascuno traeva dal suo proprio grado gerarchico nella piramide dell'organizzazione. Nel complesso, ne risultava confermato ed esaltato il carattere clericale delle funzioni dirigenziali, dalle alte sfere alle assise di base. Scongiurata la caccia alle spie, si rafforzava comunque, anzi, a maggior ragione, la gerarchia: oltretutto per impedire che il partito di massa potesse degenerare in un mero movimento di opinione. Si sviluppavano cosí le condizioni favorevoli per un'estesa proliferazione di quella figura-tipo di dirigente comunista — spesso piccolo dirigente, quadro intermedio o di base, un po' intellettuale e un po' manovale, ideologo-catechista e agit-prop, a volte parroco, a volte sacrestano — che, nel bene e nel male, avrebbe caratterizzato per decenni la vita delle sezioni e delle federazioni. Egli, il dirigente-tipo, era soprattutto un militante fervoroso, leale e onesto, che sapeva di dovere salvaguardare «la sua autorità pure nel costume dell'autocritica e della critica»[56]. E si trattava, quasi sempre, di un'autorità legittimata dal consenso, per cosí dire sacralizzata — lo vedremo meglio in altro capitolo — della stessa moralità comunista.
Erano del tutto eccezionali quelle situazioni di scarsa e discontinua presa della dirigenza sulla base che si riscontravano, con conse-

guenziali allarmi, in realtà segnate dal prevalere dello spontaneismo, realtà anarcoidi come quelle di Massa e Carrara, dove «il dirigente di partito, e lo stesso partito, non godevano di alcuna considerazione», talché era consentito esprimere «sugli uni e sull'altro ogni possibile giudizio, quasi sempre in luogo pubblico, senza tenere conto dell'uditorio o dei compagni che potevano essere di fronte»[57].

Cosí, dagli alti ai bassi gradi del clero rosso, dai rivoluzionari di professione ai militanti parzialmente professionalizzati, si era costruito un sistema nel quale ciascuno degli attori tendeva ad associare la sensazione soggettiva di alcuni diritti di rango alle responsabilità politiche oggettivamente esercitate. E, questo, quanto piú quel rango e quelle responsabilità corrispondevano a situazioni esistenziali davvero difficili e sacrificali: cioè alla norma di vita di persone disposte a dare tutto senza chiedere niente o quasi in termini di remunerazione economica, uomini spesso dotati di qualità umane e intellettuali eccezionali, ai quali il sistema capitalistico non avrebbe negato posti remunerativi e inserimenti brillanti, che si accontentavano, invece, di stipendi saltuari e di condizioni di sopravvivenza assai precarie e rischiose.

Ma i titoli di nobiltà rivoluzionaria, cosí pesantemente conquistati e preservati, diventavano anche, in numerosi casi, motivi per vantare dei privilegi fondati sul sacrificio e spinte emozionali all'orgoglio e persino alla boria. Un'esemplare manifestazione di tale fenomeno, forse la testimonianza di un caso-limite assai significativo e, se si vuole, persino esilarante, è riesumabile dalle carte della Federazione di Messina, a proposito del comportamento di quell'oscuro compagno Palermo, segretario della minuscola sezione di Camera Inferiore, incapace di salvaguardare i compiti «rivoluzionari» della sua funzione dalle conseguenze dello stile ducesco con il quale li esercitava.

> Un nostro compagno ci racconta che incontrando per la via il segretario Palermo lo saluta dicendogli «ciao Palermo» mentre quest'ultimo, con aria strettamente burocratica, si rivolge a lui dicendogli: «Ti sembra forse che siamo andati a scuola insieme?» [...].
> Se un compagno recandosi in sezione chiede al segretario un qualsiasi schiarimento riguardante l'attuale situazione politica, lui si volta con aria di superiorità uguale a quella ai tempi del fascismo esclamando una qualsiasi parola insoddisfacente talmente, fino al punto di farlo financo allontanare per un pezzo dalla sezione[58].

Lo stile del suddetto Palermo aveva, nel partito, una diffusione assai larga e capillare, sí da sollevare lamentele e proteste in varie parti d'Italia: nelle zone del centro-nord, a complicare le cose, interveniva la particolare sensibilità militaresca dei numerosi compagni ex partigiani, fossero adesso funzionari, piccoli dirigenti o soltanto propagandisti. A Torino, per esempio, il Fabbri, operaio della Fiat, criticava «l'atteggiamento paternalistico che impediva lo sviluppo dei compagni»[59] e il suo collega Rossotto formulava, in proposito, delle precise e particolareggiate denunzie.

> Il modo di fare di qualcuno dei capi-gruppo verso i compagni non è corretto. Se, per esempio, l'incaricato della vendita dei bollini si sente rifiutare l'acquisto di un bollino da un compagno che, per il momento, si trova forse nell'impossibilità finanziaria di acquistarlo, per tutta risposta non trova altre parole piú convincenti e piú adatte al caso che dire: «tu non sei un comunista; dovresti restituire la tessera» e cosí via di questo passo. È triste constatare che anche i rapporti tra i vecchi attivisti non sono piú improntati a quella cordialità, a quella comprensione e a quella serenità che si sono sempre riscontrate per il passato[60].

Lamenti di analogo tono sono registrati da numerosi verbali di dibattiti di base o di sedi organizzative piú elevate. È piú che l'appagamento di una semplice curiosità, ma farsi un'idea esatta delle tensioni provocate dalla pressione organizzativa del centralismo democratico, riascoltarne alcune sparse voci esemplificatrici. Il militante pugliese Giuseppe Lovino si diceva assai afflitto dall'«atteggiamento altezzoso di alcuni compagni dirigenti, cosa questa che determina[va] il loro discredito alla base»[61]; il Mariani rilevava a Massa Carrara che ormai «il sistema burocratico» stava diventando «purtroppo vivo in vari compagni dirigenti», sí da indurre a una condizione di «inferiorità politica» gli stessi organismi di base del partito[62]; il modenese Silvestri denunziava «il modo di trattare» pertinacemente autoritario, «usato da membri dell'apparato federale e di alcuni organismi di massa» e ammoniva: «bisogna evitare le forme grossolane di critica — anche se fatte in forma scherzosa che molte volte non è compresa — perché questo sarebbe un errore»[63]. Ed era ancora piú esplicito e «insidioso», a Genova, il Tucci, con le sue critiche che mettevano addirittura in discussione lo stesso sistema organizzativo del partito:

[...] Ho l'impressione che il partito sia troppo burocratizzato e, forse anche per colpa nostra, finisce in mano dei funzionari, che sono ottimi compagni, ma se questa tendenza si dovesse accentuare, non so dove si andrebbe a finire[64].

Evidentemente, l'esercizio quasi sacrale della funzione dirigenziale recava in se stesso contraddizioni che talvolta venivano allo scoperto in modo fragoroso: se, da una parte, esso immunizzava dai pericoli del dissenso, assicurando unità e compattezza in un ordine gerarchico; dall'altra, paradossalmente, alimentava una sottile conflittualità del consenso che, nel migliore dei casi — e, va detto, era il caso migliore quello che di solito si riproduceva nella vita del partito — dava vita a una civile dialettica, a un ordinato e costruttivo confronto, tra dirigenti e diretti.

I fattori della conflittualità si misero più nettamente in evidenza nel corso della riflessione sulle lotte di massa accese dall'attentato a Togliatti e svelarono le diversità di cultura politica che già cominciavano ad emergere tra la vecchia generazione terzinternazionalista passata dalla formazione nella clandestinità all'esperienza della guerra di liberazione e la nuova generazione di militanti e quadri venuti al partito di massa per l'impulso delle più disparate sollecitazioni di antifascismo e di impegno democratico.

Un processo evolutivo verso una maggiore democrazia di partito, indotto da quelle diversità, fu avviato dal fatto stesso che si fossero create le condizioni per la critica e persino per l'autocritica delle forze «militariste», pur nell'inalterata venerazione dei valori che erano stati alla base della lotta armata al nazifascismo. Non si sarebbe più tollerato che i partigiani, «spesso discordi alle linee direttive del partito», coltivassero — come sembrava al bolognese Alberto Landi — l'intenzione di «far vita a sé»[65]. Essi — rilevò anche Roasio — «erano venuti dalla montagna già credendo di dovere adoperare il mitra anche in seno al partito e, invece, col tempo, capirono che era altra cosa»[66].

Nello spirito del partito nuovo, nello sforzo di interpretarne e di realizzarne la linea, nell'impegno di rendere efficace anche nel quotidiano costume la politica della democrazia progressiva, nella fatica di

dare concretezza all'irreversibile scelta nazionalpopolare operata da
Togliatti, si andava sviluppando nei militanti la coscienza di un'autonoma e originale esperienza del comunismo italiano. Quella coscienza, quando e dove emergeva, metteva in crisi — seppure ancora in
nome dello stesso Stalin — il modello chiesastico-burocratico del partito staliniano. Se ne ebbe un esempio, tra gli altri, assai vivace e significativo a Genova, quando il compagno Antolini, in una relazione
ufficiale dell'agosto 1948, svolse la sua lucida requisitoria — davvero
durissima e quasi stupefacente per quel tempo — contro quella simbiosi di schematismo ideologico e di burocratismo che costituiva ancora, come si è visto, la forma clericale del comunismo italiano.

Lasciando da parte la «lumpenideologia» [degli] iscritti che ignorano Marx,
Lenin e Stalin, ci sono nel Partito troppi compagni che *confondono il
marxismo-leninismo con la Bibbia*: ci si sdraiano addosso, ci dormono sopra, rileggono *L'estremismo* o *Stato e rivoluzione* o gli scritti sul 1848 di
Marx-Engels, ma ignorano la storia del loro Paese, le esigenze del loro
Partito nazionale, le strutture e le sovrastrutture del loro ambiente: e poi
logicamente [...] *confondono la rivoltella alla cintola con la capacità di dirigenza politica*, sono velleitari e glossatori [...], elogiano chi «combatte» perché «crede» e «ubbidisce» e si curano poco di [chi] «combatte», invece,
perché «capisce» e coopera all'attuazione di una grande pagina della storia. In realtà noi siamo restati quasi totalmente sordi all'appello di elaborare la nostra ideologia anche se lo mettiamo in tutte le nostre delibera-
zioni, a Roma come alla periferia.
Elaborare la nostra ideologia significa applicarla oggi ad un mondo diver-
sissimo da quello del 1849 e del 1917 in Urss [...], un mondo in cui l'imperialismo ha creato le stampelle di una sua pianificazione al regime dei
monopoli [...], appoggiato al corporativismo di Leone XIII, di Pio XI, di
Pio XII che è, coerentemente, la più appropriata ideologia per lo stadio
attuale del capitalismo, con i suoi «giusti prezzi», «economia» distinta dalla
«politica» [...] in un mondo di sfruttati che tende a fare blocco[67].

In altri termini, uno come l'Antolini, con le sue indubbie propensioni per un partito laico e nazionale, esprimeva una forza diffusa nel
Pci, una forza già viva e operante, oggettivamente antistalinista, che
per affermarsi avrebbe dovuto superare — ma i tempi non erano ancora maturi — il muro tradizionalista costituito da un apparato di funzionari di formazione terzinternazionalista. D'altra parte, questi ultimi avevano un ben ricco e nobile passato al quale appellarsi per continuare a sostenere i loro titoli e difendere, con le primazie morali, le

loro burocratiche funzioni di guida, vigilanza e controllo: intanto lo intero passato bolscevico culminato nell'epopea staliniana e poi, con riferimento alle specifiche vicende italiane, tutta un'esperienza di lotte decisive per la libertà e la democrazia. Sicché, a quanti li avessero criticati, avrebbero potuto rispondere con le appassionate parole con le quali il Pessi, indignatissimo, respinse le affermazioni dell'inquieto Tucci: «È bene tenere presente che i funzionari sono i migliori compagni del Pci, sono quelli che per venti anni sono venuti in Italia a lavorare clandestinamente, sono quelli che hanno scontato decine di anni di carcere, sono quelli che hanno fatto un partito di due milioni e piú di comunisti, sono i migliori di ieri e di oggi che rinunziano a salari piú elevati, agli agi della famiglia, per lavorare per il partito. I nostri funzionari sono l'onore e la gloria del Pci; i nostri funzionari, se cosí si vogliono chiamare, non sono degli impiegati, ma dei dirigenti»[68]. Parole, queste, molto simili a quelle, forse ancora piú dure, e rivelative di un livido autoritarismo pronto a tutte le eventualità punitive, con le quali il segretario federale di Torino, Pecchioli, aveva già risposto alle critiche dell'operaio Rossotto: «Non vorrei che la paura ingiustificata di non poter discutere, o l'accusa infondata ed ingiusta di paternalismo in alcuni compagni dirigenti che hanno l'esperienza di lunghi anni di lotta [...] rispondesse in alcuni ad una tendenza opportunistica e giustificasse una cattiva volontà di studiare e lavorare; non vorrei che corrispondesse in alcuni ad una insoddisfatta ambizione: non c'è posto per i compagni che non hanno la volontà di studiare e lavorare»[69].

*Ideologia ed educazione: scuole, corsi e iniziative
per la formazione politica*

Se Pecchioli se la prendeva con i compagni di base, questi ultimi gli ritorcevano contro l'accusa. «Studiare, studiare», ma — diceva il Noberasco — «anche i dirigenti studiano troppo poco: [...] non solo occorre che i dirigenti studino, ma devono svolgere un'attività in modo conseguente e non fare della propria persona il centro dell'attività degli altri compagni»[70]. E Albertino Masetti andava piú a fondo, lamentando che molti dirigenti non conoscessero neppure «i princípi basilari della teoria marxista-leninista» e «assolutamente nulla del movimento operaio italiano e internazionale»[71].

Certo, cosí si esagerava nella foga della polemica. Ma si voleva anche trasmettere una scossa di autocritica. Non era, infatti, lo stesso Masetti un «dirigente»? Essere ben consapevoli di quanto il partito fosse ancora distante dalla soluzione del problema costituiva un indubbio incentivo a sviluppare il correlativo impegno organizzativo.

Sempre e dovunque — il che rispondeva appieno alla verità — ci si dichiarava preoccupati per la scarsa preparazione ideologica dei militanti e dei quadri. Si è già visto quanto la preoccupazione fosse collegata ai timori di inquinamento e di infiltrazioni nemiche. Tuttavia i suoi elementi specifici erano altri e avevano a che fare, fondamentalmente, con l'esigenza di assicurare al partito una sua autonoma identità politica e culturale.

Si trattava di porre e di fissare, in modo stabile e definitivo, le distanze dall'intero universo della mentalità e dei valori borghesi e anche dalle posizioni ideologiche e dalle strategie politiche — ritenute assai insidiose e corruttrici — della socialdemocrazia in genere e dei vari socialismi (tradunionismo, laburismo, ecc.) divenuti funzionali al capitalismo. In altri termini, si trattava di inculcare nei compagni un'ortodossia marxista-leninista che facesse da collante quotidiano di tutti i loro comportamenti pubblici e privati, in un quadro ben netto che certificasse il valore peculiare e inconfondibile della *fedeltà* comunista.

Con siffatte finalità il lavoro ideologico — per il quale furono costituite delle apposite commissioni presso le federazioni[72] — costituiva un impegno davvero molto arduo, data la complessiva arretratezza, rispetto al marxismo, dei ceti popolari italiani gravitanti in un tessuto socio-culturale, a prevalente caratterizzazione cattolica, nel quale le spinte piú progressiste erano state, negli ultimi cento anni, il messianismo laico-democratico del mazzinianesimo e il primitivo socialismo preleninista della seconda Internazionale oscillante tra il moderatismo riformista e le ingenue passioni rivoluzionarie.

A dispetto delle enormi difficoltà da affrontare, il Pci doveva comunque dare fondo a tutte le sue energie organizzative per realizzare quell'impresa di *renovatio* culturale-politica dei suoi iscritti. Essa, infatti, era essenziale e imprescindibile per continuare a garantire al partito nuovo una natura e una forma bolscevico-staliniane: per scongiurare il rischio proprio del partito di massa, cioè l'annientamento della *qualità* da parte della *quantità*, occorreva che la stessa forza quantitativa acquisisse un potenziale qualitativo assai elevato. Questo, com'è ovvio, veniva perseguito nei limiti del possibile, vale a dire mirando ad assicurare a tutti almeno quel tanto di marxismo-leninismo di cui non si poteva fare a meno per comprendere la linea del partito e per non restare senza argomenti nel confronto polemico con gli avversari.

Per ottenere dei risultati soddisfacenti, c'erano almeno due ordini di problemi da risolvere: quello dell'omogeneità del sapere da trasmettere (in modo che l'ortodossia restasse in ogni caso tutelata) e l'altro della maggiore semplificazione possibile dei processi di divulgazione e della facilità dei contenuti divulgati, in modo che anche i compagni appena dotati di cultura elementare fossero messi nelle condizioni di trarne profitto.

Ovviamente, chiunque avesse già posseduto per suo conto una preparazione culturale adeguata allo scopo, avrebbe potuto raggiungere i gradi piú elevati della formazione marxista-leninista e, se riconosciuto idoneo ad alte responsabilità direttive, sarebbe stato inviato a Mosca o, almeno, all'«università» italiana del partito, la Scuola centrale quadri A. Ždanov di Roma. Ma per la massa dei militanti, e persino per la formazione dei piccoli e medi dirigenti, era necessario organizzare un lavoro didattico-ideologico piú diretto, rapido, capillare, essenziale ed efficace.

I problemi dell'omogeneità e della facilità del sapere vennero risolti insieme mediante una sorta di standardizzazione catechistica del pensiero marxista-leninista, assumendo come testo-base la *Storia del Pc(b) dell'Urss*. La strumentazione della didattica fu affidata a una rete (che però non era del tutto organica e continua sul territorio nazionale) di «scuole» provinciali e regionali e — soprattutto — al dinamismo delle federazioni, delle sezioni e delle organizzazioni di massa che organizzavano, con diversi gradi di inventiva, efficienza e regolarità, e secondo formule di volta in volta adeguate ai particolari problemi delle varie realtà territoriali del partito, corsi e seminari di formazione politica e ideologica.

I corsi si intitolavano a Marx, a Lenin, a Stalin, a Ždanov, a Togliatti, un po' tenuto conto dei loro contenuti, un po' in base a criteri di volta in volta determinati dall'esigenza propagandistica di fare assumere veste diversa a iniziative metodologicamente identiche che si reiteravano investendo gradazioni diverse di militanza. In genere i «corsi Lenin» avevano un piú spiccato carattere teorico ed erano finalizzati alla formazione di quadri di partito e degli organismi di massa. Ma non trascuravano problemi e aspetti specifici del lavoro politico da svolgere in attuazione della linea. Si pensi a quello, davvero accelerato, proposto dalla Direzione nazionale alle federazioni, sulla questione contadina: quattro lezioni, «organicamente legate» — che miravano «a presentare un quadro sufficientemente largo ed esauriente dei problemi inerenti alla lotta per il rinnovamento della struttura economica e sociale delle campagne italiane»[73] — con una forte base teorica («l'esame delle tesi dei maestri del socialismo sullo sfruttamento dei contadini nella società capitalistica» e l'analisi dell'insegnamento di Lenin «sulla necessità di una salda alleanza tra operai e contadini come condizione indispensabile per la vittoria nella lotta per il socialismo»), necessità dalla quale muovere per valutare «la situazione esistente nelle campagne italiane», tracciare «un quadro delle conquiste realizzate dai contadini nell'Unione Sovietica e nei paesi di democrazia popolare» e «definire il programma e le linee dell'azione svolta dal Partito verso le masse contadine»[74].

Oltre ai «corsi Lenin» brevi, c'erano quelli lunghi, consistenti in seminari di studio, a volte residenziali, di una o piú settimane. Normalmente brevi, e destinati a fini di rapida acculturazione politica, erano i «corsi Stalin». Ce ne fu una proliferazione notevole nei primi anni cinquanta sul tema della politica dell'Urss in difesa della pace: dovevano servire, come a Bologna[75], a Genova[76], a Modena[77], a «preparare una parte di compagni a divenire attivisti e dirigenti dei Comitati della pace»[78] ed anche a porre rimedio a una situazione di «insufficiente sviluppo ideologico e politico del partito»[79]. Per superare «le debolezze riscontrate nella campagna pacifista», debolezze «di opportunismo e settarismo», si tentò di rinforzare la cultura politica dei «migliori attivisti delle sezioni e delle cellule piú importanti»[80].

Nella sola provincia di Genova i «corsi Stalin» coinvolsero «10.000 quadri dirigenti sezionali, di cellula, di organismi di massa»[81]. Il dato è di per sé indicativo del carattere dell'iniziativa. Sempre nel capoluogo ligure, dove operavano con grandi capacità organizzative il Ciuffo e il Bertini, nel 1950 si impostò un piano organico di educazione popolare al marxismo-leninismo, adottando la formula unificante di un cosiddetto anno scolastico leninista, articolato in «corsi Stalin, scuole di fabbrica e scuole di sezione»[82].

Non è questione di produrre uno sforzo di qualche settimana o qualche mese, di organizzare un corso di partito e poi essere contenti. Le necessità presenti di aiutare e di migliorare rapidamente la formazione ideologica e politica delle migliaia e migliaia di quadri delle nostre Cellule di fabbrica e stradali, dei dirigenti locali e nelle associazioni di massa, richiedono che la iniziativa di organizzare un largo lavoro educativo venga considerata un *compito normale ininterrotto* da ogni nostra sezione e cellula. L'istituzione nella vita della nostra federazione di un anno scolastico di partito vero e proprio ha questi e non altri significati[83].

Per dare la maggiore capillarità possibile al cosiddetto lavoro educativo, a Genova furono pure costituiti degli speciali gruppi di studio di militanti di base, detti «gruppi Togliatti», che, a voler giudicare con chiarezza, senza mezzi termini, traducevano in una forma marxista-leninista quei moduli di orante meditazione e approfondimento della fede che appartenevano al modello cattolico degli esercizi spirituali. Funzionavano pressappoco come segue: il «padre spirituale», ovvero il dirigente incaricato di stimolare e guidare il processo della riflessione collettiva, poneva e illustrava il tema con la rigidità, e la scalfita precisione, di una postulazione morale (per esempio, l'indicazione, data da Togliatti, di «prestare un'attenzione particolare alle condizioni in cui oggi vivono i lavoratori italiani»)[84]. Si dotava il tema di opportuna documentazione, tipo «gli articoli del compagno Longo *Le condizioni di vita e di lavoro del popolo italiano* (*Rinascita*, 1950, n. 10) e *Per una pronta e vasta azione di solidarietà nazionale* (*Quaderno dell'attivista*, n. 27)» e di una piú vasta bibliografia di approfondimento (gli scritti di Mauro Scoccimarro su *Crisi economica e politica di guerra* e di Angelo Di Gioia sulle *Lotte contro i licenziamenti*); si procedeva, poi, alla lettura pubblica e individuale degli scritti e al loro commento in rapporto al tema centrale della riflessione. Seguiva il dibattito, per confrontare le varie ipotesi interpretative formulate dai compagni ai fini del lavoro politico. Infine, il dirigente-conduttore traeva le conclusioni per tutti, consolidando gli esiti della riflessione collettiva in un «patrimonio critico»[85].

Altrove il nome di Togliatti veniva usato per dare titolo a dei brevi corsi che avrebbero potuto essere indifferentemente denominati «Lenin» o «Stalin», a seconda dei destinatari o delle particolari occasioni organizzative. Per fornirne un esempio, rappresentativo degli innumerevoli altri dei quali è rimasta la documentazione negli archivi delle federazioni, si puntualizza, qui di seguito, l'impostazione del «corso Togliatti» svoltosi a Ferrara nel 1952.

> Lezioni: «L'imperialismo fase suprema del capitalismo», «Princípi ideologici e organizzativi del partito marxista-leninista», «Il VII Congresso del partito (strategia del nostro partito nella situazione attuale)», «Le realizzazioni e i problemi dei Comuni democratici della provincia di Ferrara», «Forme e strumenti di propaganda», «Organizzazione della campagna elettorale». *Conclusione*: «Dibattito finale alla presenza dei massimi dirigenti della federazione».
> *Materiali di studio*: dispense preparate *ad hoc*, dagli istruttori, sui singoli temi delle lezioni; articoli di Togliatti, Longo, Scoccimarro, Secchia.
> *Organizzazione dell'attività didattica*: ore 8-9,30: lezione; ore 9,30-12: «ripetizione» della lezione del giorno precedente; ore 14-15,30: distribuzione dei materiali di studio; ore 14-18: studio individuale[86].

È quasi superfluo rilevare l'estrema cura programmatoria, quasi una pedanteria burocratica, con la quale i corsi venivano organizzati e realizzati. Il fatto è che si mirava a conseguire i piú estesi e «profondi» risultati formativi nel piú breve tempo possibile. Questa pedagogia dell'intensità e dell'efficacia trovava applicazione uniforme in tutte le numerose sedi didattiche del lavoro ideologico comunista — c'erano seminari di settimane o di mesi, collegiali e semicollegiali, per segretari di sezione, per propagandisti, per sindacalisti e cooperatori, per quadri del movimento contadino, persino per corrispondenti di giornale[87] — e, con ben comprensibile vocazione perfezionistica, nelle scuole regionali, laddove esistevano[88] e in quella centrale di Roma (intitolata a Ždanov) che avevano, al piú alto livello, la responsabilità di formare i funzionari e i grandi dirigenti del partito.

Per quanto riguarda le formule organizzative adottate e i metodi dell'insegnamento, va notato che ovunque vigeva — realizzandosi cosí l'auspicio già formulato da Claudio Bracci in una lettera a Colombi del luglio 1944 — «la legge del centralismo democratico»[89].

Come asseriva il ferrarese Scalambra era compito e privilegio indiscutibile dei dirigenti «indicare cosa dovessero studiare i compagni»: il partito avrebbe dovuto preoccuparsi sia di *controllare e di vedere se i compagni studiavano*, sia di «stabilire che cosa si doveva fare in materia di studio», indicando, e possibilmente fornendo, le dispense e i libri[90]. E il Masetti, nella sua qualità di dirigente della Commissione stampa provinciale, si faceva scrupolo, a Bologna, di «indicare in modo preciso che cosa i compagni dovessero sforzarsi di apprendere dallo studio e con quale metodo dovessero studiare»[91].

Oltre al fine normale della *reductio ad unum* della cultura politica dei militanti, le scuole di partito — al livello alto della responsabilità di formare i rivoluzionari di professione — perseguivano quello, eccezionale, di una vera e propria ristrutturazione della personalità intellettuale e umana degli allievi. Questi, distribuiti in «brigate di studio», impegnati a misurarsi individualmente con alcuni testi sacri del marxismo-leninismo, catechizzati da lezioni e conferenze svolte su tracce prefissate e riassunte in dispense infarcite di proposizioni dommatiche e di slogan da imparare a memoria, frequentemente interrogati dai docenti, sollecitati a dimostrare attivismo e diligente volontà di apprendimento nel corso di frequenti dibattiti, erano chiamati tra l'altro a compiere un fondamentale atto di verifica della loro conseguita maturità marxista-leninista: l'*autocritica*, ovvero la pubblica confessione dei loro limiti personali e degli errori ideologici o politici commessi in tempi piú o meno vicini. Con inconfondibile stile chiesastico, cosí ciascuno esperiva l'emozione di mostrarsi penitente, per acquisire la prova di un salto di qualità intellettuale e morale, liquidare del tutto le stimmate della vecchia mentalità borghese o piccolo-borghese e ottenere il conforto dell'«assoluzione» e della solidale stima dei compagni.

Si entrava nelle scuole di partito con le debolezze e le indecisioni del catecumeno, se ne doveva uscire con la pienezza e lucidità di fede dei battezzati. L'avvenuta nascita dell'*uomo nuovo*, pronto alla professione rivoluzionaria, era testimoniata dall'autobiografia nella quale venivano appuntati anche gli elementi essenziali dell'autocritica[92]. L'accertamento del profitto culturale era affidato agli esami finali, sulla base dei quali gli istruttori redigevano, su ogni allievo, delle relazioni riservate[93] e delle note caratteristiche[94] destinate a vari percorsi: di solito, dalle scuole alla Commissione centrale quadri e, da questa, alle federazioni e, talvolta, alle centrali direttive nazionali o periferiche degli organismi di massa.

Se adesso si volge l'attenzione ai libri di testo in uso nelle scuole, non si possono nutrire dubbi sulle conseguenze di conformismo ideologico, e di manipolatorio scolasticismo, dell'operazione semplificatrice del marxismo attuata dagli istruttori. Persino nella Scuola centrale Ždanov la lettura diretta del *Capitale*, che pure veniva consigliata, era di fatto sostituita da schematici riassunti predisposti nelle dispense. Di Marx si leggevano in originale soltanto il *Manifesto* e il *Programma di Gotha*; di Lenin, il *Che fare?*, *Un passo avanti e due indietro* e *Stato e rivoluzione*. Si abbondava, invece, nello studio e nel commento di tutte le opere di Stalin tradotte in italiano.

Fino ai primi anni cinquanta, Gramsci — a parte qualche corposo riferimento a scritti che la lenta pubblicazione dei *Quaderni* avrebbe poi emarginato tra quelli minori — era quasi ignorato come teorico del marxismo. In compenso assumevano un valore «educativo» primario gli scritti, le relazioni, gli articoli, i discorsi di Togliatti, Longo, Secchia, Grieco e Scoccimarro[95].

Per ben comprensibili motivi, i testi usati per i seminari e i corsi di studio organizzati dalle sezioni erano delle elementari riduzioni degli originali e, piú spesso, degli opuscoli di propaganda, sempre ruotanti intorno alla *Storia del Pc(b) dell'Urss*, con un corredo di articoli tradotti direttamente dalla stampa sovietica o ritagliati dalla staliniana *Per una pace stabile e per una democrazia popolare*.

Però un diverso itinerario formativo, prima ancora che impensabile, sarebbe stato imperseguibile. Il realismo organizzativo consigliava di non nutrire illusioni sulle capacità di apprendimento teorico della stragrande maggioranza dei militanti. Se ne dichiarava appieno consapevole, tra gli altri, il dirigente Scalambra, mentre impartiva, a Ferrara, le direttive del partito per «dare un carattere di massa» anche allo «studio individuale»[96].

> Abbiamo detto che dobbiamo studiare l'*Imperialismo* e certi compagni ci hanno risposto che Lenin è troppo difficile. Ma cari compagni, quando si dice [di] studiare l'imperialismo, non si intende dire studiate il libro di Lenin, ma tutti gli scritti su questo tema di Togliatti e dei nostri compagni dirigenti [...]. Se noi capitoliamo di fronte alla difficoltà di capire i nostri testi, non riusciremo mai ad approfondire qualcosa di concreto[97].

Con siffatte direttive, la qualità del sapere marxista-leninista ovunque divulgato ed appreso non poteva che essere assai modesta. Ma non si sottovaluti l'importanza di una cosí dilagante e penetrante diffusione di idee e conoscenze di per se stesse difficili. Persino nelle forme della loro piú semplicistica divulgazione, quelle idee e conoscenze avevano una loro potenzialità educativa, almeno ai fini di una partecipazione tendenzialmente critica e consapevole alla vita politica e alla storia del paese.

La dilatazione sociale del marxismo-leninismo — al di là delle sue finalità immediate di addottrinamento dei militanti comunisti — produceva degli effetti che, come vedremo meglio prossimamente nei capitoli dedicati alla politica culturale del Pci, incidevano in modo diretto e organico sui processi di sviluppo di una cultura di massa funzionale alla costruzione della democrazia. Qui e là, nei primi anni cinquanta, se ne registravano con orgoglio i primi successi, per esempio a Modena.

> I 40.000 compagni che hanno studiato o nella scuola di partito o nei corsi di massa o nelle scuole degli organismi di massa ci confermano non solo il livello ideologico esistente, ma la stessa esistenza di un livello culturale generale che gli ha permesso lo studio, cosa che nel '45 [era] quasi impossibile. Ebbene questo ha permesso il sussequirsi di tutta un'altra attività culturale di massa (vedi olimpiadi culturali, spettacolo popolare, teatro di massa, cori, balletti, gruppi folkloristici, ecc.). Abbiamo due compagnie per concerti vocali nel campo della musica leggera, dieci filodrammatiche, due compagnie di ragazzi di arte varia, sei corali, sei balletti a sé piú quelli composti, il grande spettacolo del teatro di massa allo stadio[98].

In tutta Italia si moltiplicavano gli organismi e gli strumenti del cosiddetto lavoro ideologico-culturale di massa: le case della cultura e le case del popolo, le sedi dell'Associazione Italia-Urss, le feste dell'*Unità* e, a centinaia, con vari gradi di inventiva e vivacità intellettuale, le «olimpiadi della cultura» per i giovani della Fgci, i circoli del cinema, e i cineforum, i centri del libro popolare, i teatri di massa. Direttamente nelle sedi del loro quotidiano confronto con il padronato, i lavoratori facevano nascere i loro fogli di battaglia e di riflessione politica: i giornali di fabbrica gestiti dalle cellule e dalle commissioni interne, stampati o ciclostilati, diffusi in migliaia di copie[99] nelle aree industriali.

Dunque il partito di Togliatti, con le sue estese e variegate ramificazioni sociali, riusciva a funzionare davvero, oltre che come un grande coro di slogan, come un vero e proprio «cervello collettivo». Nel complesso — lo si è rilevato numerose volte — esso assomigliava molto da vicino a una Chiesa, ma soltanto a questa condizione riusciva a eludere gli effetti della contraddizione tra il suo impianto bolscevico e la sua concreta esperienza democratica, travasando e realizzando di continuo la forza rivoluzionaria dell'avanguardia e l'astuzia del «principe» nel disciplinato impegno partecipativo delle masse.

Parte seconda

Il principe e la morale

III. Princípi ideologici e norme politiche

La verità e l'errore, la disciplina e l'ubbidienza

Il «partito nuovo», partito di massa, era potenzialmente aperto a tutti, ma un uomo qualsiasi non sarebbe riuscito a diventare, in senso pieno, un comunista. Se si fosse iscritto e fosse poi riuscito a sfuggire ai suoi impegni e ai controlli mimetizzandosi in una passiva disponibilità, presto si sarebbe sentito talmente inutile e superfluo da ritirarsi col minore rumore possibile per tornare ad essere un uomo qualsiasi.

Un brano delle «carte Ciuffo» spiega molto bene il perché: «L'iscrizione al partito», vi si legge, «diventare un *compagno*, impone una serie di doveri, doveri che non si limitano al semplice pagamento delle quote o all'obbligo generico di frequentare con maggiore o minore solerzia le riunioni e le assemblee di partito, ma implicano obblighi precisi di ordine materiale e morale che devono accompagnare l'attività del *compagno* in tutti i suoi momenti e in tutte le forme della vita individuale e sociale; ogni suo atto deve essere guidato dall'imperativo che nasce dalla stessa idea che ha abbracciato, dalla disciplina che ha pienamente accettato prendendo la tessera»[1].

Secondo una concezione di chiara origine idealistico-hegeliana inculcata dalle scuole di partito, soltanto la fervorosa attuazione di quella «serie di doveri» avrebbe consentito al militante di viversi come libero, perché felicemente a posto con la sua coscienza politica. Ben altra, e davvero imperfetta, sarebbe stata invece la condizione dei semplici simpatizzanti, persone certo degne di stima e di attenzione, persone da curare in quanto potenziali militanti, però non ancora capaci di «intendere il grado di libertà che rappresenta l'adesione, l'iscrizione al Partito»[2].

I capisaldi della deontologia marxista-leninista si trovano elencati, con evidente puntigliosità burocratica, in un articolo della *Pravda* ampiamente divulgato anche in Italia. I comunisti avrebbero dovuto attenersi alle seguenti otto imprescindibili prescrizioni: «salvaguardare in tutti i modi l'unità del partito; essere sempre d'esempio nel lavoro; rinsaldare ogni giorno i legami del partito con le masse; lavorare tenacemente per elevare la propria coscienza e assimilare i fondamenti del marxismo-leninismo; in qualsiasi lavoro, piccolo o grande, difendere gli interessi del partito [...] e osservare la disciplina di partito; dimostrare sempre onestà e sincerità nei confronti del partito; sviluppare l'autocritica e la critica dal basso; mantenere l'alta vigilanza politica [...], cioè condurre una lotta implacabile contro tutti gli intrighi del nemico»[3].

Come tutti i sistemi morali, anche quello comunista si componeva di un insieme di norme e princípi rimessi all'esercizio di una pratica di vita che, con varie gradazioni, sarebbe stata di volta in volta apprezzabile in quanto e perché virtuosa o detestabile in quanto e perché trasgressiva.

Il sistema era pressoché identico in tutti i partiti comunisti di forma staliniana, seppure in Italia — lo si vedrà nelle prossime pagine — la mentalità che stabiliva le differenze tra i comportamenti corretti e quelli scorretti era sottilmente intrisa dell'*ethos* cattolico del bene e del male, della virtú e dei peccati. Si tratta, qui, di un altro aspetto rivelatore di quanto e come, negli anni cinquanta, la «metafora staliniana» — in uno spazio sociale ben piú vasto di quello direttamente controllato dal Pci — fungesse da catalizzatore progressista di ideali, credenze e valori coltivati da una società popolare ancora immersa in un contesto di forme fideistiche e di costumanze clericali. Tutto questo potrà forse stupire e irritare qualche contemplativo apologeta delle minoranze laiche, ma con scarsissimo beneficio per la comprensione storica. Infatti, non sarà mai possibile comprendere a fondo il ruolo storico assolto da milioni di uomini e donne nella società italiana con la loro militanza rossa, senza avere esaurientemente indagato sui contenuti, anche soggettivi, della loro esperienza morale, che era una sintesi indissociabile di attività politica e di vita privata, di elementare ideologia marxista e di sopravvivente tradizione religiosa.

L'orgoglio dell'iscrizione al partito costituiva il fattore soggettivo, l'elemento psicologico individuale piú comunemente avvertito, di un'oggettiva pratica sociale la cui moralità aveva il suo nucleo centrale nel binomio *disciplina-ubbidienza*, al segno di un'incrollabile fedeltà alla linea. Nessuno, quale che fosse il suo posto nella gerarchia, avrebbe potuto prescinderne.

Non ammonivano i compagni sovietici che la legge per i comunisti di tutto il mondo era «una sola, indipendentemente dai loro meriti»?[4]

> [...] L'infrazione della disciplina di partito è un gran male, che nuoce al partito ed è quindi incompatibile con la permanenza nelle sue file [...]. Lenin e Stalin sottolineano che il partito nel suo lavoro pratico, se vuole salvaguardare l'unità delle sue file, deve attuare un'unica disciplina proletaria, egualmente obbligatoria per tutti i membri del partito, sia per i dirigenti che per i militanti di base[5].

Ma che cosa significava, in concreto, attuare la «disciplina proletaria»? Quel che serve per rispondere è in gran parte desumibile dall'analisi già svolta nel precedente capitolo, almeno per quanto riguarda il lavoro politico e le rigorose lealtà richieste al militante per svolgerlo con dedizione ed efficienza nel rispetto dei compiti assegnati dai dirigenti. Epperò la questione non è circoscrivibile al campo degli impegni e delle operazioni pratiche della militanza per il routinario servizio al partito.

Si è visto quanto il Pci, nella forma staliniana, tendesse a un'iper-ideologizzazione di tutti gli aspetti della sua attività. Conseguenzialmente, la fondamentale misura della disciplina riguardava il rapporto corretto con gli articoli di fede; consisteva, cioè, nella fedeltà ai princípi della dottrina marxista-leninista, nel rigoroso rispetto dell'ortodossia.

Il maresciallo Tito, esempio tipico, come si è visto, di un tradimento assimilabile, nel concetto e nel fatto, a una vera e propria «criminalità politica», era soprattutto reo di avere rotto la «disciplina ideologica» ribellandosi alla pontificale autorità di Stalin e dell'Unione Sovietica e rappresentava, pertanto, l'indisciplina in sé e per sé, il disordine dell'eresia. Esempi analoghi si sarebbero potuti trarre dalla storia del movimento operaio internazionale, esempi di deviazioni eretiche circa la dottrina del partito, errori (se si vuole, leggasi «peccati mortali») per i quali l'unica sanzione adeguata sarebbe stata la scomunica.

Le scuole e i corsi d'istruzione marxista-leninista insegnavano a riconoscerli in tempo per approntare nei loro confronti opportuni rimedi. Dinucci, nella Scuola centrale A. Ždanov, consigliava di avere sempre bene in mente sia le proposizioni ortodosse sul partito, sia le eresie nelle quali c'era il rischio di essere trascinati se si perdeva il contatto con i caposaldi del pensiero di Lenin e Stalin.

In breve, ecco lo schema del suo insegnamento in proposito: ortodosso è affermare che «il partito è il reparto d'avanguardia della classe operaia», ma si *devia*, in un senso settario-bordighista, se si ritiene che il partito sia «l'insieme degli elementi che concordano su una comune ideologia»[6], oppure, in un senso economicistico, se si scambia *tout court* il partito con «tutta la classe operaia», sí da edulcorarlo e disperderlo «nelle masse dei senza partito»[7]; ortodosso è affermare che «il partito è il reparto organizzato della classe operaia», ma si incorre nella deviazione «menscevica» se si assume «il partito come un'entità amorfa, senza struttura organizzativa» o nella deviazione del Psi se lo si intende come «una struttura territoriale piú corrispondente alle esigenze elettorali che alle necessità della lotta rivoluzionaria»[8]; ortodosso è affermare che «il partito è la forma suprema dell'organizzazione di classe del proletariato»[9], ma si *devia* nel «riformismo» se si concepisce l'organizzazione di classe in termini meramente sindacalistici («esempio, l'alleanza tra Psi e Cgl prima del fascismo») o in termini di generico populismo, come nel Pc jugoslavo di Tito («il partito confuso nel fronte popolare»[10]); ortodosso è affermare che «il partito incarna il legame dell'avanguardia con la classe»[11], ma si incorre in una devianza inaugurata in Italia da Bordiga e dai bordighiani se si intende tale legame in modo così assorbente ed esclusivo da perdere l'interesse «per le varie attività di massa»[12]; è ortodosso affermare che «il partito deve essere organizzato e diretto sulla base del centralismo democratico»[13], ma si *devia* quando si cade nella concezione «autoritaria e burocratica» (le cui fonti sono da individuarsi in Trockij, Bordiga e Tito) o in quella «socialdemocratica», che assicura alle minoranze la falsa libertà di «non applicare le decisioni della maggioranza» e, pertanto, «il diritto di frazione», consentendo alle «istanze inferiori» il diritto di «sottrarsi al controllo di quelle superiori»[14].

Virtú e peccati, virtuosi e peccatori

L'allontanamento dal pensiero leninista-staliniano e dalla tradizione marxista-leninista presidiata e interpretata dal partito sarebbe stato l'equivalente di un'insubordinazione ideologica — evidenziata, appunto, da deviazioni di *destra* (esempi: Bucharin in Urss e Tasca in Italia) o di *sinistra* (esempi: Trockij in Urss e Bordiga in Italia)[15] — da assumere come fonte certa di una serie di errori.

Non c'era da stare tranquilli quanto alla possibilità di impedirne la diffusione. Oltretutto la propaganda nemica favoriva con varie e subdole operazioni, tentando sia la strada di *destra* che quella di *sinistra*, la penetrazione nel partito di spunti, idee e modelli ereticali. In aggiunta, ad aggravare i pericoli di corruzione e di indisciplina, c'erano i limiti e le debolezze personali dei singoli compagni, addebitabili ora all'estrazione sociale borghese e piccolo-borghese, ora alla fragilità della preparazione politica. Di qui, per tutti, l'eventualità di venire trascinati in deviazioni ideologiche o in trasgressioni disciplinari, peccati piú o meno gravi a seconda del grado di intensità e di determinazione manifestato nel commetterli, peccati simmetrici rispetto alle fondamentali virtú ideali e pratiche della militanza comunista.

Scontate le inevitabili approssimazioni, dovute alle ambiguità e alle frequenti variazioni di senso della terminologia in uso nel partito, il seguente schema — ottenuto mediante un'assai semplificante operazione di sintesi su una larga base di reperti del dibattito politico — offre una visione sufficientemente chiara di tale simmetrico confronto di «virtú» e «peccati».

Virtú	Peccati
Coscienza dell'unità politica del partito e impegno costante per realizzarla	Frazionismo, attività disgregativa, crumiraggio, tradimento
Coscienza classista e del ruolo d'avanguardia del partito	Operaismo, plebeismo-settarismo
Combattività rivoluzionaria	Estremismo
Antisettarismo, flessibilità tattica e disponibilità alle alleanze	Opportunismo
Fedeltà, ubbidienza, spirito di servizio e attitudini all'autocritica	Disimpegno, passività, insensibilità politica
Capacità critiche, impegno di approfondimento ideologico	Eccesso di critica, tendenza alla denigrazione, scarso impegno di studio
Efficienza organizzativa, attivismo, senso di responsabilità	Burocratismo e autoritarismo, protagonismo
Onestà, lealtà, moralità e stile di vita proletari, tensione partecipativa	Disonestà, mentalità e costumi borghesi o piccolo-borghesi, individualismo e indegnità politica

Attentare all'unità del partito, comprometterne a qualsiasi livello lo spirito unitario, era un peccato tanto grave da fare meritare la perdizione. Esso, infatti, poteva condurre, in filo diretto, al tradimento. Fortunatamente, prima dell'estremo limite negativo, ci si poteva limitare a una gamma di atteggiamenti e comportamenti «frazionistici» di minore entità trasgressiva che andava dall'ingenuità di curiosare incautamente tra le cose e le idee degli avversari (per esempio, «cercare sui giornali reazionari gli articoli [...] che con tanta diligenza venivano costantemente portati all'offensiva delle forze padronali»[16]) fino a certe riserve mentali mascherate con una formale disciplina (la tendenza a una «non completa e sincera accettazione della *linea*»[17]) che — soprattutto se coltivate da compagni investiti di compiti dirigenti — aprivano la strada al vero e proprio frazionismo, cioè, per usare le parole del segretario federale di Genova, alla decisione sabotatrice di «non applicare le direttive del partito, facendole apparire inapplicabili»[18].

Non essere «in linea» o esserlo soltanto formalmente, con scarsa convinzione, comportava l'inevitabile conseguenza di svolgere un ruolo di disgregazione delle organizzazioni, oggettiva testimonianza di un orientamento antipartito[19]. Comunque si era certi che dalle piú semplici attività disgregatrici, al frazionismo e, infine, al tradimento, i passi fossero brevi e verificati da una fenomenologia di comportamento assai mutevole e variegata, da vagliare caso per caso.

Si poteva trattare della veniale inadempienza, reprimibile soltanto con la deplorazione e con l'ammonizione, di quei compagni del direttivo della sezione di Barcellona Pozzo di Gotto che, nel corso di uno sciopero, non si erano uniti «alle colonne dei manifestanti»[20] o della ben piú grave manifestazione di indisciplina del bresciano Coccoli che avevano organizzato «una festa dell'*Unità* con la chiara intenzione di contrapporla a quella provinciale e invitando direttamente con telegrammi e lettere compagni della provincia e di altre federazioni»[21] e si era poi lasciato andare a parlare «di cose estremamente delicate con elementi espulsi dal partito, criticando impoliticamente compagni e organizzazioni in modo disgregatorio»[22]; oppure dell'«opera attiva di crumiraggio» svolta da un certo Nicola Priore «durante il grandioso sciopero del 14-15 luglio» 1948, sí da meritarsi, con l'espulsione, l'universale ludibrio sollevato da Edoardo D'Onofrio, responsabile della Commissione centrale quadri, con la sua circolare a tutte le federazioni del partito[23].

Disgregatore fu anche Edmondo Morisi dell'abruzzese sezione di Trasacco, intestarditosi a mantenere rapporti politici con elementi locali ostili al partito[24]. Ma il limite del tradimento fu raggiunto e valicato, determinando cosí un'espulsione con voto unanime della cel-

lula, da quello Stellario Frattima che, opponendosi alle direttive della
sua federazione per le questioni sindacali insorte nell'Arsenale del porto
di Messina, pretese di assumere «posizioni autonomistiche nei riguar-
di della Camera del lavoro»[25], e si diede a favorire apertamente, con
inequivocabile atteggiamento di «capitolazione», le tesi del datore di
lavoro: «Invitato a dare spiegazioni [...], a compiere un severo esame
autocritico e a riconoscere il danno apportato dal suo contegno all'organizzazione politica e sindacale dell'Arsenale [...], si trincerava invece dietro un atteggiamento presuntuoso, rifiutando di riconoscere
le colpe commesse [...], assumeva un contegno spavaldo e sosteneva
i luoghi comuni della reazione»[26].

La dinamica dell'attività morale-politica: la «volontà buona», le devianze, gli errori

La numerosa casistica alla quale si potrebbe attingere per altre esem-
plificazioni rivela la tendenza costante a individuare e a punire molto
piú l'intenzionalità delle trasgressioni che i loro aspetti quantitativi
e le conseguenze pratiche e oggettive ad essi riferibili.

Come in ogni sistema morale, il peccato veniva ogni volta rappresentato, temuto e giudicato in termini di rivolta contro lo spirito. Tanto
è vero che sarebbe stato possibile emendarsene — ma senza per questo scongiurare l'inevitabile sanzione — con un sincero pentimento.
Ora, poiché per i comunisti lo spirito era fondamentalmente la «coscienza di classe», la moralità dipendeva in gran parte dal grado di
intensità con la quale la si possedeva in *mente et corde*. Per dirla kan-
tianamente, essa costituiva la «volontà buona» che consentiva di comprendere il carattere e il ruolo di avanguardia del partito nonostante
la sua inedita organizzazione di massa.

Tuttavia le infiltrazioni e il deviazionismo ne minacciavano la fermezza e la qualità, creando le condizioni per dei comportamenti peccaminosi contro lo spirito. Tra questi, il piú legato a certe pericolose
e insuperate conseguenze della tradizione socialista-massimalista, era
l'*operaismo* (versione moderna di un ancestrale plebeismo) che, nelle
sue manifestazioni appena psicologiche e umorali, determinava una

«ristrettezza mentale» incompatibile con le esigenze del partito di massa[27] e, nelle sue piú pericolose forme politiche, andava a saldarsi con il *settarismo*, tendenza assai grave, e per certi versi quasi paradossale, che trasformava una virtú (la «coscienza di classe») in un peccato (la diffidente chiusura nelle frontiere della classe), denunziando — lo rilevava Enrico Bonazzi a Bologna — una radicale «sfiducia nelle forze del partito» e «poca fiducia nella possibilità di ampliare e rafforzare le alleanze sociali indispensabili per la strategia della democrazia progressiva» e per i fini rivoluzionari ultimi del partito[28].

Il *settarismo* aveva ampia e insidiosa diffusione in tutte le aree geografiche della militanza comunista. Al nord, lo si era visto soprattutto in quel particolare strato militare costituito dagli ex partigiani, durante i fatti succeduti all'attentato a Togliatti; al sud, era un po' il retaggio di quella concezione iperideologizzante dell'iniziativa politica introdotta da Bordiga, soprattutto a Napoli, dove — rilevava Salvatore Cacciapuoti — numerosi compagni non svolgevano un «sufficiente lavoro di penetrazione e fraternizzazione con gli impiegati della loro fabbrica per fare comprendere loro che il lavoro ad essi era assicurato dalle lotte della classe operaia in difesa dell'industria napoletana e che soltanto rinsaldando i vincoli di unione tra operai e impiegati sotto la guida del Pci sempre piú forte si potevano facilmente vincere le lotte contro la classe padronale»[29].

Tutti i compagni — lo si auspicò con una formale risoluzione federale a Bologna — avrebbero dovuto possedere una mentalità «elastica» e «aperta», bene orientata dai grandi obiettivi strategici e adatta a tutte le flessibilità richieste dalla tattica, per «impostare e realizzare un'azione politica capace di toccare gli strati popolari disorientati, politicamente arretrati, scarsamente attivi e facilmente influenzabili dalla propaganda nemica»[30]. Per questo, liquidando ogni possibile influenza residuale del vecchio massimalismo e annientando le sempre possibili infiltrazioni eretiche del pensiero di Trockij e del bordighismo, i compagni erano chiamati ad essere vigilanti nei confronti dell'estremismo, anche e soprattutto, di quello «parolaio e inconcludente che — diceva Pessi — sottovaluta le forze della reazione e non tiene conto della situazione politica e delle prospettive delle forze democratiche»[31].

Tuttavia anche l'utile terreno della flessibilità tattica e dell'apertura alle alleanze andava perlustrato con cautela per non incorrere nel pericolo di cadere nella voragine dell'*opportunismo*, cioè — spiegava Mario Passi al Comitato federale di Padova — «nella pratica che consiste nella dimenticanza dei principii, nel non tenerne conto quando si vuole attuare qualcosa, nel porre dei limiti all'azione comunista che è invece in continua modificazione perché essa stessa, l'intervento della classe operaia, spostano e allargano questi limiti»[32].

Espressione e insieme fattore predisponente di un deviazionismo di *destra*, dalle inquietanti matrici menscevico-socialdemocratiche, capace di condurre rapidamente alla vergogna della capitolazione se non all'infamia del tradimento, l'opportunismo costituiva — com'è ben comprensibile — la fondamentale preoccupazione dei compagni dell'ala operaista, veterointernazionalista e partigiana. Essi, «duri» e tradizionalisti, ne facevano addirittura il cavallo di battaglia di una loro sottile polemica contro i compagni «morbidi», nel tentativo — condiviso al vertice da Pietro Secchia — di vincolare la stessa politica togliattiana della democrazia progressiva al quadro di riferimento di un'ipotesi meramente tattica e transitoria per fronteggiare l'assedio della «repubblica guelfa».

A titolo esemplificativo si rileggano le non troppo caute proposizioni della relazione di Aristodemo Maniera al Comitato federale di Ancona: esse si proponevano ufficialmente di mettere in guardia i compagni dal pericolo di un'«interpretazione opportunistica della democrazia progressiva» che per realizzarsi — diceva — avrebbe necessariamente impegnato le forze popolari in «una lotta senza quartiere contro il capitalismo e l'imperialismo»[33]. In tale lotta, i comunisti piuttosto che rischiare di «dimenticare gli insegnamenti del marxismo-leninismo», avrebbero dovuto «non farsi illusioni pensando che il capitalismo si lasci tranquillamente spodestare»[34].

Ma il Maniera e gli altri che la pensavano come lui non riuscivano ad esibire fino in fondo le loro intime vocazioni terzinternazionaliste perché erano bloccati dal timore di andare fuori linea. Era, infatti, un credo ormai ufficiale, canonizzato da numerose dichiarazioni di ideologi e dirigenti, la tesi che attribuiva una sostanziale equivalenza, se non sempre di contenuto, almeno di fini e di risultati, all'*oppor-*

tunismo e all'*estremismo*: l'uno, peccato di *destra*, conduceva ad una «capitolazione di fronte all'offensiva nemica»[35] la cui origine profonda andava ricercata in una «mancanza di fiducia nelle proprie forze»[36], ovvero in una «sottovalutazione delle forze della classe lavoratrice e dei mezzi che essa può impiegare» e in una «sopravalutazione delle forze dell'avversario»[37]; l'altro, peccato di *sinistra*, aveva una matrice analoga a quella della tesi della «rivoluzione permanente» con la quale Trockij, negli anni venti, aveva tentato di contrastare la realistica tesi staliniana del «socialismo in un solo paese», una matrice, pertanto, pseudorivoluzionaria, surrettizziamente «menscevica», dato che insistere nell'impotente ricerca dei massimi risultati equivaleva in pratica a non battersi con convinzione per i risultati possibili, a tal punto da cedere alla filosofia dell'ignavia, riassumibile nella formula opportunistica «non si fa nulla perché non si può fare tutto»[38].

«No, no», ammoniva Roasio, «il socialismo non è mica un regalo che ci debba portare l'Esercito rosso, il socialismo è un rivolgimento sociale, una conquista che ogni popolo deve guadagnarsi attraverso lotte accanite di decine di anni»[39]. E di questo, alla base del partito, si era consapevoli un po' in tutta Italia, nonostante i bollori estremistico-rivoluzionari che di tanto in tanto affioravano suscitando allarmi e riprovazioni.

Cosí a Reggio Emilia, in nome del paradossale abbinamento opportunismo-estremismo, Fabrizio Onofri stigmatizzava i comportamenti di alcuni partigiani, vittime, appunto, di un «opportunismo estremistico» che si rivelava «nell'insofferenza verso i compagni piú deboli e meno capaci»[40] e, a Padova, Mario Passi se la prendeva con quel settarismo che, manifestandosi «come forma di opportunismo nella pratica», affievoliva l'impegno «per rafforzare i rapporti con i socialisti e con gli indipendenti»[41]; mentre, in Puglia, l'oscuro compagno Minenna della sezione di Bitonto invitava a «smascherare i dirigenti *socialdemocratici*», cioè quelli affetti da «opportunismo e settarismo»[42].

Poiché le tendenze opportunistiche compromettevano complessivamente la «volontà buona» del militante impedendogli l'accesso alle virtú della fedeltà e del leale servizio al partito, costituivano di per se stesse dei demoniaci fattori di negativizzazione della coscienza e della disponibilità al lavoro politico che, attraverso varie forme di disimpegno e passività, potevano condurre all'«insensibilità politica».

Indizi già da rilevare con preoccupazione erano quelli della «scarsa combattività»: per esempio, «non svolgere attività in fabbrica per timore di mettersi in vista»[43] o «non parlare troppo dell'Urss per non fare paura ai borghesi e non perdere determinate alleanze»[44]. Ma al limite dell'«insensibilità politica» si perveniva quando ci si rifiutava di accettare, accampando motivi personali o scuse d'altro genere, incarichi di responsabilità offerti dal partito. Si trattava di un peccato assai grave che rendeva indegni della militanza, perché denunziava la presunzione di potere mantenere l'alto onore della tessera comunista senza accettarne anche gli oneri e i doveri.

In proposito è illuminante la vicenda di cui fu protagonista in un comune della provincia di Messina, il compagno Nunzio Barrile. Costui, incapace di convincersi della «necessità di avere una funzione dirigente per rimanere nel partito»[45], aveva deciso di dimettersi dalla carica di consigliere comunale «per diversi motivi, sia di natura personale, sia nell'interesse del partito stesso»[46]. Ma ecco come subito lo giudicò il segretario della sua sezione: «il Barrile ha praticamente dimostrato di essere uno di quei giovani che vengono al partito per raccogliere e goderne i frutti, [...] che si illudono di potersi servire del partito per raggiungere determinati obiettivi personali»[47]. Ne propose quindi l'espulsione «per indegnità politica o quanto meno per insensibilità politica»[48]. E il provvedimento fu adottato, infatti, anche a seguito della requisitoria svolta dal compagno Andrea Saccà, un ex partigiano di intemerata coscienza marxista-leninista, che illustrò la questione con le seguenti affermazioni:

> Penso che il caso Barrile consista nel fatto che tendenze piccolo-borghesi, derivanti dall'ambiente, sia di famiglia che di lavoro [...] nel quale vive il compagno Barrile abbiano definitivamente prevalso sul suo spirito di sacrificio e sul suo attaccamento al partito. Penso anche che, quando in una persona viene meno lo spirito di sacrificio, la persona stessa si dà a ricercare di proposito questioni ideologiche che lo giustifichino di fronte a se stesso [...]. È la strada di tutti coloro che diverranno traditori se il partito stesso non vi rimedia. Occorre perciò espellere il Barrile[49].

Indubbiamente il Barrile avrebbe avuto migliore fortuna se fosse stato capace di autocritica. Però la sua pervicacia «menscevica», il suo presumibile concetto del partito come di un movimento di opinione, gli fu fatale. Con tutta probabilità — il suo inquisitore stalinista ne era del tutto convinto — egli stava tra quelli che non si erano dati cura di approfondire la preparazione ideologica. Non era certo solo a subire gli effetti di quella deplorevole condizione di debolezza, se è vero che il Masetti, proprio nel cuore della regione rossa, rilevava che persino «nell'ideologia e nell'attività di molti compagni che occupavano posti di responsabilità» si notava «l'influenza di concezioni reazionarie, estremiste, opportunistiche, in conseguenza del fatto che si studia[va] pochissimo»[50].

Il meglio che ci si sarebbe potuti attendere dai compagni, se avessero studiato, sarebbe stato un aumento delle loro capacità di partecipazione critica al dibattito politico e, in genere, alla vita del partito. Ma anche la critica aveva i suoi risvolti negativi. Ad essere ipercritici, si rischiava il peccato — ora di qualità opportunistica, ora di qualità estremistica — della denigrazione dei compagni dirigenti. In ogni caso, non sarebbe mai stato lecito portare la critica fuori dal partito, fornendo così agli avversari insperate occasioni per la conoscenza delle difficoltà e dei limiti dell'azione comunista[51].

«È un danno la critica fuori dal partito»[52], sentenziò l'operaio della Fiat Mercuri sintetizzando l'opinione piú diffusa della base. E, con lui, il Brucoli, il Gallarini, il Dogliani, il Marocco — all'indomani del 18 aprile, riflettendo sui fattori che avevano determinato la sconfitta elettorale — chiesero di «eliminare [...] quei compagni che sistematicamente compivano opera di disgregazione con le loro critiche»[53].

Oltretutto, si sarebbe sempre corso il rischio di dare scandalo, provocando, così, stati d'animo di demoralizzazione collettiva. Che cosa sarebbe accaduto ai fedeli, se avessero di colpo perduto la rassicurazione del loro rapporto fiduciario con i preti? «Vi sono dei compagni», rilevava angosciato il genovese Mattei, «che fuori dal partito criticano i dirigenti o, sentendoli criticare, non intervengono per difenderli e questo è dannoso perché fa perdere la fiducia nei dirigenti»[54].

D'altra parte i dirigenti, se avevano il riconosciuto diritto di non essere denigrati, si dovevano guardare dal pericolo di esercitare le virtú della diligenza e dell'efficienza fino al punto di non accorgersi di eventuali manifestazioni di burocratismo e di autoritarismo[55].

Della questione si è già parlato nel capitolo precedente e non è qui il caso di farne ancora discorso, scontato il fatto che, se la qualità del peccato, ai fini del giudizio di responsabilità e della relativa sanzione, andava vagliata in sé e per sé e non consentiva di differenziare i militanti di base dai dirigenti, le conseguenze del peccato sarebbero state ovviamente variabili per estensione e profondità a seconda dell'importanza del ruolo svolto nel partito dalla persona che lo aveva commesso.

C'era, pertanto, almeno potenzialmente, una gerarchia dei peccatori e, in essa, soltanto a chi stava più in alto — come era già accaduto ai vari Tasca, Bordiga, Silone, Tresso e Leonetti[56] — spettava la suprema infamia di un tradimento la cui essenza, una essenza quasi metafisica, coincideva con la forma demoniaca dell'eresia.

Ma il partito togliattiano, in virtú della sua stessa struttura elitaria che assicurava un assai elevato grado di omogeneità ideologica e di compattezza organizzativa alla sua dirigenza, era ormai sufficientemente al riparo dal pericolo dell'eresia. Se infatti non vi mancavano contraddizioni e persino tensioni conflittuali molto nette e profonde — si pensi alla ben diversa visione strategica di Secchia rispetto a quella di Togliatti — queste o non venivano allo scoperto o venivano abitualmente rappresentate come varianti interpretative di una comune linea politica da non mettere in discussione. Meno che mai dei conflitti ideologici sarebbero riusciti a svilupparsi in un clima di universale fedeltà a Stalin e all'Unione Sovietica.

Di conseguenza, la stragrande maggioranza delle trasgressioni rilevabili, e rilevate e punite — anche in casi gravi come quelli che avrebbero riguardato Cucchi e Magnani — apparteneva più all'ordine dei comportamenti che a quello delle idee. Eppure c'era da esserne in ogni caso preoccupati, perché, soprattutto alla base del partito, provocavano almeno disorientamento e rischiavano di determinare «un indebolimento dello spirito di combattività, il cedimento di fronte all'azione scissionistica dei nemici della classe operaia, l'isolamento della classe operaia dai suoi alleati e il cedimento di fronte all'offensiva padronale-governativa-poliziesca e clericale»[57].

La maggiore severità nei confronti delle trasgressioni veniva sollecitata dalle condizioni del duro scontro frontale con le forze antico-
muniste della «repubblica guelfa», dalla destra democristiana alla socialdemocrazia americanista di Saragat.

A rendere piú acuta la vigilanza contribuivano poi, grandemente,
le stesse difficoltà che non potevano non appartenere all'immane lavoro politico in corso per estendere a un partito di massa, e radicar-
vele, le forme bolsceviche di cultura e di organizzazione. Si arrivava
al punto di sperare nell'autodisciplina dei compagni e, contestualmente,
di diffidarne: è un «errore», diceva l'ispettore di partito Renato Giachetti, «contare troppo sulle attitudini personali dei compagni, in quanto e perché [cosí si] svalorizza la funzione dell'elemento educatore rappresentato dalla disciplina per lo sviluppo dell'autodisciplina»[58]. Si riteneva pericoloso coltivare uno «spirito di tolleranza verso i difetti
dei compagni»[59]. Piuttosto, si sollecitavano, da varie parti, radicali
controlli e strumenti efficaci per realizzarli: il Ciuffo a Genova —
seguendo enfaticamente il senso del richiamo di Stalin ai compagni
italiani dopo l'attentato a Togliatti — consigliava di eliminare del tutto
la «bonomia» dai metodi del partito[60], mentre il Ghinolfi, a Bologna,
proponeva «la creazione di ispettori di zona con [il] compito di [eser-
citare] periodici controlli sulla moralità del partito»[61]. Ci si appella-
va al luminoso esempio di rigore offerto dai costumi dell'Unione Sovietica: «Quando si sentono voci sul comportamento immorale dei compagni», chiedeva il genovese Adamoli, «bisogna andare a fondo a prendere provvedimenti»[62]. Si invocava l'inflessibilità verso gli altri anche come una garanzia dell'autocontrollo che ciascuno avrebbe dovuto
esercitare su se stesso, per liquidare *ab imis* ogni eventualità di «individualismo piccolo-borghese»[63]. Prescriveva, infatti, Valdo Magnani:
«Non si deve far nulla che non sia controllato dal partito a cui non
si deve nascondere nulla»[64] e, questo, proprio al fine di «sapersi controllare e comportare in tutte le circostanze»[65]. Lealtà e franchezza
non avrebbero dovuto però prescindere da un'«indispensabile riservatezza», perché — diceva ancora Magnani — «saper tacere fa parte
della vigilanza rivoluzionaria»[66].

Nel suo repertorio di ordini e consigli, la morale comunista conteneva, alla fin fine, tutte le virtú previste e canonizzate dalla tradizio-

ne dei ceti popolari e dalle comuni opinioni del tempo, compresa —
ovviamente — la fondamentale virtú dell'onestà personale, un'onestà austera e intransigente, senza la quale si diventava subito indegni
della tessera. Di proprio, di specificamente comunista (ma con fermo
richiamo a un'esperienza italiana caratterizzata dall'antifascismo di
massa e da una sostanziale fiducia anche nei valori positivi elaborati
dalla parte piú progressista della borghesia liberale), si aggiungeva l'ancoraggio di quelle virtú all'ideale di un «comportamento democratico»[67], «base essenziale», insieme al costume della fraternità, dello stile di vita di «un perfetto compagno»[68].

IV. I comportamenti e i valori

Sorvegliare e punire

Considerato nel suo insieme, il sistema delle virtú e dei peccati comunisti configurava una morale che potrebbe dirsi dell'equilibrio e della moderazione. In altri termini, una morale del «giusto mezzo». In quanto tale, era in essenza una morale eterodiretta, potenzialmente autoritaria.

Chi, infatti, se non un'autorità certa e certificante, avrebbe potuto indicare quale fosse in concreto il «giusto mezzo» per i comportamenti dei singoli militanti?

Nel contempo, ben comprensibilmente, l'autorità aspirava a conseguire il risultato di un radicamento cosí profondo e convinto della sua normativa nelle coscienze dei singoli da rendere superfluo il suo intervento caso per caso: la perentorietà dei comandi avrebbe dovuto tradursi nella spontaneità dei meccanismi dell'autodisciplina. Il che svela quanto l'impostazione stalinista fosse conforme ben piú all'antica tradizione aristotelico-tomistica che a quella della prassi storico-dialettica inaugurata dal marxismo: in modo non diverso da Aristotele e da Tommaso, il Pci non aveva dubbi sul fatto che il meglio per ogni compagno sarebbe stato il saper trovare da sé il «giusto mezzo», facendo cosí assumere all'esercizio dell'attività morale — lo si è detto — il quieto carattere autoregolativo di un *habitus*.

Ciascun militante avrebbe dovuto *abituarsi* a cogliere a volo le esigenze politiche del momento e ad adeguare ad esse, subito, senza esitare, il giusto comportamento. In questo senso Albertino Masetti privilegiava, rispetto agli ordini e alle direttive dei dirigenti, il «giudizioso orientamento» del militante: «Occorre», diceva, «che i compagni siano dei buoni piloti, che sappiano camminare anche per le strade accidentate, che sappiano aggirare o superare gli ostacoli, che sappiano trovare molti compagni di viaggio specie quando la strada è infestata da banditi, che sappiano prevedere l'agguato, che sappiano andare di corsa quando la strada è buona, che sappiano procedere con cautela e anche lentamente quando la strada è minata»[1]. Ma tutto questo non escludeva, anzi confermava, che un fondamentale aiuto, per conquistare l'*habitus* morale comunista, i militanti — soprattutto i piú deboli o immaturi — avrebbero potuto riceverlo soltanto dall'esempio e dai consigli dei dirigenti.

Con ben evidente mentalità clericale, Pietro Secchia si rappresentava le funzioni del segretario di sezione, del capocellula e del capogruppo, alla stregua di quelle che si direbbero proprie dei curatori di anime. Il buon pastore era chiamato ad un paziente ed edificante rapporto con i peccatori, sapendo ogni volta distinguere tra le colpe gravi e le veniali manchevolezze. Non avrebbe dato prova di affidabili capacità pastorali — l'aveva già notato, tra gli altri, il Pessi — quel dirigente al quale fosse sfuggita la differenza tra gli errori commessi soltanto per «incapacità» e quelli, invece, davvero «intenzionali», determinati «da cattiva volontà o da mala fede»[2]. Un compagno si era mostrato svogliato, discontinuo, politicamente fragile o soltanto insicuro? Ebbene — consigliava Secchia — il suo dirigente avrebbe dovuto studiarne attentamente il comportamento, senza scandalo, senza eccessi di irritazione, con spirito di comprensione e guardando ai fatti, con la cura di evitare critiche generiche e indifferenziate. E «prima di richiamare, in piena assemblea di cellula, un compagno [...] sarebbe [stato] necessario avere parlato prima con questo compagno»[3], per «aiutarlo e consigliarlo».

Cosí il caso singolo sarebbe diventato strumento di edificazione collettiva, se davvero risolto con una suadente penetrazione nel profondo della coscienza pericolante o smarrita: «l'efficacia dell'intervento personale sul compagno» si sarebbe potenziata e avrebbe manifestato «la sua utilità anche nei confronti degli altri compagni»[4]. Se, poi, il compagno persisteva nell'errore, bisognava allora «essere intransigenti», escludere quel compagno dal partito e dello stesso errore «fare un motivo di educazione, portandolo in discussione in tutte le cellule»[5].

Nei casi ritenuti gravi l'accusa e l'accusato venivano rimessi al giudizio delle assemblee di cellula o di sezione che, a norma di Statuto, avevano la facoltà di adottare i relativi provvedimenti, — dall'ammonizione all'espulsione, — poi sottoposti alla ratifica dei comitati federali e in ispecie delle commissioni di controllo che avevano il loro supremo organo gerarchico nella Commissione centrale di controllo, insediata a Roma presso la Direzione nazionale.

Ma qui importa, più che l'analisi dei meccanismi e delle procedure del sistema giudiziario di partito, l'osservazione del suo caratteristico assetto rituale. Da questo punto di vista, la struttura del rito appare completa. Vi si individuano i tre fondamentali elementi costitutivi: un *celebrante* (il dirigente), un'*assemblea di fedeli* (gli iscritti della cellula o della sezione), una *vittima sacrificale* (il compagno sotto accusa). Il fine della «celebrazione» metteva capo soprattutto all'esigenza di una collettiva «confirmatio in fide» dei credenti che avveniva mediante l'esercizio della *critica* (una sorta di esercizio spirituale-politico, attivato dalla relazione del dirigente e sviluppato dalla riflessione collettiva dei compagni, non escluso lo stesso accusato, sul caso in esame).

Data la sua impostazione apodittica, è difficile immaginare che il dibattito potesse qualche volta mirare all'accertamento della verità. Di solito la veridicità dell'accusa era fuori discussione, essendo stata già accertata in una sede superiore dal preventivo procedimento istruttorio attuato dagli organi dirigenti (il segretario e il direttivo della cellula o della sezione).

Ecco, pertanto, che l'essenziale funzione dell'accusato era, in ogni caso, quella della vittima. Naturalmente, egli veniva invitato a difendersi, ma è più corretto rilevare che quel che ci si attendeva da lui era soprattutto una penitenziale disponibilità a discolparsi nel senso letterale di «liberarsi della colpa», di emendarsene purificando la coscienza.

In altri termini gli si chiedeva un atto, e un conseguenziale atteggiamento, dalle valenze nient'affatto formali-giuridiche, ma intensamente morali. Gli si offriva, cosí, un'opportunità salvifica che, se adeguatamente utilizzata, lo avrebbe messo nella condizione di meritare la comprensione e quindi il perdono dei compagni: mettere pubblicamente in discussione la sua personale anima di militante, tentare di chiarire con lealtà e franchezza le motivazioni profonde che erano all'origine degli errori contestatigli (per esempio, la scarsa preparazione ideologica, i residui borghesi della sua formazione politica, le insuperate tendenze individualistiche), cioè denudare le sue debolezze, autocriticarsi, rivelando cosí «volontà buona» e sincero pentimento.

In caso contrario, l'orgoglio, l'«insensibilità politica», la verificata tendenza alla recidiva, lo avrebbero esposto agli inevitabili rigori della punizione. Se colpito dalle pene piú gravi, la radiazione e l'espulsione[6], il condannato, con la perdita del suo *status* di militante, andava incontro a conseguenze del tutto simili a quelle della scomunica per i fedeli di una Chiesa: escluso dal contesto comunitario nel quale si era costituita la sua identità sociale, cioè la sintesi inscindibile del suo ruolo pubblico-privato, la sua stessa personalità umana veniva deprivata e avvilita; sommerso dal disprezzo degli ex compagni, aggredito da un crescendo di denigrazioni che non risparmiava gli aspetti piú personali della sua vita quotidiana, ritenuto potenzialmente capace di tutte le azioni nefande immaginabili in violazione della normativa sociale, subiva un giudizio di radicale immoralità che spesso si espandeva a macchia d'olio ben oltre i limiti dell'area comunista; ritenuto infrequentabile, privato del saluto degli amici, restava isolato e senza accessi, anche indiretti, alle solidarietà di classe e di lavoro, nella fabbrica, nell'ufficio, nel quartiere, nel paese.

Una volta avviato il procedimento a suo carico, era escluso che l'accusato potesse sottrarsi al giudizio decidendo di dimettersi dal partito. Egli era ormai cosí incorporato a un rito destinato a svolgersi fino in fondo che le sue dimissioni venivano respinte: non gli si consentiva di eludere l'alternativa pentimento-punizione. In proposito i riscontri offerti dalla documentazione consultabile sono inequivocabili. Per restare a dei casi esemplari, documentabili per la felice possibilità di accedere alle carte del messinese Tommaso Cannarozzo, si può qui ricordare quel che accadde al comunista Antonino Costa: «Tutti i compagni del Comitato direttivo, dopo avere contestato al Costa le sue responsabilità e dopo averlo inchiodato sulla falsità delle sue argomentazioni con le quali il Costa ha preteso convalidare le dimissioni presentate, hanno respinto le dette dimissioni ed hanno unanimemente ritenuto Costa Antonino [...] opportunista e traditore solo degno di espulsione dal partito per indegnità morale e politica»[7]. Analogamente, un certo Francesco Sciarrone, «settario», incapace di «mettersi in linea con il partito», militante infido con nette «tendenze frazionistiche», che aveva reagito alle accuse «irrigidendosi» e presentando le dimissioni, venne invitato perentoriamente a «ritrattare le sue dimissioni»[8] e fu poi espulso.

Oltretutto, le dimissioni erano di per sé valutate dal giudizio morale comunista come un intollerabile atto di vigliaccheria. Si ritrova una testimonianza assai enfatica di un siffatto convincimento nella documentazione del già citato caso Barrile: «Io ritengo», scrisse un certo Damiano, segretario della sezione di Capo d'Orlando, «che a nessun membro del partito sia lecito presentare le dimissioni da cariche alle quali è stato chiamato dalla fiducia dei compagni, se non per dei motivi che siano riconosciuti giusti dal partito; penso che si cessi automaticamente dal far parte del partito stesso allorquando vengono presentate le dimissioni [...], il che costituisce un vero e proprio atto di tradimento o per lo meno un atto che non è compatibile con la qualità di membro del partito»[9]. Dal che si evince che persino per dimettersi il perfetto compagno sarebbe stato tenuto ad ottenere l'autorizzazione del partito.

La falsa dialettica «critica-autocritica»

L'associazione mentale dimissioni-tradimento — quale che fosse la singolarità degli argomenti con i quali il solerte Damiano se la rappresentava — era invero consequenziale all'importanza che i comunisti annettevano al binomio critica-autocritica. Chiunque ne avesse eluso le conformi regole di comportamento e i rituali nel migliore dei casi avrebbe dato l'impressione di fragilità ideologica e di scarsa preparazione politica.

Non sottrarsi alle proprie responsabilità, non eludere le critiche dei compagni, disporsi umilmente all'accettazione di eventuali ammonizioni e punizioni, valevano di solito come indizi di una buona fede da premiare, alla fine, con la magnanimità; il contrario avrebbe rivelato, con tutti i vizi dell'«individualismo borghese», un sostanziale misconoscimento del ruolo-guida, e quindi delle superiori capacità di giudizio, del partito, cioè l'atteggiamento tipico dei vili-saccenti costituzionalmente predisposti al tradimento.

Ben al di là della sua valenza processuale — nel corso, appunto, del peculiare rito dei procedimenti disciplinari — il binomio critica-autocritica era assunto come il modulo fondamentale dell'intero costume politico alimentato dalla moralità comunista. I due termini, nel linguaggio ufficiale, andavano sempre insieme quasi fossero fattori interagenti di un indissociabile processo dialettico.

Ma era veritiera una siffatta rappresentazione del loro rapporto? A vari livelli di importanza, le proposizioni dottrinarie reiteravano l'abbinamento. La piú lineare e catechistica è forse quella proposizione che si ritrova nel citato articolo della *Pravda* del 7 settembre 1952, scritto in preparazione del XIX Congresso del Pc(b) dell'Urss. Vi si cita Stalin per dare, in una sintesi divulgativa, l'intero pensiero prodotto sull'argomento dai «grandi fondatori e capi» del marxismo-leninismo: «La critica e l'autocritica sono la legge del nostro sviluppo, sono un mezzo decisivo per superare qualsiasi andazzo e passività, tutto quanto vi è di vecchio e di tramontato, tutto ciò che intralcia la nostra vittoriosa marcia in avanti»[10].

Con numerose varianti, gli elementi fondamentali della definizione staliniana, inseriti nel nuovo progetto di Statuto del Pc(b) dell'Urss, costituivano, già da molti anni, una consolidata dotazione ideologica della piú estesa e capillare cultura politica del Pci. Su una ferma base dottrinaria che ne fondava l'inscindibile rappresentazione unitaria, critica e autocritica venivano di volta in volta definite «legge», «metodo», «arma difensiva e offensiva della classe operaia», «strumento di lotta contro i nemici del popolo» e forza endogena della coscienza rivoluzionaria trasmessa dal partito alle masse[11].

«Attraverso la critica e l'autocritica», chiariva il genovese Pessi, «non solo si migliorano il lavoro e le qualità dirigenti dei compagni, ma si scorgono all'interno e fuori gli elementi che volontariamente provocano le disfunzioni [...], si scoprono i provocatori, si combatte e si vigila meglio politicamente per la difesa del nostro Partito»[12]. Ciascun militante avrebbe dovuto abituarsi ad usarne come di un'arma del quotidiano lavoro politico, «come di uno strumento indispensabile, come di una cosa normale»[13]. Solo utilizzandola come un modulo permanente e abituale se ne sarebbero verificati i profondi benefici sui singoli militanti e sull'organizzazione. Critica ed autocritica avrebbero cosí segnato la qualità del lavoro svolto, definendone i livelli reali di coscienza rivoluzionaria nella proiezione verso il «meglio» e nello sforzo di perfezionamento «politico e morale» dei compagni[14].

A prima vista, la sostanza democratica del ragionamento parrebbe certa ed esemplare. Ma quegli assunti teorici, quei princípi cosí enfaticamente riferiti alle esigenze di una morale della perfettibilità politica da realizzare mediante il virtuoso esercizio della libertà di valutazione e di giudizio, non erano davvero idonei a sviluppare in concreto, in una prassi della militanza soggiogata dal controllo dei dirigenti, quella laica processualità dialettica che, a parole, si proclamava di volere rendere permanente nella prassi e nel costume del partito.

Tra i due termini che la *Pravda* indicava come «elementi indispensabili dell'arsenale del bolscevismo»[15], soltanto al secondo, l'autocritica, veniva riconosciuta una legittimità marxista-leninista senza limiti e senza riserve. E per l'ovvio motivo della sua conformità all'interesse del partito di potere sempre contare sulla «volontà buona» di militanti disposti ad un'ininterrotta verifica della correttezza del loro comportamento e delle loro idee, a partire dalla personale consuetudine di impegnarsi nell'esercizio dell'«esame di coscienza». Per questo, quel che si chiedeva era in realtà una profonda interiorizzazione del rapporto che ciascuno avrebbe dovuto instaurare con i suoi pensieri e con le sue azioni: un'autocritica «non solo verbale, ma un'intima persuasione di errore, di falsa interpretazione, di falsa impostazione, di scarsa analisi»[16]. Il che per ottenere quegli stessi benefici effetti di sgravo della coscienza e di liberazione psicologica avvertiti dai cattolici nel corso degli esercizi spirituali e dopo il rito della confessione: sincerità e pentimento per propiziare la crescita morale-politica del militante, senza complessi e riserve mentali, con saggia impietosità, ma senza cadute malinconiche nei rovelli del senso di colpa, perché — consigliava il compagno Tonini — «non deve rimanere in noi la mortificazione e l'orgoglio offeso, al contrario riconoscimento e dedizione completa all'aiuto del miglioramento ottenuto in noi e nelle cose»[17]. Il tutto a prescindere dalla forma dell'autocritica che avrebbe potuto essere di volta in volta personale e segreta o esercitata pubblicamente, dinanzi ai compagni, nel corso delle riunioni. In ogni caso «saper fare un'autocritica al proprio operato» — a voce o, se richiesto, per iscritto, come nel caso delle autobiografie o delle dichiarazioni liberatorie rese ai dirigenti per rimuovere accuse, sospetti o reali condizioni di indegnità politica[18] — equivaleva a dimostrare di essere «onesti e franchi e profondamente legati al partito»[19].

Non risultava né facile né automatico ottenere un credito di altrettanto valore dedicandosi attivamente all'esercizio della critica. Anzi, questo esercizio — a dispetto di tutte le dichiarazioni ufficiali che lo sollecitavano — conteneva un alcunché di insopprimibilmente pericoloso in quanto esponeva al rischio di deviare dalla linea. Se era consentito infatti criticare gli altri compagni e persino i dirigenti, non si potevano comunque eludere, o peggio violare, le fondamentali regole del centralismo democratico. La critica avrebbe dovuto essere costruttiva, sempre[20]. Ma, sempre, a decidere della sua costruttività non potevano che essere i dirigenti, secondo un ordine di importanza delle loro valutazioni che rifletteva pari pari l'ordine gerarchico del partito.

La stessa forma generale della discussione politica comunista (lo schema «relazione del dirigente - dibattito dei militanti - conclusioni del dirigente», già analizzato in un precedente capitolo) riduceva al minimo l'eventualità che l'esercizio critico travalicasse l'orizzonte delle laboriose osservazioni su questo o quell'aspetto minuto del lavoro politico e delle prudenti rimostranze per quanto di difettoso o di poco corretto un compagno aveva modo di rilevare nello spazio ristretto entro il quale restava di solito circoscritta la sua personale attività di militante. Questo non impediva che talvolta esplodessero animatissime polemiche, sí da ingenerare l'impressione di un intenso dibattito democratico. Però, alla fine, la parola del dirigente rimetteva le cose a posto e la critica, di fatto bloccata, poteva persino essere recuperata, al positivo, dalle paterne riflessioni che concludevano il dibattito, interpretando, chiarendo e ribadendo la linea politica.

Chiunque si fosse messo al di fuori di questa logica avrebbe svelato di non essere all'altezza delle regole morali-politiche del partito, anche se non era insolito che si manifestassero in proposito malumori e proteste da parte di compagni di base comunque incapaci di cogliere la stretta organicità di tale logica con il marxismo-leninismo nella forma-partito staliniana. Si riascolti, per esempio, l'ingenuo lamento del compagno Bigando, impiegato alla Fiat:

> [...] in tutte le riunioni che vengono tenute sia in sezione che in federazione, si invitano sempre i compagni alla critica; ma questa critica viene ascoltata o no?
> Spesse volte nelle riunioni, dopo che la critica da parte dei compagni è stata fatta, il compagno relatore, con un elegante frasario, con un bel giro di parole, dice che la critica è buona e costruttiva, però la questione va bene come è stata impostata in precedenza e cosí di seguito.
> Allora dobbiamo concludere che è inutile criticare, perché la nostra critica cade nel vuoto e non serve a nulla[21].

Cosí il buon Bigando colpiva nel segno, intuendo che la dialettica critica-autocritica era invero una falsa dialettica. Tra i due termini che avrebbero dovuto attivarla, il primo finiva per essere concretamente liquidato e, a leggere bene i testi, ci si accorge che non a caso lo stesso Stalin, nel dare assetto catechistico alla questione, si era limitato ad un filisteo riferimento alla fondamentale importanza della critica, ma soltanto in tema di esame di coscienza aveva dettato un perentorio comandamento: «Bisogna lottare senza pietà con i casi di soffocamento e di persecuzione dell'autocritica»[22]. Il comandamento era retorico: in concreto sarebbe stato davvero possibile soffocare l'autocritica? Semmai c'era il problema opposto di moltiplicare i tentativi per favorirne il costume e lo sviluppo nella vita del partito.

Non altrettanta cura si sarebbe potuta dedicare all'incentivazione della critica, se non a rischio di incrinare quella solenne immagine unitaria della volontà comunista che era condizione essenziale per estendere la forma bolscevica del partito-avanguardia al partito di massa. Criticare sarebbe stato tutt'al più consentito con l'antico buonsenso del «lavare i panni sporchi in casa», cioè nello spirito di un esercizio di moralità politica tendente a interiorizzare il rapporto di ciascuno con l'ideologia e con la linea, oltre che a migliorare l'organizzazione, a perfezionare il lavoro politico e a potenziare la vigilanza rivoluzionaria.

La «cattolica» moralità comunista: la sessuofobia e il pudore

Si sono fin qui acquisiti sovrabbondanti elementi di analisi e di giudizio per accertare quanto la morale del Pci staliniano fosse distante da quella che si direbbe oggi una morale laica. Il fatto è da mettersi in relazione non tanto con il dato, pur rilevante, costituito dall'iper-ideologizzazione marxista-leninista, quanto piuttosto — ancora una volta — con la stupefacente capacità del partito togliattiano di convertire in tensioni democratico-rivoluzionarie gli elementi fondamentali di una cultura popolare sotto egemonia cattolica.

Tra i «rossi» e i «bianchi» — lo si è già notato più volte — a parte le somiglianze nei riti e nelle liturgie, c'era una profonda simbiosi di giudizio, e più ancora di sentimento, quanto ai valori posti a fondamento della vita morale. Può dirsi che tutti i comportamenti ritenuti peccaminosi e immorali dai cattolici suscitassero ugualmente la riprovazione dei comunisti. Il fenomeno risulta facilmente comprensibile se si pensa che — nonostante il dottrinario ateismo proclamato da una parte e lo strumentale sanfedismo praticato dall'altra parte nello slancio della crociata antimarxista — non sarebbe stato possibile recidere in breve tempo con un bisturi ideologico i profondi legami di mentalità e di cultura intrecciati da una comune tradizione al fondo della società italiana.

Nel vasto spazio di massa costituito dalla militanza comunista non c'era posto per comportamenti e richieste che apparissero minacciosi per un'austera concezione delle responsabilità e dei doveri, per l'istituzione della famiglia, per un equilibrato e convenzionale rapporto tra i sessi. Questo non significa affatto che i militanti comunisti avessero una qualche organica attitudine a rincorrere i clericali della «repubblica guelfa» nel loro grottesco moralismo. Anzi, la vita stessa di partito e la sua ideologia insegnavano a secolarizzare e a rendere autonomi, storici e razionali quegli stessi valori che la tradizione aveva trasmesso nelle forme mitico-religiose care ai clericali; insegnavano a liberare i comportamenti e le opinioni sulla morale dai ricatti psicologici e dalle strumentalizzazioni conseguenti ad un antico uso della religione e del mistero a fini di controllo sociale e di dominio classista; impartivano una costante lezione di opposizione ai pregiudizi, di positività, per favorire un costume di civile serietà che stava agli antipodi del maniacale rigorismo dei geddiani e di certi censori democristiani.

Tuttavia, pur con tutto quell'impegno di secolarizzazione e, potenzialmente, di laicizzazione integrale, i valori del comune patrimonio popolare condiviso con i cattolici restavano intangibili. Mai i comunisti avrebbero sollevato direttamente questioni come quelle del divorzio e dell'aborto. E intanto non possedevano una mentalità adatta per confrontarsi con temi, richieste e bisogni che da lí a poco sarebbero emersi dal mondo laico, dal movimento femminile, dai «diversi».

Un'intensa carica di tradizionalismo alimentava la rappresentazione della morale sessuale. Come nel mondo cattolico, anche in quello comunista l'idea stessa dell'amore fisico veniva spesso sommersa dal pudore. Veniva comunque sottoposta al vaglio di rigorosi canoni di legittimazione, di volta in volta indicati nella «serietà», nel senso di responsabilità e nella riservatezza: canoni antichi della cultura popolare, e in ispecie di quella contadina, invero non dissimili da quelli che presiedevano alla convenzionale etica dell'istituzione matrimoniale.

Se è vero che, anche a seguito della scomunica, era diventato pressoché obbligatorio per i comunisti non sposarsi in chiesa ma nell'ufficio comunale, è altrettanto vero che poi le regole di comportamento e i giudizi di valore ai quali essi si sarebbero conformati durante la vita coniugale sarebbero stati identici a quelli degli altri. Trasgressioni e infedeltà coniugali suscitavano scandalo e venivano stigmatizzate come manifestazioni di scarsa «serietà» civile e le convivenze *more uxorio* (il concubinaggio per i cattolici) nonché le separazioni tra coniugi, per quanto tollerate in spirito di formale adesione ai princípi laici del marxismo, suscitavano in realtà mormorazioni e, persino ai livelli piú alti del partito — come ha testimoniato di recente Nilde Jotti nel ricordo della sua personale vicenda con Togliatti — venivano considerate negativamente.

Radicalmente detestate, e ritenute incompatibili con la militanza comunista, erano tutte le manifestazioni di libertinaggio. Con linguaggio in tutto cattolico, se ne denunziavano i caratteri di edonismo e superficialità, paventandone gli effetti di disordine sulla coscienza morale e, quindi, potenzialmente, sul comportamento politico. Su questo tema, la specificità del giudizio comunista consisteva nel fatto di fare risalire al costume generato dal capitalismo le tendenze libertine, le tentazioni e le pratiche edonistiche, le insane passioni e i vizi della carne. Al costume «borghese» veniva addebitata la principale responsabilità di quella dilagante corruzione che preti e democristiani facevano risalire alla diffusione del materialismo ateo e all'attività dei «nemici di Dio».

Ecco, infatti, che cosa scriveva sull'argomento *Propaganda*, organo della Direzione del Pci e non del Vaticano o della Curia guidata dal cardinale Siri: «Nella società capitalistica *amore libero* significa libertà di non prendere l'amore come un impegno serio e duraturo, libertà di rinunciare a mettere al mondo i figli, libertà di fare dell'amore un mezzo di piacere e di disordine morale»[23]. A sua volta, Emilio Sereni non si lasciò sfuggire l'occasione propizia per rilevare, in parlamento, che «molti film sovietici erano particolarmente richiesti dagli oratori cattolici perché erano fra i pochi film che sistematicamente escludevano ogni allettamento pornografico»[24].

Tanto puritanesimo da parte dei comunisti si spiega contingentemente anche con l'esigenza politica di fronteggiare la campagna denigratoria degli avversari che insisteva nel rappresentarli, a fosche tinte, come «nemici della religione, della proprietà e della famiglia», ma era soprattutto il retaggio di un'ormai antica tradizione del movimento operaio che in Italia si coniugava con la cultura popolare cattolica e, in altre parti d'Europa, in organica connessione con le piú varie fonti religiose del folk, assumeva analoghi connotati. Come ha notato George L. Mosse, i primi a non esserne immuni furono proprio i fondatori e i grandi leader del marxismo, da Marx ed Engels, appunto, a Bebel, a Stalin[25].

Il rigore morale della classe operaia, ancora legata alle sue radici rurali-contadine, non di rado si era espresso persino in forme sessuofobiche: cosí nell'Inghilterra di fine Ottocento, cosí nella Germania del primo Novecento dove un socialista lamentava che il movimento dei lavoratori tedesco continuasse a mantenere come simbolo della rivoluzione una giovane donna bionda[26].

Con questa storia alle spalle, ben comprensibilmente nell'indivisibile società italiana degli oratori parrocchiali e delle case del popolo la metafora staliniana si prestava anche a rappresentare le preoccupazioni di vasti ceti popolari che avvertivano come una minaccia incombente sulla loro tradizione morale tutti i processi di modificazione del costume, nel senso della spregiudicatezza, dell'individualismo e persino della liberalizzazione sessuale, innescati dalla crescente diffusione delle idee e dei gusti del modello di vita americano.

Alla base del Pci, la cura dedicata alla tutela del pudore e la preoccupazione di non incorrere in manifestazioni di licenziosità erano talvolta così intense ed acute da indurre i compagni ad allinearsi, sostanzialmente, sulle posizioni di quel moralismo d'epoca che riteneva disdicevoli e «pericolosi» i frequenti incontri e la promiscuità dei sessi. Sembra oggi incredibile, ma persino in tema di feste e balli, e degli effetti negativi che ne sarebbero potuti discendere ai fini della correttezza e della moralità dei comportamenti, in alcune sezioni comuniste si coltivano idee simili a quelle di certi venerandi uomini di Chiesa.

In una lettera pastorale sul ballo, mons. Giuseppe Siri, nel luglio del 1947, aveva espresso valutazioni e impartito disposizioni ai parroci e ai fedeli della diocesi di Genova che è qui il caso di riprendere, nei punti essenziali, se non per la scienza, almeno per il diletto dei lettori. Per il cardinale genovese, «i balli pubblici sono una remota ma grave causa della delinquenza e del disordine, i quali se, in un primo tempo, possono fare il gioco di taluni inconfessabili scopi, finiscono col danneggiare assolutamente tutti: [...] i padri e le madri di famiglia, i quali per avere dai figli un duraturo e fecondo affetto, debbono desiderarli virtuosi ed in nulla soggetti a smodate e frenetiche passioni o zimbello di vergognose debolezze; [...] quelli che, non avendo ancora una famiglia propria aspirano a formarsela e che dai balli non avranno forniti né forti e morigerati mariti, né pazienti casalinghe ed accontentabili mogli; [...] i figli, i quali bene spesso si godranno uno scomposto e tormentato ambiente morale e, peggio, per le tracce che il mondo del ballo avrà piú stampate, incise nei loro genitori [...]»[27].

Cosí continuavano le pastorali amenità del presule: sempre «il ballo è un fatto poco o tanto intinto di sensualità», dato che «se non ci fossero ragazze nessuno andrebbe al ballo». Di qui i motivi che ne impongono, sempre, la condanna morale: «La promiscuità è acuita dal contatto; questo, a sua volta, è esagerato dal movimento stesso, dal facile uso di poco pudore, dalla anche piú facile esaltazione libidinosa dei sensi, dalla compiacente tolleranza, anzi dalla suggestione maliosa dell'ambiente», sicché «quel contatto di promiscuità diventa facile e pericoloso tentatore», mentre l'ambiente, invaso «dallo spirito col quale si va a ballare che è quello di soddisfarsi ed essere istintivi», presto «ne divien tutto saturo e assorbe anche i cristianelli andati là coll'idea di resistere al maligno»[28].

Dato che il ballo appariva «pernicioso» ai fini della «serietà e sanità della formazione morale»[29], producendo «incalcolabili e spesso fatali conseguenze sulla vita, moralità, fecondità e sanità della famiglia»[30], i vescovi liguri e, tra gli altri, attivissimo quello di Tortona, mons. Egisto Domenico Melchiori, sulla questione avevano già espresso un pronunciamento ufficiale, «ricordando al proprio clero che la vera lotta contro il ballo si fa ricostruendo coscienze integralmente cristiane con ogni mezzo formativo e associativo, prendendo con energia l'iniziativa di divertimenti sani e decorosi, da contrapporsi ad altri pericolosi allettamenti, eccitando con mezzi retti e dignitosi la ferma reazione delle coscienze cristiane, tanto al ballo che ad ogni forma di immoralità»[31].

Ebbene, il cardinale Siri e il vescovo Melchiori certamente ignoravano che le loro pastorali preoccupazioni, da un'altra angolazione di giudizio morale, sarebbero state condivise da qualche esponente del Comitato esecutivo del Pci, proprio nella rossa Bologna, dove si era levato l'allarme di quel compagno Grieco che «aveva notato un'abitudine dei giovani di dare alle manifestazioni un tono tipicamente borghese»[32].

Infatti succede nelle sale da ballo dove si radunano i nostri giovani e ragazze si veda improvvisamente spegnersi, ovvero abbassarsi, farsi bleu le luci e lí succedono poi orge e schiamazzi. Tutto questo è certamente causa di una *cattiva educazione* e di un *cattivo orientamento politico* e questo grave fatto lo risentiamo anche in Emilia ed esso rappresenta un ostacolo all'educazione dei giovani; perciò io non vorrei che lasciando i giovani per loro conto questo pericolo diventasse addirittura un mezzo di ordinaria amministrazione[33].

Osservazioni analoghe erano già state al centro degli allarmi di un compagno operaio, il torinese Luigi Brunetti, che aveva ritenuto di potere individuare nel lassismo morale dei giovani, dediti a uno sport «poco sano» e a frastornanti tripudi danzanti, addirittura una delle cause della sconfitta elettorale del 18 aprile. Da qualsiasi punto di vista lo si esaminasse, il problema — aveva notato quel Brunetti — era grave perché induceva i giovani a privilegiare l'edonismo e a «considerare il partito una cosa secondaria»[34]:

Oggi i giovani non hanno per il capo che lo sport e la sala da ballo e, pur essendo presenti al richiamo del partito per le lotte politiche e sindacali, non sanno portare altro che la parte violenta di quella loro insofferenza, per la trascuratezza in cui la società ci ha lasciati. La sezione si faccia promotiva presso la federazione di una *larga lotta politica e morale*, escogitando tutti i mezzi piú idonei a far ritornare nel suo naturale alveo queste forze tanto necessarie alla funzionalità del partito[35].

L'argomento, con una carica di moralismo difficoltosamente contenuta, e con chiari accenni sessuofobici, sarebbe stato ripreso da Luciana Viviani, in parlamento, in un discorso sulla questione giovanile che puntava l'indice contro l'incapacità della politica governativa di offrire alle nuove generazioni, a salvaguardia dai pericoli dell'edonismo dilagante, «sport sani e sane attività di carattere ricreativo ed educativo»[36].

Erano preoccupazioni, queste, respinte drasticamente dall'intellettuale Paolo Fortunati e dal segretario Masetti («se i giovani vogliono la penombra lasciamogliela, in fondo è una cosa sentimentale, perché impedirlo?»[37]), però condivise dall'operaio Gastone Biondi il quale chiedeva addirittura che il partito si preoccupasse di attivare un «servizio di sorveglianza» per impedire le «degenerazioni borghesi» (leggasi le manifestazioni di licenziosità) delle feste sociali organizzate dalle sezioni: «I compagni adulti dovranno essere in mezzo ai giovani per sorvegliarli e guidarli»[38].

Le donne e la dottrina dell'amore

In una società fondata sull'idea di un primato maschile, che nell'area comunista veniva ulteriormente rafforzata dagli elementi simbolici propri della figura del «lavoratore d'avanguardia» o «combattente rivoluzionario», era scontato che si attribuissero piú alle donne che agli uomini quelle tensioni borghesi, manifestate dall'inclinazione a privilegiare i bisogni della vita privata e della sessualità e dei sentimenti, ritenute pericolose per l'ordine politico-morale del partito.

Tutto questo provocava, da una parte, un certo diffuso risentimento femminile per il fatto che i compagni spesso sottovalutassero — lo notava, tra le altre, la ferrarese Nives Gessi[39] — il lavoro politico delle compagne e, dall'altra, il tentativo delle piú impegnate di adeguarsi, con la maggiore aderenza possibile, al modello maschile. Poteva cosí capitare che le stesse donne comuniste, come l'operaia Negro della Fiat, sollecitassero i piú rigorosi controlli sulla qualità del reclutamento femminile («fare bene attenzione alla moralità delle donne perché di zavorra ce n'è fin troppa»[40]) o che una contadina comunista, recatasi a Bari per una riunione, fosse vivacemente «criticata dalle altre donne, essendo stata al caffè con un giovane compagno»[41].

La questione femminile nel Pci da sola meriterebbe un'analisi particolareggiata con una specifica utilizzazione delle fonti dell'Udi. Fermandoci qui alle linee generali, ci si può limitare ad osservare che le donne comuniste vivevano la contraddizione tra un'ideologia di liberazione e un costume morale, quello stesso delle tradizionali convenzioni sociali, che continuava a renderle subalterne ai loro uomini, e agli uomini in genere, a prescindere della nuova identità culturale e politica formalmente conquistata con l'iscrizione al partito. Questa contraddizione, insieme ai suoi immediati riflessi sulla concezione dell'amore, della sessualità, del matrimonio e della famiglia, veniva di volta in volta elusa o mistificata dalla dottrina ufficiale del Pci, mediante un generico rinvio ai caratteri oppressivi e corruttori del sistema capitalistico.

Intanto, si notava, è molto difficile amare, vivere la felice libertà dei sentimenti, realizzare una situazione di pari dignità sociale tra uomo e donna, se non si è anche conquistata quella libertà dal bisogno di cui le masse sono generalmente prive in una società dominata dalla borghesia capitalistica.

«Quando mi sono sposata», raccontava un'ipotetica compagna, la Caterina Pipitone di un opuscolo di propaganda, «eravamo innamorati io e mio marito Salvatore. Per qualche mese vi sono state solo parole affettuose fra di noi. Ma poi sono finite le parole dolci. Cosa mangeremo domani? Ogni giorno a questo pensiamo. E la felicità se n'è andata»[42].

C'erano, poi, ben rilevati dalle donne comuniste con vari gradi di intensità e consapevolezza, gli effetti di quella vistosa contraddizione della mentalità borghese che da una parte — sulla linea di antiche consuetudini che potevano alla fin fine rifarsi alla mai estinta tradizione della donna angelicata — era portata a enfatizzare certe qualità specifiche della femminilità fissate in idealtipi quali la *madre*, la *sposa*, la *sorella*, la *vergine*, la *Madonna* e, dall'altra, a reificare la donna facendone concretamente ora l'oggetto di piacere della pornografia e dei bordelli, ora la servizievole casalinga rimessa all'autorità del marito o la merce di scambio delle trattative per i matrimoni di interesse, ancora molto frequenti negli anni cinquanta.

La contraddizione appariva ancor piú evidente ed irritante in quell'Italia bigotta della crociata anticomunista, nell'imperversare di una spiritualità filistea che andava alla caccia di tutte le occasioni per denunziare e combattere il cosiddetto materialismo, mentre si dava via libera al mito americano; sicché una dirigente comunista di origine cattolica come Ada Alessandrini poteva rilevare, con un'indignazione condivisa da decine di migliaia di compagne, che «le forze dell'oscurantismo volevano continuare a fare della donna italiana uno strumento di servitú (e perciò di corruzione) per l'individuo e per la collettività»[43].

Questi ed altri similari elementi di valutazione costituiscono la ben netta specificità della riflessione comunista su quelli che si definirebbero oggi i grandi temi del *privato*, ma nell'ambito di una concezione morale che, nel complesso, restava ancora decisamente tradizionalista, come può desumersi infatti con chiarezza da uno scritto inedito di Edoardo D'Onofrio, uno dei testi piú significativi e densi che si possono leggere sull'argomento.

[...] Il vero amore nella società attuale è conquista, non cade dal cielo bello e fatto o per miracolo; come pure è conquista il mantenerlo, svilupparlo, arricchirlo. È conquista, perché nella società capitalistica, con i suoi interessi di classe, tutto è in agguato contro i matrimoni d'amore, cioè contro il vero amore. La regola, nella società capitalistica, nella società divisa in classi sfruttate e sfruttatrici, è il matrimonio di interesse, e l'amore per interesse è l'amore commercializzato. La prima grande lotta di un giovane comunista sta nella scelta e nella conquista dell'amore vero contro l'amore commercializzato, che obbedisce a considerazioni di interesse capitalistico. La seconda grande lotta di un giovane comunista sta nel preservare l'amore vero, cosí conquistato, da ogni attacco della società attuale, da ogni incriminazione, perché la società attuale, con i suoi interessi e con le sue brutture, è sempre in agguato, pronta a far rientrare nel suo ambito ogni tentativo di fuga, ogni atto di ribellione. Per far questo non c'è che un mezzo: avere coscienza dei fattori sociali che impediscono la buona e libera scelta nell'amore, nel matrimonio e la realizzazione dell'amore vero. Combatterli, questi fattori, combatterli bene, conseguentemente, senza dar loro quartiere o respiro. Proprio cosí come vuole l'ideale comunista; proprio cosí come fanno i comunisti.

L'amore vero è dura conquista; è conquista di tutti i giorni; è lotta contro la società capitalistica che non lo vuole realizzato; è lotta conseguente per il comunismo. Guai perciò a chi si abbandona alla contemplazione, sogna e fantastica: il vero amore non lo conquisterà. Chi rinuncia alla lotta e capitola, non avrà il suo bene, non potrà averlo. Non lo conserverà. Guai a chi non capisce che questa lotta, per essere vittoriosa, ha bisogno di essere rivolta contro le ingiustizie di classe, contro la società che divide gli uomini in sfruttatori e sfruttati, che tutto pone sulla base di interessi, anche l'amore e il matrimonio [...].

L'amore vero, che ogni creatura umana cerca e vuole, si scontra con la realtà capitalistica che vincola e lega ogni uomo a un calcolo, a un interesse determinato di vantaggio, di lucro, di profitto. Quando questo contrasto sociale sarà risolto ed eliminato, allora la scelta dell'amore vero non sarà un atto di ribellione come è oggi da noi, ma un atto consueto di libertà. Questo contrasto sarà risolto ed eliminato solo nella società socialista, quando non dominerà piú il principio egoistico del profitto capitalistico. Ecco perché i poeti sognatori dell'ideale nostro solevano dire che col socialismo trionfa il regno dell'amore[44].

Si noterà che qui non si travalicano i limiti di un'educazione sentimentale alla Rousseau (l'amore come autonoma e reciproca scelta dei
partner, al di sopra e, se necessario, contro la logica degli interessi
e i vincoli stabiliti dalle convenzioni sociali), coniugata, in modo assai meccanico, con un marxismo di maniera. Ma dal testo emerge anche la fondamentale preoccupazione di valorizzare l'amore istituzionale o istituzionalizzabile, quello conquistato e verificato che trova
il suo assetto stabile, la sua razionalizzazione, nel matrimonio.

Amore, quindi, libero, in quanto espressione di un libero incontro
di sentimenti, epperò vocazionalmente «serio», coniugale. Infatti, continuava D'Onofrio, «scegliere il matrimonio d'amore [...] significa voler
creare una famiglia fondata sull'amore e non sull'interesse» [45]. Altro
che comunisti immorali, fautori del «libero amore», intenzionati ad
abolire il matrimonio e a distruggere la famiglia [46]! No, semmai gli immorali non potevano che essere i borghesi, poiché «la morale capitalistica fa dell'amore una merce, un oggetto di mercato» e quando «la
famiglia non corrisponde all'interesse capitalistico e borghese, essa si
sfascia, non si sostiene piú» [47]. Altro che comunisti dediti al libertinaggio, capaci soltanto «di concepire l'amore al modo delle bestie» [48]!
No, le bestie stavano dall'altra parte, mentre per i compagni sarebbe
stato sempre un principio ineludibile, organico a un costume di responsabilità politica, «non abbandonarsi all'istinto sessuale e dare sfogo
al capriccio e all'animalità» [49].

L'inappellabile condanna della sessualità, aborrita come forza per-
vertitrice generata dagli istinti «animaleschi» e la contestuale valorizzazione dell'amore coniugale erano certo sostanzialmente funzionali
al modello del matrimonio indissolubile e quindi a una visione della
famiglia che, al di là del linguaggio adoperato per illustrarla, e mutati
i riferimenti ideologici, risultava molto simile a quella della famiglia
cristiana, dispensatrice di grazia e formatrice di valori, invocata da
Pio XII e dall'Azione cattolica.

Va però rilevato che — come si evince con chiarezza dal brano
riportato qui di seguito — la progettualità comunista della famiglia
conteneva di nuovo, rispetto al modello ancora gerarchico e patriar-
cale della famiglia cristiana, l'idea di un'effettiva parità tra i coniugi,
l'ideale di un nucleo organico di vita democratica da predisporre e,

in futuro, da fare valere come fondamentale cellula sociale della democrazia socialista.

Tra l'altro D'Onofrio, senza esitazioni, invitava le donne a non rendersi «schiave della società capitalistica, né dell'uomo»[50]. Il che non è certo cosa di poco conto e costituisce un importante dato di riferimento per comprendere come in concreto il partito di Togliatti riuscisse a convertire in spinte progressiste anche le piú tradizionali forme culturali e tensioni morali delle masse popolari.

Amate la famiglia, fondatela su un amore vero, scevro da interessi capitalistici, ponete la vostra compagna, il vostro compagno su un terreno di uguaglianza e di rispetto della sua personalità. Realizzate per quanto è possibile una famiglia veramente democratica e comunista. Realizzate, cioè, una buona, armonica e concordata divisione del lavoro tra di voi. Ma ribellatevi in ogni momento alla legge morale borghese che vuole umiliata ed oppressa la donna, che vuole la famiglia regolata in modo tale da consentire la sua schiavitú al capitalismo.
Amate i vostri figli e non esitate ad educarli sin da piccoli alla necessità della lotta di emancipazione dei lavoratori. Non li gettate nelle braccia di chi vuole perpetuare l'oppressione e lo sfruttamento attuali. È questo l'unico modo, o il modo principale, per salvare l'unità della famiglia e per evitare che la classe dominante si serva dei vostri figli per colpirvi e abbattervi e per abbattere in voi i precursori e i lottatori della società nuova [...]. Apriamo, cioè, fin da ora, con la nostra azione o la nostra condotta, la strada al socialismo, alla società nella quale dire *buongiorno* vuol dire veramente *buongiorno*, nella quale *amore* vuol dire veramente *amore*, famiglia veramente famiglia, uomo libero veramente libero, morale veramente morale, perché non piú al servizio degli sfruttatori, ma espressione sincera e diretta di tutta l'umanità divenuta libera dopo aver spezzato tutte le catene[51].

Il commento è facile. Sui grandi temi del *privato*, con la sua capacità di appropriarsi fino in fondo dell'*ethos* popolare, il Pci togliattiano esprimeva il massimo del suo creativo impegno di coinvolgimento delle masse nei processi di trasformazione di una società la cui cultura era complessivamente caratterizzata da un precario equilibrio tra antichi valori e istanze crescenti di modernizzazione.

Tale impegno costituiva insieme la grande forza e il grande limite dell'esperienza comunista in Italia: forza, ai fini dell'insediamento sociale e della dilatazione egemonica del partito di massa; limite, quanto allo sviluppo di attitudini ad una precoce captazione di quei tra-

volgenti fattori di cambiamento che il corso neocapitalistico del dopoguerra stava già introducendo nel costume e anche nel mondo dei
valori delle masse. Sicché, dopo il «miracolo economico», il Pci si sarebbe trovato di fronte allo scarto tra la sua crescente forza politica
e la cultura e la mentalità dei suoi quadri, ancorati a modelli di riferimento ideologico poco adeguati a recepire le spinte anticonformisti-
che, libertarie, spregiudicatamente trasgressive, che si sarebbero in-
nescate, fino all'esplosione del 1968, nel nuovo sistema di bisogni e
contraddizioni della società del benessere.

Parte terza
Il principe e la cultura

V. Intellettuali organici e «repubblica guelfa»

La crociata clerico-fascista e la cultura della democrazia

«Italia, ascolta», tuonava padre Riccardo Lombardi dai microfoni di radio Roma, «se udrai per le strade la tromba del cielo, questa volta non finirà nel silenzio»[1].

Per una gran parte degli intellettuali italiani, già durante la quaresima del 1947, fu tempo di intimidazioni, di voci oscure e di inquietanti messaggi. In quanto infedeli o, al massimo, uomini di fede tiepida e incerta, il vento della crociata li investí frontalmente con i suoi veleni, senza badare troppo alle differenze e alle distanze tra l'uno e l'altro. Anche per i piú conformisti, e per i pavidi, i quietisti, gli organici al potere, era difficile non avvertire almeno disagio dinanzi al programma dell'integralismo «guelfo», sostenuto da ampie e forti alleanze e divulgato con mezzi doviziosi: «l'Italia sia nazione cattolica al cento per cento, nelle leggi e nella vita dei suoi figli, nell'aperta professione della fede in pubblico e in privato»[2].

Con il 18 aprile l'eventualità di un prossimo trionfo di quell'integralismo apparve tutt'altro che infondata e dal 1948 in poi, fino ai primi anni cinquanta, religione e ideologia dominarono il mondo della cultura, tagliato in due dalla frontiera della guerra fredda. Questa era però una frontiera mobile e incerta che si spostava, ampliando progressivamente l'area della sinistra. L'avanzata comunista contribuí a rendere isterica la reazione degli avversari, in un clima occidentalista pervaso dalle intimazioni americane del senatore Joseph McCarthy. La mobilitazione sanfedistica alla base della società rendeva difficoltosa l'espansione e problematica l'incidenza della libertà di pensiero. I poteri statali sulla scuola e sulle istituzioni culturali, gli apparati della censura su un filo diretto che collegava la burocrazia della moralità pubblica e le autorità vaticane, le campagne denigratorie e terroristiche della stampa filogovernativa (e, capillarmente, di quella curiale e parrocchiale), le ricorrenti ammonizioni dei vescovi e uno spregiudicato uso estensivo delle facoltà concordatarie davano corso ad una sistematica violazione dei princípi costituzionali. La densa ombra dell'egemonia clericale gravava sul lavoro delle lettere e delle scienze. L'*Osservatore romano* e la *Civiltà cattolica* fungevano da bollettini della verità.

Il fatto che la sinistra riuscisse a contenere, nonostante tutto, la tentazione di un'oltranzistica risposta anticlericale non attenuava — anzi irritava ed accentuava — le tensioni aggressive della crociata. L'obiettivo, per la destra, era quello di esasperare i fattori del conflitto, di complicarne e moltiplicarne gli intrecci e le occasioni, per fare esplodere le provocazioni in significative manifestazioni di intolleranza, in evidenti attentati «bolscevichi» alla cristiana civiltà italiana e sollecitare ulteriori restringimenti di freni, piú efficaci interventi censori, il perfezionamento degli strumenti di controllo sui costumi e, all'occorrenza, esemplari interventi repressivi.

Per i fogli clerico-fascisti insultare gli avversari con linguaggio e stile squadristici era pratica corrente. Ebbe duratura fortuna il termine «culturame» con il quale Mario Scelba, ministro dell'Interno, definí sprezzantemente gli intellettuali laici e progressisti.

«Culturame, sí culturame», insisteva con la maggiore foga *Il Brancaleone*, quello che era forse, nella selva delle pubblicazioni clerico-fasciste, l'organo esemplare per volgarità e rozzezza, «maledetta gente che pretenderebbe di dettare legge in fatto di cultura, quasi che dalla propria profonda ignoranza possa partorire una codificazione della letteratura o dell'arte nella Repubblica italiana». E chi erano gli «ignoranti»? Erano «gli Ingrao, i Pajetta o i De Vita o i Laconi o gli Spano, tutta gente sputanata intellettualmente, *culturame*, cioè roba al di sotto delle mezzecalzette. I Lajolo, gli Ingrao, i Muscetta, i Luigi Russo, i De Vita sono tutte mezzemutande della cultura e del giornalismo italiano. Gente che piú di una cattedra da Bottai e d'un premio da Mussolini o una fede da Starace non riuscí ad avere, cosí come adesso non riesce che a pontificare nelle varie *Unità* e a riscuotere battesimi di gloria da Togliatti»[3].

La piú impudica animosità era volta contro i Bellonci, contro Maria Bellonci «tenutaria del salotto rosso romano» e contro il marito Goffredo di cui si ricordava il recente passato fascista: «Sempre con zelo lo vedemmo correre dietro il sedere dei gerarchi»[4]. E su questa linea la provocazione aspirava, contro tutti i convertiti al Pci — che «dopo la scomunica significherà *Patto con l'Inferno*»[5] — ad un paradossale credito democratico, a presidio dei nuovi valori della «repubblica guelfa».

Non solo per i redattori del *Brancaleone* (tra i quali figurava, in bella evidenza, Giovanni Papini, insieme ai vari squadristi clericali raccoltisi intorno al direttore Attilio Crepas e al generale Ricciotti Garibaldi[6]), ma per tutte le multiformi coniugazioni clerico-qualunquiste della destra, la denunzia delle compromissioni degli avversari con il regime mussoliniano era diventata la componente, per cosí dire vezzosa, dell'arte della contumelia e della denigrazione.

A Davide Lajolo, direttore dell'*Unità*, si ricordava il passato di vicefederale di Ancona e di legionario nero in Spagna[7]; ad Alberto Moravia, di essere diventato antifascista solo dopo le leggi razziali e di avere ricevuto aiuto e copertura costanti dallo zio Alfredo De Marsanich[8]; a Massimo Bontempelli, adesso «partigiano della pace», di essersi inginocchiato dinanzi a Mussolini, «dio senza profeti»[9]. Ad altri, si indirizzavano provocazioni di analogo tenore. A Pratolini: «Se gli è vietato oggi l'ingresso in Inghilterra come staliniano, il Pratolini è uno che se lo vedrebbe impedito pure in America come fascista»[10]. A Visconti: «il senzamutande Luchino era filonazista»[11]. A Eduardo De Filippo: «faceva sempre il saluto romano»[12].

La denunzia diventava invettiva contro i cosiddetti utili idioti della cultura laica non comunista, che stava tentando di costruirsi — nella recente eredità del Partito d'azione e sui complessi tracciati liberalsocialisti delle lezioni dei Gobetti, dei Rosselli e dei Salvemini — un suo difficile spazio di autonomia tra lo stalinismo e il clericalismo, dando vita a riviste come *Il Ponte* di Calamandrei o a quel prodigioso laboratorio di cultura civile costituito da Pannunzio e dai suoi collaboratori nella redazione del *Mondo*.

[...] i veri nemici fra gli ostruzionisti della pacificazione nazionale, bisogna ricercarli in quel covo del *Mondo* [...]. È col ferro e col fuoco che bisogna sterminarle queste bestie malnate per la cui infamia non esiste neppure una giustificazione. Sono dei miserabili, anzitutto, essendo dei traditori: [...] dal primo all'ultimo sono stati fascisti, cioè responsabili di quel regime che adesso mostrano di vituperare, vituperando se stessi! Perché dunque portarono il distintivo questi maiali? [...] che diritto hanno di protestare? Che diritto hanno, essi, di maledire un regime da cui trassero tavole e profitti?[13]

Giudizi, nei quali la perversa qualità dell'ignoranza boriosa faceva aggio persino sulle trivialità delle ingiurie, stigmatizzavano il neorealismo e i suoi maestri: «letteratura scandalistica» consistente nell'esercizio di imbrattare «la Patria nello stesso tempo che la pagina»[14]; opera «bolscevica» il film *Ladri di biciclette* di De Sica[15]; ugualmente deteriori *La terra trema* di Visconti e le opere di Pratolini[16]; e la produzione letteraria di Alvaro, Calvino, Pratolini, Vittorini (quest'ultimo pur parzialmente riabilitato come «figliol prodigo»[17] dopo il suo divorzio dal Pci).

Non è qui il caso di dilatare, oltre *Il Brancaleone*, il campo della verifica: il fogliaccio neosquadristico aveva se non altro il merito di presentare nella loro scarna ed esemplificante nudità plebea gli elementi di quella cosiddetta controffensiva culturale del «mondo libero» che altrove — nella rivista dei gesuiti, nelle terze pagine dell'*Osservatore romano*, dell'*Avvenire d'Italia*, del *Popolo*, del *Giornale d'Italia*, del *Resto del Carlino*, del *Tempo* — si ritrovavano sostanzialmente identici, e forse piú insidiosi, in forme artificiosamente colte e bizantine.

Quel che conta, nel complesso, è il rilievo di una situazione nella quale era normale che numerosi intellettuali laici e progressisti si facessero l'idea di avere a che fare non con critici e denigratori, ma con veri e propri nemici. Il che, ovviamente, favoriva tendenze all'arroccamento o all'aggressività che rendevano in tutto simmetriche le sensazioni degli intellettuali rimasti — a volte non senza drammatiche perplessità — dall'altra parte, in quel fronte dell'anticomunismo descritto con acuta e amara comprensione dal cattolico Arturo Carlo Jemolo, in un articolo apparso su *Il Ponte*.

> Si è formato un fronte opaco, impenetrabile nel quale sono insieme uomini che abbiamo sempre disprezzato e uomini che abbiamo amato e rispettato e continuiamo e continueremo ad amare e a rispettare, *il fronte dell'anticomunismo*. I comunisti e con essi i socialisti nenniani, che vogliono distinguersene, ma non intendono separarsene, sono gli intoccabili, con essi non ci può mai essere intesa mai alleanza, sulla questione piú contingente, piú transeunte; chi su una questione qualsiasi, sul programma piú anodino (vedi «Alleanza della cultura» o protezione del cinema italiano) sul voto presentato a un congresso da un musicologo, si è unito una volta a loro, è divenuto alla sua volta intoccabile. Seppure ogni persona che rifletta sappia che in Italia non c'è stato in alcun momento il pericolo di un avvento comunista, si deve continuare a parlare e ad agire come in clima di guerra, di unione sacra, e tutte le forze che sono dietro quel fronte, rinviano all'infinito le rivendicazioni che sarebbero loro proprie per non incrinare il fronte unico [18].

Jemolo forní contestualmente un'interpretazione del fenomeno dell'adesione al Pci di numerosi intellettuali non marxisti, che lasciava intendere una sua personale tentazione — peraltro apertamente dichiarata in un passo dell'articolo e poi, a fatica, ritrattata — di seguirli in quella direzione:

> [...] hanno aderito proprio offrendo la cosa che era loro piú cara, la libertà di tutto discutere, di tutto valutare con piena indipendenza, perché hanno ritenuto che questo fosse il sacrificio necessario per poter sperare in una realizzazione di piú larga giustizia sociale; perché, soprattutto, hanno ritenuto che tutta l'esperienza del mondo contemporaneo mostrasse il comunismo come la sola via d'uscita da una palude stagnante [19].

In una lunga recensione pubblicata tempestivamente da *Rinascita*, Ruggero Zangrandi rilevò che l'importanza dello scritto si fondava non «nella denuncia e quasi nell'annuncio di continue conversioni di intellettuali borghesi al comunismo [...] e non nelle numerose ammissioni e concessioni alla nostra ideologia [...], ma nella fredda e spregiudicata analisi con cui si ammetteva l'esistenza moderna di una sola alternativa per gli *uomini della ragione* [...], di un'alternativa in cui l'altro dei termini non riusciva piú ad essere individuato: *o comunismo o... nessuno sa dire che cosa*»[20].

Il marxismo è la filosofia del nostro tempo, avrebbe detto Jean-Paul Sartre qualche anno dopo. Ma nel testo di Jemolo c'era soprattutto un immediato e angoscioso richiamo al dramma vissuto dagli intellettuali italiani. In un orizzonte sociale che dall'Italia all'intero Occidente pareva dominato dall'oscurantismo, mentre i poteri pubblici formalmente liberaldemocratici e le forze decisive dei privati interessi mal tolleravano o addirittura minacciavano il libero pensiero e la ragione critica, le risorse e le istanze della salvezza coincidevano *oggettivamente* con quelle del movimento operaio e dei suoi partiti. E, questo, ben al di là di ogni soggettivo radicamento nelle virtú e negli agi degli ozi intellettuali, nel costume dell'avventurosa ricerca libera da condizionamenti ideologici, nell'esperienza del provare e riprovare senza limiti con la speculazione filosofica, con l'invenzione nelle lettere e nelle arti, con la sperimentazione nella scienza. Cosí per molti, per i migliori, era quasi l'adempimento di un obbligo di moralità culturale e scientifica saltare il fossato che divideva la vecchia concezione liberalborghese del mondo dalla nuova costruitasi con la rivoluzione d'ottobre.

> [...] di fronte alla disperazione nascente dalla visione di una classe dominante che nulla cede, di un massiccio muro anticomunista che ripara non pure le rocche del privilegio economico, ma le avvelenatrici ideologie nazionaliste e xenofobe, non è comprensibile il gesto dall'intellettuale che esclama: *muoia Sansone con tutti i filistei*, e spezza le proprie tavole di valori, per passare al comunismo?[21]

Per quel che lo riguardava personalmente, Jemolo si rifiutava di compiere il gran salto e non lo consigliava agli amici. Egli, cattolico ma ancor piú crociano, tornava a suggerire come formula di salvezza per sfuggire alla disperazione quell'isolamento aristocratico dal mondo, quel trovare rifugio in una distaccata coscienza alimentata dalla laboriosità di solitari studi, che avevano caratterizzato, per deliberata scelta, l'esperienza intellettuale del filosofo napoletano durante il periodo fascista. Tuttavia, con la sincera denunzia di una seduzione avvertita e respinta, egli evidenziava l'ampiezza e la profondità di un importante processo di cambiamento — se si vuole, di rivolta ideale — che stava enormemente rafforzando i potenziali di egemonia del marxismo, addirittura del marxismo-leninismo nella corrente forma staliniana, sugli stessi intellettuali cattolici e su gran parte di quelli liberali. Se ne allarmavano i notabili democristiani. Le improperie di Scelba denunziavano un complesso di impotenza nei confronti di una cultura che respingeva i tentativi di irreggimentazione. Vescovi e parroci sussultavano per i veleni diffusi dal cosiddetto pensiero materialistico nelle scuole. In mancanza di antidoti efficaci, si metteva sotto accusa l'insegnamento della filosofia. Non pochi ne sollecitavano la soppressione[22].

Si temeva un travaso dei germi marxisti dal *culturame* ai giovani. Per arginare la montante «canea rossa», ai livelli di governo ci si serviva della cosiddetta politica di normalizzazione della scuola, per la quale si era inventata una *Costituente* dominata dall'Azione cattolica: «normalizzare» equivaleva al pieno ripristino dell'impianto gerarchico delle strutture dell'insegnamento pubblico, rafforzando la dipendenza del personale didattico da quello burocratico, sotto il controllo dei vecchi Provveditori agli studi di carriera che ovunque furono reinsediati al posto di quelli nominati dal Cln e dagli Alleati[23]. Equivaleva, anche, a rafforzare alla base, in ogni istituto statale, i poteri di vigilanza e, in pratica, di delazione e di ricatto permanente, dei presidi e dei direttori, sostenuti — oltre che dai non abrogati codici fascisti della scuola — da un armamentario di fogli d'ordine e di circolari ministeriali di cui essi, con il concorso di una folta schiera di ispettori, erano interpreti e custodi.

«Normalizzare» significava ugualmente ridare vigore e diffusione ai valori patrî e nazionali, utilizzando in modo conforme l'insegnamento della storia in genere e della storia della civiltà italiana in ispecie. E tentare di arginare i danni dei piú pericolosi indirizzi di pensiero e dei «cattivi» esempi che potevano venire da ogni parte della storia culturale, con profonde iniezioni di religione e neotomismo, e con forti dosi di latino e di cultura classica ad uso catartico-sedativo.

Per i piú rigorosi restauratori, ogni contenuto culturale dotato della benché minima possibilità di rinforzare gli orientamenti laici, e quindi di favorire potenziali avvicinamenti al marxismo, sarebbe stato da trattare con cautela e con sospetto. Mentre, sotto questo profilo, rischiavano di apparire «pericolosi» persino Verga e Pirandello, si apriva una campagna per la valorizzazione di Alfredo Panzini[24].

Nonostante tutte le misure adottate, Guido Gonella, ministro dell'Istruzione, non riusciva — lo dirà apertamente in sede di Consiglio nazionale della Dc — a vincere l'angoscia per la penetrazione comunista nella scuola pubblica e non nascondeva la sua fiducia nelle capacità arginatrici della scuola privata confessionale.

In linea di principio, il ministro dichiarava di volere difendere la libertà nella scuola. «Ogni popolo», aveva detto, infatti, nel corso del Convegno scolastico della Dc del 7 ottobre 1949, «deve avere la scuola quale è voluta dalla famiglia: la famiglia italiana è cristiana, quindi la scuola italiana deve essere cristiana. Per i non cristiani piena libertà; ma chi è contrario alla scuola cristiana apra le sue scuole libere, scriva sul frontone di tali scuole: scuola atea-scuola comunista». Era però fin troppo chiaro — come rilevò subito Giorgio Candeloro — che sotto la formula di «libertà nella scuola» si celava una manovra per imporre alla stessa scuola pubblica un indirizzo settario e oscurantistico, mentre si favoriva lo sviluppo delle scuole private per le quali le organizzazioni clericali, con alla testa lo stesso ministero della pubblica istruzione e l'A.I.M.C. e l'U.C.I.I.M., chiedevano favori e concrete sovvenzioni[25]. Se era difficile eliminare il diavolo si poteva almeno tentare di impedirgli di andare a messa. La gonelliana «filosofia dell'arginamento» era in tutto funzionale all'idea di una «repubblica guelfa» rappresentata come una democrazia protetta. Protetta perché assediata. L'intento di fondo era quello di mettere al riparo, dietro l'argine, i buoni figliuoli delle famiglie cristiane, tenendo sotto controllo e, possibilmente inferiorando, maestri e direttori didattici, professorini e presidi.

Al di là di un uso ora persuasivo, ora autoritario e intimidatorio, degli strumenti istituzionali che il potere le offriva, la politica democristiana non poteva andare. Non è il caso di sottovalutarli, perché certo la scuola e le varie istituzioni culturali che contenevano la gran parte della piccola e media intellettualità del paese non erano strumenti di poco conto. Ma è anche vero che una politica per l'egemonia culturale capace di conseguire risultati decisivi sulla grande cultura, sui grandi intellettuali, sulle forze trainanti del pensiero e della ricerca, è ben altra cosa. E di una tale politica il potere democristiano era del tutto incapace, soprattutto per la mancanza — a parte il clero e una debole intellettualità cattolico-conservatrice involgaritasi nel connubio con il fascismo — di una base oggettiva su cui fondarsi: non c'era gran spazio in Italia per una cultura reazionaria di alto livello, davvero convinta e sicura delle sue ragioni, adeguata alle istanze della «repubblica guelfa».

Alla cultura filogovernativa appartenevano i vecchi rottami, i conformisti per vocazione o per debolezza e vi confluivano, con diversa attitudine, con una fede precaria se non soltanto di facciata, i piú cedevoli alle seduzioni dei concreti interessi, compensati con gettoni, prebende, onori e privilegi, elargiti dalla Rai, dall'editoria conformista, dai poteri accademici. Corrado Alvaro li individuò soprattutto nel giro di «quella gente nuova, che col fascismo non aveva trovato fortuna, e non perché antifascista, ma perché insufficiente»[26].

> Insomma, quelli che vennero fuori da un simile travaglio furono coloro i quali fascisti non potevano mai essere, che dal fascismo non potevano avere le fortune o i privilegi. Questo, dei fascisti a ritroso, è uno dei caratteri della nostra contraddittoria classe dirigente. Una simile retroguardia [...] non trovò di meglio che riproporre al paese la dittatura militare, il nazionalismo lazzarone, il lealismo smorfioso, il cattolicesimo ipocrita e formale di cui il fascismo aveva nutrito le nuove generazioni italiane. Si trattava di gente piena dei sentimentalismi epidermici dei furfanti che dell'Italia meridionale, per esempio, vede soltanto la lunga pazienza e la facilità di sempre piú lontane e rassegnate illusioni [...]. La loro classe dirigente sono gli strozzini. Bisogna capirli, rendersene conto e non mettergli in testa tante storie di libertà e di democrazia e di repubblica. Mi pare che questo discorso definisca abbastanza bene un certo atteggiamento di stampa. E si capisce che una formazione di intellettuali la quale si occupi della cosa pubblica, che reclami i suoi strumenti di espressione, sembri sinceramente a simili campioni una prevaricazione, una prepotenza, un'usurpazione[27].

Contestualmente, lo scrittore calabrese rilevava un fenomeno a prima vista stupefacente: i democristiani, pur «con il pubblico numerosissimo» di cui disponevano e con le loro «numerose case editrici, oscure perché guidate da una rozza cultura, ma ricche», non erano riusciti «ad assoldare essi la cultura»[28]. L'osservazione, da un opposto punto di vista — però con ben minore finezza di interpretazione — faceva riferimento allo stesso dato che era centrale nella riflessione di Arturo Carlo Jemolo.

In breve, il fatto che, contrariamente a quanto era accaduto nel primo dopoguerra, proprio l'accentuazione della pressione reazionaria stesse potenziando le possibilità di affermazione della cultura di sinistra, dava chiaramente a vedere che era cambiato in Italia tutto un mondo di relazioni e di prospettive.

Continuità e rottura: fascismo, antifascismo, stalinismo

Verso la sponda del comunismo si orientò la gran parte della cultura italiana come a un approdo. Per un esame accurato del processo e delle sue dinamiche nella cronaca culturale del secondo dopoguerra si possono utilmente rileggere le belle pagine di Nello Ajello su *Intellettuali e Pci*.

Senza approfondire l'analisi, ci si può qui limitare ad una osservazione generale: in linea di massima, l'orientamento filocomunista coinvolse molto piú gli intellettuali cresciuti all'ombra del fascismo e delle sue istituzioni che quelli di prevalente formazione liberale che avevano in vario modo assorbito la lezione di Benedetto Croce. Per molti intellettuali, pertanto, la scelta del comunismo fu il frutto di una conversione da piú o meno intense idealità o attitudini fasciste.

Il fenomeno è complesso. Per darne qui almeno una sommaria spiegazione, si può avanzare un'ipotesi interpretativa che parte da una rapida ricognizione sui processi di cambiamento che dinamizzarono la vita culturale italiana a partire dalla crisi degli anni trenta. Nel torbido clima del periodo mussoliniano la cultura cattolica o gran parte di essa, sotto la spinta della vicenda concordataria, era diventata cultura di regime[29]. A sua volta, quella laico-liberale, sotto la ferma egemonia crociana, aveva costituito il rifugio spirituale di numerosi intellettuali grandi e piccoli[30], per i quali l'antifascismo morale non era tuttavia un impedimento a rapporti di buona convivenza o di pratico accomodamento con i poteri e gli uomini del regime. Di contro, tra Gentile e Bottai, si formò un fronte di sperimentazione culturale caratterizzato, oltre che da non rare manifestazioni di mistica fedeltà al Duce (si citino, per tutti, Bontempelli, Brancati, Maccari, Malaparte, Soffici e pur anche Vittorini), anche da tensioni eretiche e trasgressive, da una spasmodica ricerca dell'inedito e del bizzarro, con linguaggio e stili decisamente innovativi e provocatori, soprattutto nella produzione giornalistica, sotto l'influsso letterario delle avanguardie e nel costume politico dell'arditismo e dello squadrismo.

Con tutta la sua vivacità concionesca e arruffona — ora soltanto tollerata, ora adescata e premiata, da accademici e notabili del regime, con un ruolo ambiguo e sostanzialmente complice delle università — quel fronte aveva molti esponenti che, come è noto, si dicevano fascisti di sinistra. Resta sempre da capire che cosa essi intendessero per «sinistra». Che i loro intendimenti fossero astratti e senza radici è un fatto sul quale è sensato non avere dubbi. Tuttavia fu certa, nella loro avventura intellettuale, l'attivazione di un processo irreversibile: l'avvio di un modo di intendere la cultura che la rendeva indissociabile dalla politica, una vocazione attivistica del lavoro culturale riassunto nella nozione di *impegno* (uscire dalle vecchie «torri d'avorio» chiedevano, infatti, Bottai e Pellizzi).

La caduta del fascismo nella tragedia della guerra privò quell'inquieta «sinistra» di tutti i riferimenti utili per l'orientamento, tranne uno solo, il fondamentale e il piú prospetticamente fruttuoso: appunto il legame del lavoro culturale con la politica.

L'occupazione nazista, gli anni della vergogna e del terrore, l'indignazione morale e la volontà di riscatto, ma soprattutto la mobilitazione inedita, imprevista, delle masse popolari e delle sue avanguardie armate esercitarono, con una forza dirompente, una pressione esistenziale senza precedenti, sul costume, sul carattere, sulla percezione dei valori, sulle idee e sulla complessiva concezione della vita. Non pochi intellettuali già militanti nelle organizzazioni fasciste — alcuni di essi, in quanto ebrei, recavano i segni di una piú personale sofferenza, come gli esponenti del gruppo romano di Giaime Pintor — entrarono nelle file della Resistenza. A parte le istanze autocritiche che, nella situazione data, potevano apparire del tutto occasionali e scontate, veniva avvertito l'urgente bisogno di guadagnare subito una posizione che consentisse di continuare a ricercare e a sperimentare il «nuovo», ma questa volta dalla parte giusta, dalla parte del popolo in lotta per i ritrovati valori nazionali, sulla frontiera della liberazione. Non era raro, pertanto, che le conversioni all'antifascismo contenessero numerosi e assai sottili elementi di dialettica continuità con le suggestioni di un mondo intellettuale che l'esperienza del periodo fascista aveva già allenato alla «battaglia delle idee» e all'impegno di militanza. Non a caso il nucleo piú consistente e prestigioso dell'intellettualità affluita al movimento democratico-resistenziale era costituito dai redattori e dai collaboratori della bottaiana rivista *Primato*, nata nel 1940 con l'ufficioso intento di fornire uno strumento di aggregazione alla cosiddetta cultura fascista di sinistra.

Certo, si potrebbero mantenere delle corpose riserve sull'autenticità di molte conversioni. Non mancavano gli opportunisti puri, i voltagabbana. Però è anche vero che nella stragrande maggioranza dei casi le conversioni si manifestarono con discrezione, senza appariscenti travagli, e senza formali abiure, con la grazia naturale di un salto del fosso nell'aria fresca di montagna. Se ne potrebbe arguire che esse venissero percepite non proprio come delle conversioni, ma come dei momenti evolutivi attesi da tempo e accelerati da drammatici eventi, quasi fossero — per usare il linguaggio gentiliano familiare a quegli intellettuali — degli «inveramenti».

Risulta anche comprensibile che l'«inveramento» piú certificante fosse quello che appariva come il piú nitido e deciso: il passaggio al comunismo, la militanza nel Pci. Per un intellettuale che fosse stato di «sinistra» nel fascismo il gran passo equivaleva a un ritrovarsi: intanto un marcato ribadimento della sua vocazione anticonformistica; poi, sul medesimo piano di predisposizioni, l'avere conquistato, finalmente, dei concreti riferimenti, degli obiettivi di lotta e di trasformazione conseguibili sul terreno della storia, per quelle scelte «antiplutocratiche» e «antiborghesi» nelle quali aveva già fatto consistere in passato il senso del suo stare a sinistra. Sul filo di questa dialettica continuità-rottura, nel Pci si poteva riprendere e sviluppare, al piú alto livello, l'elaborazione di una cultura nuova, del tutto libera dal moralismo, dal codinismo e dai pseudovalori della vecchia generazione borghese-liberale, clerico-moderata e positivista. Lí, nel Pci, ciascuno poteva credere di stare al riparo tanto dai preti quanto dal crocianesimo. E persino da se stesso, cioè dal pericolo di non avere completamente superato quella mentalità eroico-idealistica, fatta per metà di Hegel e Gentile e per metà di Nietzsche e Sorel, che aveva predisposto all'errore di ritenere che le nuove strade della ricerca e della sperimentazione passassero attraverso il fascismo. Si potrebbe aggiungere — però l'argomento è di per sé provocatorio ed è impossibile tentare di misurarne la validità — che, per alcuni dei convertiti (si pensi a un Bontempelli o a un Malaparte), Stalin con la sua figura carismatica a tutto tondo, ingigantita dalla vittoria militare, surrogò Mussolini. Comunque, egli era il simbolo stesso dell'antifascismo vittorioso, e il simbolo di quella società delle masse che gli intellettuali di sinistra si erano abituati a non temere già durante il periodo fascista e alla quale anzi si indirizzavano, con l'ambizione di trovarvi un'area vasta di fruizione per i messaggi e i prodotti del lavoro culturale.

Una gran parte dei fattori di crisi e di cambiamento che avevano attraversato la vita intellettuale degli anni trenta, filtrati dal dramma catartico della guerra e della Resistenza, si ricompattarono in un sistema di princípi e lealtà democratico-antifascisti, all'ombra di un comunismo ideale impersonato da Stalin e vissuto sotto il suo carisma.

Ma iscriversi al Pci, e diventare formalmente comunisti, non equivaleva *ipso facto* a diventare marxisti. Anzi era piuttosto frequente il caso di intellettuali che non avevano letto Marx e coltivavano sul suo pensiero idee vaghe e confuse. E non è questo il fatto piú importante, ma un altro: si era spesso comunisti con una coscienza teorica cosí debole ed appannata che a una severa verifica delle idee, e soprattutto della prassi, molti intellettuali comunisti si sarebbero rivelati come degli antimarxisti. Erano piuttosto il democratismo antifascista e lo stalinismo fideistico a fondare e a segnare le loro precarie identità politico-culturali.

Gli intellettuali nella strategia culturale del Pci

Il Pci, a parte il limitato numero di marxisti autentici che raccoglieva (in gran parte dirigenti e funzionari del partito), fungeva principalmente da polo di attrazione per un'intellettualità laico-radicale,

con forti tensioni libertarie e «giustizialiste», proiettata verso una società nuova nella quale l'impegno della cultura per la democrazia, diventato maturo negli anni della Resistenza, potesse finalmente saldarsi con le istanze di giustizia sociale delle masse popolari.

La percezione dei fattori dinamici del processo fu subito alla base
dell'analisi dei dirigenti comunisti, mentre era in corso la guerra di
liberazione. Mario Alicata, nel 1944, riflettendo sull'esigenza politica di «un'opera organizzata di penetrazione» nel mondo degli intellettuali per superare la fase «dell'adesione e dell'avvicinamento [...]
per casi individuali ed in maniera spontanea» e dare all'azione «il carattere di un lavoro di massa»[31], disegnò una strategia che puntava
soprattutto sulla crisi come forza acceleratrice dell'*impegno*.

> La crisi provocata dalla guerra ha creato nella massa degli intellettuali uno
> stato d'animo prima di smarrimento e di dubbio, ora di ansiosa ricerca
> di una verità nella quale riporre la propria fiducia, e sulla quale ricostruire
> la propria esistenza [...].
> Si è fatta strada la convinzione che è vano ed artificiale costruirsi una vi-
> ta intima, culturale e morale staccata dai problemi politici che il vivere
> in società con gli altri uomini ci pone; si è fatta strada la convinzione del-
> l'impossibilità di separare i propri interessi e i propri ideali [...] chiuden-
> dosi nel bozzo egoistico di una *vita privata*; si è fatta strada la convinzione
> che la vecchia società si è sfasciata, che è assurdo illudersi di ricostruirla
> ricucendo i frammenti, e che forze nuove sono destinate a guidare il pae-
> se nell'opera di radicale trasformazione democratica dello Stato [...]. Bi-
> sogna persuadere queste masse ancora incerte che esse non possono limi-
> tarsi ad avvertire la crisi che attraversano, non possono limitarsi a piange-
> re sulle sorti del paese [...][32].

Fu colto con altrettanta chiarezza e tempestività il dato dei particolari caratteri idealistici, mediati dalle multiformi esperienze culturali del periodo fascista, dell'intellettuale italiano: un intellettuale —
rilevava Alicata — già dominato dai «pregiudizi di classe piccolo-
borghesi e dalle tradizioni reazionarie della cultura italiana», vittima
di un'antica diffidenza, nei confronti della classe operaia, «potenziata al massimo dal fascismo»[33], imbevuto di «un idealismo le cui formule sono tanto piú caparbie, quanto piú fossilizzate in un meccanico scolasticismo», responsabile di avere sbarrato «le frontiere spirituali dell'Italia, non solo ai princípi rivoluzionari del marxismo, ma
ad ogni fermento di originale ricerca che si sia sviluppato sia nel cam-

po scientifico che in quello artistico e filosofico nella cultura contemporanea»[34].

Tuttavia, pur sulla base di una cosí accurata e penetrante analisi della situazione reale, la linea di politica culturale indicata e prescelta — che fu poi quella costantemente perseguíta fino al 1948 — era caratterizzata da un rigido schematismo leninista che finiva per funzionare, in pratica, quasi come un modulo di proselitismo gesuitico: risultava, infatti, piú idoneo a favorire la moltiplicazione di adesioni opportunistiche o di conversioni su basi meramente emotive al comunismo ideale impersonato da Stalin, che a promuovere un autentico sviluppo marxista delle scelte democratiche.

Si trattava di una linea oltretutto contraddittoria. Da una parte — e solo in considerazione del fatto che le basi di partenza erano arretrate e fragili, date le loro radicate componenti di «educazione idealistica»[35] — si riconosceva agli intellettuali uno speciale statuto nel partito, sicché si riteneva quasi scontato che non fosse né possibile, né utile, fare accettare fino in fondo ai «compagni intellettuali la disciplina di partito»[36]: se ne disponeva l'organizzazione in gruppi, guidati ciascuno da un responsabile, e dipendenti, a loro volta, da una Commissione di iniziativa designata in ogni città dal Comitato federale con compiti di attivazione operativa e di coordinamento; e si ammetteva, in via di principio, che in essi potesse svilupparsi un'autonoma, anche se non indipendente, elaborazione politica[37]. Dall'altra, venivano definiti i princípi di un rigoroso orientamento al quale era chiamato ad attenersi chiunque aspirasse a conquistarsi una sicura credibilità comunista: comprendere «come la classe operaia è veramente destinata ad assumersi il ruolo di protagonista della storia moderna e a diventare anche in Italia l'egemone delle grandi masse popolari»[38]; avere chiaro il concetto del partito come avanguardia del proletariato e guida del processo democratico[39]; avere a modello l'Urss e riflettere sul miracolo della sua potenza, «legata con lo sforzo rivoluzionario della classe operaia sovietica» e primo «risultato della costruzione della società socialista»[40]; infine, dare vitalità ad un impegno costante «per l'approfondimento della propria cultura marxista-leninista», rivedendo «i temi del proprio quotidiano lavoro intellettuale alla luce feconda del marxismo»[41].

Nella situazione prefigurata dalle indicazioni strategiche del 1944, era chiaro che qualsiasi intellettuale avvicinatosi al partito sarebbe rimasto un catecumeno finché non avesse dato prova di avere conseguito un maturo e fermo possesso dell'ideologia comunista, cioè della corrente vulgata staliniana del marxismo. In quanto catecumeno e non fedele, sarebbe stato attentamente osservato e vigilato. Senza escludere, in particolari casi, l'eventualità di un amabile corteggiamento, sarebbe stato riguardato a lungo con diffidenza e con sospetto. Anche se già iscritto al partito, avrebbe mantenuto lo *status* ambiguo di «fiancheggiatore». Ben comprensibilmente, chiunque avesse voluto bruciare i tempi del suo pieno inserimento nella vita del partito non avrebbe avuto altro di meglio che l'ostentazione della conquistata maturità ideologica: accentuare le manifestazioni di un fideistico rapporto con il comunismo, con Stalin e le sue opere, con l'Unione Sovietica; mostrare di avere acquisito un'indiscutibile conformità, di linguaggio, di stile, di comportamento, alla liturgia del lavoro organizzativo e politico; inverare la fede con la costanza della disciplina seguendo scrupolosamente le direttive dei compagni dirigenti e la linea del partito.

Tutto questo non era in contrasto con gli sviluppi di una ricerca su basi marxiste, spesso assai ricca e rigorosa, che trovava nella vocazione all'ortodossia degli intellettuali-militanti — quelli per i quali la gramsciana definizione di «intellettuali organici» sarebbe stata, negli anni, motivo di onore tra i compagni e di irrisione tra gli avversari, quelli riunitisi, fin dal 1945, sulla piattaforma della rivista *Società*[42] — la normativa ideologica e inscindibilmente scientifica di una grande operazione di sprovincializzazione della cultura italiana. Tale operazione si attuò prevalentemente sul terreno degli studi storici e filosofici (all'inizio anche sotto la spinta di un «catecumeno» di eccezione come Delio Cantimori[43]), al di là delle varie retoriche ereditate dall'Ottocento e dall'età fascista. Si trattò di quell'esperienza, tanto complessa quanto feconda, nella quale maturò la conversione di Antonio Banfi[44] e si sviluppò — in un profondo rapporto di immedesimazione con la vicenda storica del movimento operaio e delle lotte antimperialiste — il lavoro culturale dei Badaloni e dei Luporini, dei Geymonat e dei della Volpe, dei Platone e dei Gerratana, dei Manacorda e degli Alatri, dei Muscetta e dei Salinari.

Molto spesso non c'era alcunché di artificiale e di strumentale in quell'enfasi di ideologia e scienza che, soprattutto per i piú giovani, era l'indice di un entusiasmo da neofiti o il frutto naturale del convinto, e persino compiaciuto, attivismo col quale si partecipava al lavoro di cellula o di sezione. Resta però il fatto che era la stessa impostazione del rapporto politica-cultura nella forma staliniana a creare le condizioni di un oggettivo conformismo nel quale, com'è ovvio, finivano per eccellere, con i funzionari e i dirigenti, gli intellettuali piú disponibili agli accomodamenti.

Altri intellettuali, invece, — Elio Vittorini fu, tra essi, il caso esemplare — cominciarono a vivere il disagio di una crescente divaricazione tra le esigenze di libertà del lavoro culturale e gli obblighi di fideistica fedeltà alla linea del partito imposti dalla militanza politica: il disagio di vivere il conflitto tra due *verità* contrapposte, o meglio, tra due opposti campi di intimazioni e di bisogni (la *realpolitik* dell'impegno rivoluzionario con i suoi canoni di disciplina e il regno libero dell'invenzione e della critica), un disagio dal quale lo scrittore siciliano si ritrasse allontanandosi dal Pci.

Data la notorietà della vicenda, non è qui il caso di riprendere le fila della prolungata polemica Togliatti-Vittorini, *Rinascita - Il Politecnico*. Ci si può limitare a ricordarla come prova di un errore di valutazione che, nella prima fase del dopoguerra, indusse il Pci a non calcolare bene i limiti della sua operazione sugli intellettuali.

La mobilitazione democratica del mondo della cultura, e l'invito ad esso rivolto di dare un contributo diretto e «organico» alle lotte popolari, non potevano essere spinti fino al punto di indurre ad una generalizzata accettazione dei dommi dello zdanovismo. Inevitabilmente tendevano a sfuggire alla presa e ad avviarsi su autonomi percorsi quegli esponenti della cultura resistenziale che vedevano nel comunismo soltanto la maggiore forza dell'antifascismo e la frontiera sulla quale avrebbero potuto impegnarsi a fondo per dare consistenza pratica al loro rinnovato culto dei valori radicali: intellettuali di sinistra, però incapaci di liquidare i residui della loro formazione piccolo-borghese — sentenziarono Togliatti[45] e Alicata[46] — certo intellettuali non marxisti e ancorati all'estremizzata concezione di una «società giusta» da realizzare in un quadro sostanzialmente liberaldemocratico. L'errore non era di poco conto. Ma il Pci poté fruire di un'imprevista opportunità: proprio la crociata clericale determinò le condizioni che resero urgente e quasi necessaria una rapida ricomposizione unitaria della cultura di sinistra. Gli effetti della defezione vittoriniana furono presto arginati e riassorbiti. Si resero comunque necessarie delle importanti correzioni di linea che si ritrovano in due fondamentali documenti. Nel primo, la risoluzione della Direzione del partito del 2 marzo 1948, diffusa alla vigilia della campagna elettorale sotto il titolo *Per la salvezza della cultura italiana*, fu preminente la preoccupazione di una chiara e articolata denuncia della prospettiva che si stava delineando in Italia a seguito della rottura del fronte democratico-resistenziale e della crociata clericale. Contestualmente si offrí una definizione, molto precisa e sintetica, degli obiettivi di mobilitazione e di lotta.

> [...] i comunisti lottano: per una cultura *nazionale*: contro l'offensiva ideologica-propagandistica dei circoli imperialistici, contro i tentativi di colonizzazione e di monopolio dell'intelligenza italiana da parte delle agenzie americane, contro ogni concezione imperialistica e autarchica della cultura, per una tradizione italiana che fecondi scambi culturali con tutte le correnti progressive del pensiero europeo e mondiale; per una cultura *libera*, contro i tentativi di imbavagliamento, di coercizione di tipo fascista e imperialistico, contro il monopolio clericale, contro i tentativi di soffocamento burocratico di ogni libera iniziativa che il totalitarismo democristiano, in particolare, viene allargando nel paese; per una cultura *moderna*, che riapra agli italiani quegli orizzonti che sono stati loro tenacemente preclusi nel medioevo clericale e dalla dittatura idealistica; contro l'oscurantistica svalutazione della cultura tecnica scientifica; per una cultura *progressiva*, che esprima le aspirazioni delle masse popolari, aperta alle grandiose esperienze culturali e progressive del movimento operaio e democratico internazionale del paese del socialismo e dei paesi di nuova democrazia; per l'*unità* della cultura italiana che solo nella partecipazione alla vita e alla lotta di tutto il popolo può vincere la sua frammentarietà, la sua struttura a compartimenti stagno e a circoli chiusi[47].

A parte il linguaggio usato per formularle, le indicazioni fornite dal documento possedevano delle qualità che non avevano precedenti nella tradizione italiana: una laicità non laicista a sostegno della rivendicazione di un'integrale libertà del sapere; una concezione che mostrava finalmente di attribuire un valore primario non all'ideologia ma alla prassi della cultura, sollecitata ad un impegno nazionalpopolare; una visione unificante dell'*humanitas* e della scienza in un orizzonte che, ben al di là degli angusti confini autarchici della tradizione culturale italiana, si dilatava al mondo intero con un'inedita volontà di integrale sprovincializzazione. In tutto questo, il richiamo all'Urss era appena una nota di rituale lealismo internazionalista.

Quel che conta è che il documento formalizzava, per la prima volta, un integrale ribaltamento dei termini del crociano manifesto degli intellettuali antifascisti del 1925, come condizione necessaria per la rifondazione in Italia di una cultura di sinistra: un «largo fronte democratico e nazionale» da costruire con un adeguato lavoro politico, raggruppando «*tutte* le forze vive» da liberare dall'isolamento, mediante «l'appoggio attivo delle piú larghe masse popolari»[48]. Il fine sollecitava un'immediata correzione organizzativa che indicava anche il senso politico con il quale la si voleva attuare: «Al centro del partito, l'esperienza dimostra che l'organizzazione come branca della Commissione stampa e propaganda (la precedente organizzazione che, alla base, si organizzava in gruppi autonomi) ha portato ad una sottovalutazione del lavoro culturale del Partito [che] non può e non deve essere confuso con la sua attività propagandistica, né potrebbe identificarsi con un'attività di tipo sindacale in difesa dei lavoratori intellettuali»[49]. Conseguentemente fu costituita, presso il Comitato centrale, una Commissione per il lavoro culturale, e analoghi organismi presso le federazioni.

Il secondo documento, la Dichiarazione della Direzione del Pci del 12 agosto 1949, segnò la fase di una ripresa offensiva *Contro l'oscurantismo imperialista e clericale*. Nella dichiarazione si riconosceva a chiare lettere il ruolo autonomo di iniziativa e di elaborazione degli intellettuali e delle loro strutture organizzative, insistendo sul concetto di libertà della cultura e assegnando al partito principalmente compiti di orientamento, di sollecitazione e di coordinamento: «I compiti della lotta contro l'oscurantismo», si precisava, «non potrebbero essere affidati a questo o quel partito: sono affidati anzitutto agli esponenti della cultura nazionale, moderna, sicché essi pubblicamente affrontino l'avversario e dibattano le proprie idee davanti al paese; alle case editoriali e alle istituzioni culturali, sicché esse affianchino l'attività dei produttori di una libera cultura; e agli intellettuali d'avanguardia sicché essi promuovano e organizzino ovunque contro l'oscurantismo imperialista e clericale l'offensiva della cultura»[50]. Soprattutto quel riferimento agli intellettuali di avanguardia (ovviamente da non intendersi in una ristrettiva accezione leninista ma nel significato proprio che la definizione assume per i letterati e per gli artisti) mostrava come ormai il partito — in risposta alla scomunica del Sant'Offizio — fosse entrato nell'ordine di idee di accettare persino il rischio di incrinare il suo monolitismo zdanoviano, aprendosi a tutti i confronti e a tutte le possibili alleanze.

In un certo qual modo la protesta di Vittorini e dei vittoriniani aveva avuto una sua incidenza dialettica sulla linea comunista. Non a caso agli orientamenti fissati dal citato documento del 1948 Mario Alicata, in una complessa nota di chiarimento apparsa su *Rinascita*, attribuì il senso di una svolta: «L'ambiente del 1948», egli scrisse, «non è più quello del 1944-46; bisogna stare attenti a comprendere la natura e la portata di queste modificazioni, in modo da non commettere neppure qui l'errore di lasciarsi trascinare o su posizioni di faciloneria parolaia o su posizioni di pessimismo capitolardo»[51]. Veniva inoltre riconfermato l'imperativo di non rinunziare all'impegno per dimostrare «la bontà e la superiorità in ogni campo dell'arte, della scienza, della cultura»[52], delle idee marxiste-leniniste. Nessuna capitolazione. No al «comodo paravento dell'opportunismo». Non abbassare la guardia dinanzi agli «intellettuali in malafede, veri e propri messi e commessi dell'imperialismo americano e della Compagnia di Gesú»[53]. Non indulgere a «interrogativi teorici» o a *perplessità* di fronte a certi aspetti della battaglia culturale che si sta[va] combattendo nell'Unione Sovietica», ma anche fare attenzione a non «drammatizzare l'importanza delle resistenze o delle incomprensioni»: perché — ammoniva — «non dobbiamo cadere nell'errore di credere e di indurre chicchessia a credere che i nostri rapporti con gli intellettuali possano essere stretti soltanto, o almeno prevalentemente, sul nostro terreno ideologico, sul terreno del marxismo»[54].

Questo errore sarebbe particolarmente assurdo oggi che nel suo ritorno offensivo nel campo della cultura, il blocco borghese clerico-reazionario — davanti al quale, anche sul terreno ideologico, hanno vergognosamente capitolato i pontefici dell'idealismo e del revisionismo — sta rivelando ancora una volta la grinta rozza e ottusa propria delle vecchie classi dominanti italiane, sta ancora una volta confermando coi fatti come esse siano disposte a rimettere in vita le forme piú arretrate di oscurantismo e di intolleranza (vedi la minaccia del rogo all'ultimo film di De Sica), e le nostre tradizioni nazionali (vedi l'epurazione e l'espulsione del prof. Luigi Russo dalla Direzione della Scuola Normale di Pisa) e a calpestare tutte le nostre tradizioni nazionali (vedi l'epurazione gesuitica della storia d'Italia cominciata con la messa all'indice del 20 settembre) — al tempo stesso in cui si mostrano disposte a cancellare dalla nostra vita civile il rispetto dei valori umani piú elementari (vedi certe manifestazioni del terrore bianco che si cerca di istaurare in Emilia) e a portare alla rovina il paese[55].

Di fronte a un processo reazionario di tanta intensità ed ampiezza — proteso a realizzare, mediante l'avvenuta collusione, sul terreno politico e sul terreno ideologico, del pensiero cattolico e del pensiero liberale, un «blocco antirazionalista che neppure negli anni della controriforma e del neoguelfismo era riuscito a costituirsi e a mantenersi» — il compito dei comunisti sarebbe stato quello di «costituire un fronte della cultura il piú possibile ampio», comprendente «non soltanto tutte le correnti e le manifestazioni progressive di pensiero [...], ma anche tutti coloro i quali — se pur fermi su posizioni piú arretrate — non erano disposti tuttavia a sacrificare [...] la libertà della cultura e certe tradizioni della cultura italiana che fanno tutt'uno con la vita e la storia stessa della nostra nazione»[56].

In un paese nel quale la Chiesa era già riuscita in passato a liquidare tranquillamente i vari Campanella, Bruno e Galilei, nel quale Benedetto Croce era riuscito a «mettere i guanti al razionalismo», nel quale Darwin stesso era spesso considerato ancora un sovversivo, sarebbe stato ben ragionevole accontentarsi di intellettuali alleati o addirittura iscritti al partito che fossero sinceramente democratici e progressisti pur senza patenti di autenticità marxista-leninista. I marxisti, a loro volta, nel partito e fuori, cioè nella latitudine complessiva del fronte laico-progressista della cultura, avrebbero dovuto fare da «cemento e forza d'urto».

Tra Gramsci e Stalin

A sostegno delle sue riflessioni, Alicata citava Gramsci. E la citazione non era certo casuale. Mostrava però — né avrebbe potuto essere altrimenti[57] — di non conoscere i *Quaderni*. Si limitava a riprendere concetti e spunti di analisi degli *Appunti sulla questione meridionale*, riferendone in questi termini, un po' approssimativi e incerti: «Mi sembra contengano sul problema dei nostri rapporti con gli intellettuali [...] indicazioni di grande attualità»[58].

Per leggere piú mature e organiche riflessioni alicatiane su Gramsci, bisognerà attendere le varie tappe dell'edizione einaudiana dei *Quaderni* e, in particolare, la recensione, dei primi del 1951, al volume *Letteratura e vita nazionale*[59].

La conoscenza e la divulgazione del pensiero gramsciano si sarebbero sviluppate gradatamente fino al numero speciale dell'*Unità*, in occasione del trentacinquesimo anniversario della morte del grande leader comunista, con gli importanti articoli di Luciano Gruppi, Lucio Lombardo Radice, Giorgio Napolitano, Leonardo Paggi, Enzo Santarelli, Mario Spinella, Paolo Spriano e Rosario Villari[60].

Con sempre maggiore evidenza dal 1951 in poi Gramsci fu presente anche nel dibattito della base comunista. Il suo pensiero cominciò ad essere studiato e valorizzato correttamente come il migliore antidoto dell'idealismo e del crocianesimo in particolare, ma spesso con un riferimento privilegiato — e quindi oggettivamente limitativo — all'analisi del rapporto intellettuali-potere nel quadro della questione meridionale.

Si stava comunque facendo strada la corretta interpretazione di Gramsci come «anti-Croce». Ne è testimonianza, tra le altre, il lucido documento degli intellettuali comunisti di Caltanissetta che al Croce — «l'uomo esaltato dalla borghesia italiana ed europea» ma incapace di «spremere una sola goccia del suo sangue in favore delle masse arretrate meridionali»[61] — contrapponeva il nucleo combattivo di intellettuali dell'*Ordine nuovo*, guidato da Gramsci verso il fondamentale obiettivo di «sgominare la filosofia crociana, per sganciare gli intellettuali italiani dalle influenze delle ideologie borghesi»[62].

Era anche diventato d'uso comune nei documenti e nel dibattito del partito, dal vertice alla base, il paradigma gramsciano dell'*egemonia*. Per l'esemplificazione, è sufficiente richiamare quel passo, già citato, del documento alicatiano del 1944 dove si legge che la classe operaia è destinata a diventare in Italia «l'egemone delle grandi masse popolari».

Si ricordi altresí che era già della fine del 1944 l'idea di costituire a Roma una Scuola superiore di marxismo da intitolare a Gramsci, quale emanazione di un Centro nazionale di studi marxisti, organizzato dalla Direzione del partito e posto alle dirette dipendenze della Segreteria, con il compito di «dirigere e controllare» l'attività di analoghi centri provinciali di cultura marxista da istituire presso le federazioni[63].

Si può pertanto affermare con certezza che la politica culturale del Pci delineatasi tra il 1948 e il 1949, una politica per l'egemonia, evidentemente elaborata sulla base di una migliorata comprensione dei canoni strategici gramsciani, non costituiva una radicale novità e non cadeva nel vuoto.

Tuttavia è ancora presto per parlare di gramscismo. La stessa operazione divulgativa del pensiero gramsciano, infatti, si andava compiendo in chiave di rigoroso filosovietismo.

«In attesa delle manifestazioni gramsciane che dovranno avere molto rilievo», puntualizzò Carlo Salinari nel corso di un importante convegno emiliano del 1951 sul lavoro culturale, «dobbiamo porci il problema di popolarizzare, facendo conoscere la cultura elevata o di massa dell'Urss: dobbiamo impegnarci ad una maggiore comprensione della cultura sovietica per poi essere in grado di farne la dovuta diffusione»[64].

Nella vulgata che si espandeva dalle scuole di partito alle sezioni, gli elementi leninisti del pensiero gramsciano venivano forzati ed enfatizzati al massimo. Finalmente, è vero, si parlava di Gramsci come del «piú grande intellettuale italiano del secolo XX»[65], e si faceva a gara per confezionare in stile d'epoca i migliori giudizi apologetici. Per esempio, il seguente, reiterato in una serie di conferenze: «Gramsci non è stato solamente il primo dirigente della classe operaia italiana, ma è anche la personalità italiana piú rappresentativa del nostro secolo nel campo della cultura, della vita sociale, della lotta condotta dagli uomini migliori per la libertà e il progresso»[66]. Nell'illustrarne il contributo, però, non si andava al di là di temi che in genere ribadivano le piú convenzionali affermazioni terzinternazionaliste: Gramsci teorico dell'egemonia della classe operaia; Gramsci «profondamente consapevole del carattere storicamente reazionario della borghesia e dello Stato italiano»[67].

Non mancava, talvolta, un corretto recepimento di alcune fondamentali osservazioni gramsciane sui caratteri della tradizione culturale italiana, di solito riprese nei termini di un solenne e duro atto di accusa nei confronti degli intellettuali: «La cultura italiana, come ha dimostrato genialmente il compagno Gramsci, non ha mai avuto nel suo complesso un carattere veramente nazionale e popolare — se si esclud[ono] alcuni periodi di piú intensa partecipazione di massa a vicende politiche e sociali del paese come il risorgimento, per esempio — e [...] gli intellettuali italiani svolsero nel passato una funzione cosmopolita o perlomeno staccata dai problemi e dalle aspirazioni piú profonde delle masse popolari a differenza di altri paesi come per esempio la Francia e la Russia»[68].

Come è facile notare, qualche elemento critico dei *Quaderni* cominciava a filtrare dalla dura scorza terzinternazionalista della base. Ma, nel complesso, aveva ben ragione il compagno Silvestri della Federazione di Modena: «Su Gramsci dovremo fare meno commemorazioni e prorogare di piú la sua tematica, le sue opere, approfondendole continuamente e sviluppandole nel nostro lavoro»[69].

Invero, era già significativo il fatto che le Edizioni Rinascita si stessero dedicando quasi esclusivamente alla pubblicazione dei classici del marxismo, da Marx ed Engels a Stalin, mentre l'edizione delle opere di Gramsci restava affidata a una casa editrice «alleata» ma non «organica» come l'Einaudi.

In particolare, la stampa e la diffusione a basso prezzo (talvolta gratuita) degli scritti di Stalin e su Stalin costituiva un vistoso fenomeno di pressione culturale — e piú ancora di orientamento pedagogico — di inequivocabile significato.

A partire dalla *Storia del Pc(b) dell'Urss*[70], stampata e piú volte ristampata in varie edizioni, distribuita in decine di migliaia di copie e studiata mediante corsi specifici organizzati da varie federazioni (come quelli esemplari di Bologna, articolati in «cicli di lezioni tenute a un numero ristretto di compagni selezionati»[71]) e persino con gli strumenti dei «corsi per corrispondenza»[72], tutta la produzione politologica staliniana, assunta quale momento di superiore sintesi-superamento del marxismo-leninismo (e pertanto privilegiata anche rispetto alle opere di Marx e di Lenin), venne esaltata e diffusa come un benefico tonico della verità.

L'*Opera omnia* di Stalin fu pubblicata dalle Edizioni Rinascita tra il 1950 e il 1956. Ma un'imponente quantità di scritti staliniani era già in circolazione in Italia nei primi anni del dopoguerra. Prima ancora della caduta del fascismo era stata diffusa un'edizione clandestina in velina di *Princípi di leninismo*, opera principe, vera e propria bibbia per la formazione del militante, ancora semiclandestina nell'edizione dell'*Unità* del 1943 e poi numerose volte ristampata: nel 1944, ancora dall'*Unità*, nella collana «Piccola biblioteca marxista» e dalla Federazione di Napoli (a cura di Gaetano Macchiaroli) e dalla Federazione di Milano nella «Biblioteca marxista-leninista»; poi nel 1945, di nuovo dall'*Unità*, nell'esemplare traduzione di Palmiro Togliatti, riapparsa in una piú accurata veste tipografica nel 1949 nella collana delle Edizioni Rinascita. L'altra fondamentale opera staliniana, *Il materialismo dialettico e il materialismo storico*, circolò fin dal 1944 nelle Edizioni del Partito comunista italiano e conobbe numerosissime ristampe, dal 1945 in poi, nelle edizioni dell'*Unità*, di Rinascita e di Einaudi.

Sempre di Stalin, videro la luce, in buone traduzioni italiane, *Bilancio di vittoria. Programma di combattimento* (Roma, l'*Unità*, 1944), *Discorsi di guerra* (Napoli, Macchiaroli, 1944), *Bolscevismo e capitalismo* (Roma, Leonardo, 1945), *Il carattere internazionale della Rivoluzione d'Ottobre* (Trieste, Giulia, 1945), *Lenin* (Roma, l'*Unità*, 1945), *Lo stakanovismo* (Roma, l'*Unità*, 1945), *Rendiconto al XVII Congresso del PCUS* (Roma, l'*Unità*, 1945), *Sulla grande guerra nazionale della URSS* (Roma, l'*Unità*, 1945), *L'uomo il capitale piú prezioso. Per una vita piú bella e felice* (Roma, l'*Unità*, 1945), *Sulla scienza d'avanguardia* (Roma, l'*Unità*, 1945), *La rivoluzione di ottobre e la tattica dei comunisti russi* (Trieste, Giulia, 1946), *Come abbiamo vinto* (Roma, l'*Unità*, 1946), *Il marxismo e la questione nazionale e coloniale* (Torino, Einaudi, 1948), *La questione nazionale* (Roma, Rinascita, 1949), *Anarchia o socialismo?* (Roma, Rinascita, 1950), *Il marxismo e la linguistica*, traduzione di Palmiro Togliatti (Roma, Rinascita, 1952), *Verso il comunismo*, (Roma, La Cultura Sociale, 1952), *Problemi della pace*, con prefazione di Pietro Secchia (Roma, La Cultura Sociale, 1953), *Problemi economici del socialismo nell'Urss* (Roma, Rinascita, 1953). La rassegna, per essere completa, dovrebbe comprendere i titoli direttamente diffusi da Mosca nelle edizioni in lingue estere e gli innumerevoli scritti staliniani apparsi sulla stampa del Pci.

Sta di fatto, lo si è già rilevato sopra, che tra tutti i classici del marxismo Stalin era al primo posto, quasi fosse, appunto, il classico dei classici o, meglio, la sintesi di un'elaborazione pervenuta al suo massimo di maturità e chiarezza. Non aveva scritto Togliatti che la dottrina marxista era finalmente diventata, per merito di Stalin, la «guida di tutto il pensiero progressivo»?[73]

Poiché la dottrina staliniana pareva definire i contenuti, i criteri, i valori normativi dell'ortodossia marxista-leninista, ben comprensibilmente tutti i buoni comunisti se la rappresentavano come il necessario fondamento della loro cultura di militanti. L'impegno di divulgarla e di radicarla nella mentalità delle masse era avvertito come una missione civile nel cui esercizio si qualificavano e si misuravano anche le capacità organizzative — di lavoro culturale — delle strutture di partito.

Nel lavoro divulgativo, talune federazioni del nord-Italia, e in specie dell'Emilia-Romagna, esercitavano un ruolo di spinta, non senza qualche venatura paternalistica, nei confronti delle federazioni minori, soprattutto delle aree depresse e del Mezzogiorno in genere. La Federazione di Ravenna era tra le piú attive nell'invio gratuito di libri e materiali di studio, accompagnati dal consiglio di «organizzare brevi corsi per lo studio e la lettura collettiva dell'opera immortale del compagno Stalin»[74].

I testi staliniani erano, quindi, i principali, se non addirittura gli esclusivi, manuali per gli esercizi spirituali dei compagni.

Nel complesso, tra la fine degli anni quaranta e i primi anni cinquanta, quella che si potrebbe definire come l'offerta comunista alla cultura italiana appariva dislocata su due diversi livelli, non sempre resi tra loro interagenti da coniugazioni dialettiche: il primo, per l'alta cultura, segnato fondamentalmente dagli sviluppi di un'elaborazione sul filo gramsciano; il secondo, per la cultura di massa, dimensionato nell'ampio circuito di fruizione dello stalinismo. Ma sarebbe semplicistico e sbagliato ritenere che cosí il partito intendesse offrire Gramsci agli intellettuali e Stalin al popolo. In realtà gli intellettuali comunisti stavano sia nell'una che nell'altra parte: nell'una, principalmente, quanti provenivano da una formazione idealistico-crociana e scoprivano nel pensiero dell'«anti-Croce» la fondamentale base dalla quale muovere per un profondo rinnovamento, al di là degli stessi limiti della tradizione italiana egemonizzata dalla cultura costituitasi nel blocco di potere borghese-agrario-capitalistico; nell'altra, con non sorprendente adeguatezza di mentalità e stile, soprattutto i reduci della recente sperimentazione antiborghese degli anni fascisti e anche cattolici come Franco Rodano e Gabriele De Rosa, usciti, piú o meno definitivamente, dal travaglio dell'esperienza cattolico-comunista.

In ogni caso, la riflessione su Gramsci, piuttosto che in alternativa allo stalinismo, era per lo piú perseguíta come la fase piú matura di un'elaborazione marxista italiana che, muovendo da Antonio Labriola, trovava nella sua capacità di fondersi con la recente tradizione terzinternazionalista (da Lenin a Stalin) gli elementi finali di verifica della sua conseguita maturità, quasi il sigillo di un perfetto compimento nell'ortodossia ideologica comunista e nella prassi rivoluzionaria. Se è vero che tutti i fattori della futura divaricazione erano già tutti presenti, individuarli oggi *a posteriori* e dislocarli su due binari nettamente differenziati può servire all'analisi purché non si dimentichi che a quel tempo — in una fase di elaborazione a «tutto campo» che aveva fuochi numerosi e diverse basi di partenza — le distinzioni erano tanto profonde e sottili da risultare pressoché invisibili. La stessa unicità del campo di ricerca a sinistra omologava le diversità, coinvolgendo — lo si è già rilevato — persino posizioni laico-democratiche e giacobino-rivoluzionarie di per se stesse estranee alla cultura marxista.

Caratteri e limiti dell'egemonia comunista

Alla proliferazione degli elementi oggettivi di forza politica e di suggestione culturale con i quali il Pci, all'apertura degli anni cinquanta, andava costruendo la sua egemonia sugli intellettuali, contribuí grandemente l'efficace esecuzione della campagna in difesa della pace.

I tempi erano freddi, ma facevano balenare ferro e fuoco. Tra il 1949 e il 1950, dalla crisi di Berlino agli inizi dello scontro militare di Corea, il mondo fu sull'orlo di una terza guerra mondiale. Con maggiore intensità nel periodo durante il quale l'Urss, sprovvista dell'arma atomica, parve militarmente indebolita rispetto agli Usa, i poteri e i circoli oltranzisti del cosiddetto «mondo libero» esercitarono costanti pressioni sul presidente Truman per indurlo a liquidare con un nuovo slancio offensivo la «questione sovietica»[75].

L'adesione al Patto atlantico e l'ingresso nella Nato fecero temere a molti che il governo De Gasperi, pagando il prezzo delle elargizioni del Piano Marshall, avesse portato l'Italia nell'area piú pericolosa del conflitto est-ovest.

L'allarme atomico[76], nell'incubo generale di una guerra imminente, determinò le condizioni oggettive per una leadership dell'Urss — paese minacciato di aggressione — sull'intellettualità democratica e pacifista di tutto il mondo. Fu l'Unione Sovietica a ispirare, e di fatto a guidare, il movimento internazionale dei «partigiani della pace»[77], nato a Breslavia, in Polonia, per iniziativa di un gruppo di intellettuali autonomi capeggiati dai Joliot-Curie e successivamente sviluppatosi, con una forza davvero imponente per qualità e quantità di adesioni, dal Congresso di Parigi (20-25 aprile 1949) a quelli di Roma, Praga, Stoccolma, Sheffield, Varsavia.

Confluirono in un unico fronte pacifista, pur salvando le loro specifiche identità culturali e ideologiche, marxisti e stalinisti di ferro, democratici progressisti, radicali dalle piú diverse sfumature, laici e religiosi, cattolici, evangelici, ebrei, musulmani, buddisti[78]. Molti, come Einstein e Russell, in un mondo diviso in due, sotto la minaccia di un conflitto dalle incalcolabili dimensioni e comunque catastrofico per le sorti della stessa civiltà umana, avvertivano l'obbligo morale di sostenere gli sforzi difensivi della parte piú debole e meno difesa.

Analoghe confluenze si verificarono in Italia. Arturo Carlo Jemolo fu il primo firmatario della petizione popolare al parlamento che chiedeva di non ratificare l'adesione italiana al Patto atlantico. Norberto Bobbio, insieme a Giulio Einaudi, Carlo Maiorca, Felice Casorati, Carlo e Sandro Galante Garrone, Franco Antonicelli, Ada Gobetti Marchesini, Giorgio Agosti, Dante Livio Bianco ed altri, lanciò da Torino il suo appello *Intendersi per difendere la pace*[79]. È nota, di don Gaggero e di don Mazzolari, la drammatica esperienza di fiancheggiamento dei «partigiani della pace»[80]. Tra questi ultimi, Gabriele De Rosa divenne uno dei piú attivi commentatori politici del quotidiano ufficiale del Pci. Un comitato di «amici dell'*Unità*», composto da Concetto Marchesi, Sibilla Aleramo, Antonio Banfi, Ranuccio Bianchi Bandinelli, Alfonso Gatto, Renato Guttuso e Massimo Bontempelli, diede lustro a una campagna di stampa antimperialista, antinucleare e pacifista che investí il Pci di una pressoché esclusiva rappresentanza delle forze culturali e politiche che si stavano battendo nel mondo per scongiurare la minaccia di catastrofe addensatasi sulle stesse sorti della civiltà umana, una minaccia resa ancora piú cupa ed allarmante, nel 1950, dall'esplosione del conflitto coreano.

Il partito di Togliatti sostenne quel ruolo con un impegno oltremodo determinato ed efficace, organizzando le campagne per assicurare adesioni di massa (milioni di firme) alle petizioni e agli appelli pacifisti; aprendo le sue sedi ad ampi e liberi dibattiti sui grandi temi della democrazia e della pace; inaugurando un dialogo sempre piú fitto tra comunisti e personalità progressiste dell'area laica e del mondo religioso; assumendosi per intero, con i suoi uomini e con le sue organizzazioni, la responsabilità di contrastare l'insensata operazione repressiva condotta dal ministro Scelba; assolvendo compiti di indiscutibile valenza democratica (anche al servizio della stessa «democrazia borghese» insidiata dal clerico-fascismo) in difesa dei princípi e delle libertà costituzionali, sí da conquistarsi, con un crescente prestigio, concreti titoli di merito, riconosciuti persino dagli anziani custodi della tradizione liberal-democratica, dai Vittorio Emanuele Orlando ai Francesco Saverio Nitti.

Per quanto riguarda i piú specifici effetti sul mondo della cultura, si è già rilevato altrove che «il movimento pacifista impedí che si determinasse in Italia un vuoto di progettualità, garantendo, infatti, a numerosi intellettuali la possibilità di un immediato esercizio politico del loro peculiare ufficio culturale — la difesa e l'esaltazione dei piú alti valori umani, la critica spregiudicata agli stati di fatto e alle condizioni del tempo, l'elaborazione e l'affinamento di ipotesi progressive per il cambiamento, la lotta all'intolleranza — quali che fossero le personali aspirazioni ideali alle quali ciascuno riferiva le sue riflessioni e il suo impegno»[81]. Determinò, pertanto, una situazione favorevole al superamento degli effetti negativi della defezione vittoriniana, in quanto e perché delegittimò e scoraggiò oggettivamente la tendenza ad abbandonare l'éngagément resistenziale-antifascista per orientamenti «neutri» e disimpegnati in nome dell'autonomia dell'arte e della cultura.

Per il Pci si trattò di un risultato positivo di incalcolabili dimensioni nel presente e di esaltanti prospettive per il futuro: fu la prima grande occasione per verificare la validità della linea di politica culturale inaugurata dalla risoluzione del 2 marzo 1948.

I vari fattori di turbamento e di crisi che agivano anche nell'area degli intellettuali laici e cattolici — allarme atomico, diffuse preoccupazioni per un clima di crescente autoritarismo ben piú adatto al ripristino di forme fasciste che ai dichiarati propositi di avanzata democratica, disagio e vergogna per gli attentati alle idee e al costume della tolleranza legittimati dalla scomunica del Sant'Offizio, indignazione e sconforto per le ricorrenti violazioni dei princípi costituzionali — furono tutti abilmente recuperati dal Pci al quadro egemonico della sinistra.

Il partito di Togliatti era cosí diventato l'incontestato principe dei produttori di cultura[82]. Il successo, però, era stato ottenuto per vie davvero paradossali: non potenziando le capacità di presa ideologica del marxismo, bensí affievolendole o mimetizzandole in un sistema di istanze pratiche e di bisogni impellenti nel quale Stalin stava a Picasso e alla sua celebre colomba come l'antimperialismo alla pace; non opponendo uno specifico progetto comunista al quadro democratico repubblicano, bensí assumendo un fondamentale ruolo di rappresentanza e di tutela dei princípi, dei valori e dei fini della Costituzione. In altri termini, il contenuto culturale di quel successo era in gran parte liberaldemocratico. E, in un certo senso, si potrebbe anche dire che Croce, cacciato dalla porta dell'elaborazione teorica, rientrava dalla finestra della politica.

Nell'insieme, il successo conseguito dal Pci fu molto piú politico che culturale: pienamente funzionale alla togliattiana strategia della democrazia progressiva, comportò un ulteriore aumento del numero dei comunisti non marxisti. Se ne ebbe la conseguenza di una crescente differenziazione tra il modo di militare degli intellettuali e quello degli altri compagni. Il che indusse il partito ad energici tentativi di ricomposizione, tuttavia senza una comprensione approfondita dei motivi storici che stavano alle origini della contraddizione. Sicché cominciarono a diventare contraddittorie anche le pratiche politiche del partito nei confronti degli intellettuali e quelle degli intellettuali nei confronti del partito: la laboriosità delle mediazioni finiva inevitabilmente per incontrare il limite delle decisioni d'autorità per la salvaguardia della linea ideologica; la piú attiva e leale partecipazione al lavoro di partito, d'altra parte, finiva inevitabilmente per incontrare il limite di una cultura ancora pensata con la C maiuscola che, a dirlo o a non dirlo, continuava a rivendicare l'«autonomia» o, meglio ancora, la sublime diversità dei suoi operatori. In tutto questo, per quanto il fatto possa apparire a prima vista paradossale, il culto di Stalin riducendo l'adesione al marxismo, e quindi le lealtà ideologiche, ad una pura e semplice esaltazione dell'uomo-guida al di sopra delle parti, assicurava una mediazione tra il modo di militare degli intellettuali e quello della maggioranza del popolo comunista.

VI. Lavoro intellettuale
e metafora staliniana

Intellettuali e partito: un rapporto travagliato

È noto che nessuno riesce ad essere testimone veritiero del proprio tempo. I grandi risultati conseguiti sul fronte della politica culturale tra il 1948 e il 1950 non furono riconosciuti e valutati nella loro reale portata dai militanti comunisti e, in particolare, da quelli di base. Poiché, per un sovraccarico di stalinismo e ideologismo, non ci si accorgeva dell'egemonia, ci si preoccupava delle carenze e delle scoperture immediate del dominio. Prevalevano, infatti, lamentele, proteste e veri e propri allarmi per il non sempre facile raccordo operativo, e per la temuta conflittualità, tra la militanza comunista dei *colti* e quella dei *semplici*. Di solito gli intellettuali venivano richiesti e corteggiati come decoro e forza preziosa del partito. Ma la diffidenza nei loro confronti restava la norma. «Sappiamo che essi», aveva rilevato il ferrarese compagno Bagnolati, «hanno un'educazione diversa dalla nostra e che perciò a loro, in un primo tempo, è difficile ambientarsi e trovarsi perfettamente d'accordo col nostro modo di vedere i problemi [...]; sono convinto che questi intellettuali a contatto con noi [...], fino a quando non riusciremo a mutare la loro ideologia in ideologia completamente proletaria si troveranno un po' a disagio e spetta a noi aiutarli»[1].

Ma non tutti mostravano di essere inclini ad altrettanto ottimismo. Afflitto dal caso Vittorini, un dirigente bolognese si lasciò andare al massimo dello sconforto: «Mi sembra che i nostri intellettuali stiano andando, come l'Italia, alla deriva, per usare la frase del compagno Togliatti»[2]. Non di rado pessimismo e sconforto aprivano la strada alla denigrazione a carico di coloro ai quali veniva attribuita la responsabilità di esserne la causa: per quegli intellettuali, cosí poco «proletarizzati» anche quando si davano da fare per accreditarsi come diligenti militanti, la parola *compagno* suonava quasi falsa e inappropriata. Lo sosteneva, tra gli altri, il bolognese Folco Cecchini: «I compagni intellettuali, mentre si affermano marxisti-leninisti, di fatto sono dei perfetti opportunisti nella pratica [...], per cui penso si debba chiedere loro conto anche della profondità ed esattezza della loro preparazione teorica»[3]. È facile leggere centinaia di frasi come questa nei verbali dei dibattiti sul lavoro culturale. Davano la misura di un generalizzato sospetto di slealtà ideologica coltivato nei confronti dei *colti*, un sospetto che cedeva soltanto alla verifica delle scuole di partito.

Qualche anno prima un dirigente come Claudio Bracci sarebbe stato ancora piú severo: non avrebbe concesso la sua fiducia se non a quei compagni intellettuali che avessero «frequentato con successo la *Scuola Lenin* di Mosca, perché», precisava, «essi sono i soli [...] che diano affidamento dal punto di vista della preparazione teorica e pratica»[4].

Nei primi anni cinquanta, numerosi dirigenti, la stragrande maggioranza dei piccoli e medi funzionari di partito — e soprattutto quei comunisti puri che venivano direttamente dall'esperienza della clandestinità e della guerra di liberazione e mal digerivano il recente passato quietistico, disimpegnato, se non addirittura fascista o filofascista di molti autorevoli compagni intellettuali — mantenevano le riserve mentali di un Claudio Bracci, anche se si inorgoglivano per le grandi personalità della cultura che scrivevano sulla stampa di partito, partecipavano alle riunioni e firmavano gli appelli per la pace e contro l'imperialismo.

La base teorica della diffidenza può individuarsi in una gramsciana definizione di Mario Alicata, innumerevoli volte ripetuta nei dibattiti, con le piú varie interpolazioni e deformazioni: «La categoria degli intellettuali costituisce lo strato piú rilevante della piccola bor-

ghesia cittadina»[5]. Fuori dal suo contesto la frase poteva essere utilizzata come la denunzia di un peccato originale che la stessa militanza nel partito non sarebbe riuscita facilmente a cancellare: «Il convincimento piccolo-borghese», precisava un documento di Caltanissetta,
«che l'intellettuale comunista non sia altro che un tipo di intellettuale che ha la sua utopia e le sue idee, cosí come accade in certi anarchi-
ci e idealisti»[6]. Consequenziale alla denunzia del peccato piccolo-
borghese era la verifica degli effetti devastanti che esso ancora determinava: «La vita degli intellettuali del nostro partito non si sviluppa,
ristagna nel vagabondaggio di provincia»; prevale «uno stato di passività e di attesismo, quasi che basti la sola appartenenza al partito
per aiutare i lavoratori nella lotta» senza che sia avvertito appieno
l'obbligo di «mobilitarsi politicamente e attrezzarsi ideologicamente»
per sconfiggere «l'azione deviatrice e corruttrice del clero e della borghesia»[7].

La condizione meridionale veniva rilevata, certo non a torto, come una particolare complicazione che aggravava lo stato malfermo del
rapporto intellettuali-partito: ben poche voci — si rilevava con un pessimismo sommario e distruttivo che non teneva conto delle vivaci esperienze di cultura democratica attivatesi qualche anno prima intorno
a periodici come il barese *Il Risorgimento liberale* e la palermitana *Chiarezza* — si erano levate dal mondo della cultura a sostegno di una cultura nuova. E questo, sia per la «dittatura» di Croce, responsabile,
tra l'altro, di avere «diviso il mondo umanistico della cultura e quello
della scienza» riducendo «a due tronconi la linea originale della cultura italiana»[8], sia per antichi vizi storici da registrare come conseguenze dell'arretratezza del sud anche rispetto ai processi di sviluppo del
capitalismo in Italia: «Gli intellettuali del meridione sono sprovvedu-
ti ideologicamente, conoscono in generale gli stessi strumenti e organismi su cui si regge la cultura borghese; essi stanno nel latifondo della cultura, staccati dai mezzi e dagli aggregati tecnici di cui è dotata
la cultura borghese [...]»; sono in genere provinciali e si portano dentro «un senso di inferiorità rispetto alla cultura ufficiale»; sono «de-
voti all'azione del clero ed esposti alle influenze ideologiche della classe
dominante», sí da diventare, nel migliore dei casi, «buoni carcerieri
nella grande prigione del feudo»[9].

Il documento di Caltanissetta era il registro di una riflessione che gli intellettuali rivolgevano a se stessi, con tutta la carica di autopunizione di un'autocritica in perfetto stile stalinista, e in una situazione che in nessun caso avrebbe potuto favorire gli entusiasmi. Ma, in ogni parte d'Italia, se non sempre i flagellanti, c'erano almeno i flagellatori. La scarsa affidabilità della militanza degli intellettuali era fatta discendere da un'analisi che insisteva nel rilevare il carattere «radicalmente anticomunista»[10] della tradizione culturale italiana. Talvolta l'analisi era, oltre che corretta, approfondita e rivelava il senso costruttivo, e intensamente pedagogico, dei dubbi e delle cautele nella stima dell'autenticità delle conversioni.

> Occorre far comprendere [...] agli intellettuali in genere il valore decisivo dell'esigenza di un movimento di cultura popolare anche per la soluzione dei loro stessi problemi che sono in gran parte non soddisfatti per il distacco che essi hanno con il popolo, ch'è *crisi di pubblico*, di loro isolamento voluto, creato dai loro pregiudizi a volte ancora ancorati alla concezione che la cultura, il sapere, sia un problema esclusivo di eletti, mentre invece l'esclusione delle grandi masse determina la loro rovina poiché da soli non avranno mai la forza di contrapporsi alla classe dominante. È vero, c'è la *cultura di massa* che va sviluppata fra le masse e vi è una *cultura specializzata*, ma non possono comunque essere disgiunte [...]: questa è la via che devono seguire gli uomini di cultura, di scienza, gli artisti [...]. Non può esserci uomo di genio, di cultura, che non ami il benessere del popolo, che nella sua sensibilità di intellettuale non condanni la miseria, miseria generale per il popolo ma che poi si riflette nel suo lavoro, perché è solo nel benessere generale e non di pochi che egli è libero e trova mezzi per lo sviluppo della cultura, della scienza, dell'arte[11].

Con le sue esortazioni il compagno Silvestri toccava un punto delicato e d'importanza cruciale: la questione del rapporto da instaurare, organicamente, tra la cultura degli «specialisti» e la cultura di massa che costituiva il fondamentale banco di prova del possibile recupero degli intellettuali, compresi quelli tradizionali, alla strategia di un partito marxista. Ma era proprio su quel banco di prova che si evidenziavano le ambiguità, i malintesi, le contraddizioni e i conflitti delle diverse storie culturali che erano confluite nel partito.

Cultura-sapere e cultura-lavoro: l'impasse dell'elaborazione comunista

Il problema cominciava dalle definizioni generali. A partire dalla risposta che si sarebbe dovuta dare al quesito preliminare: che cos'è la cultura? Di solito, però, il quesito veniva eluso perché se ne riteneva scontata la risposta. La tendenza piú diffusa, infatti, era quella di continuare nell'assunzione assiomatica della tradizionale nozione borghese: la *cultura-sapere* degli intellettuali, o meglio dei grandi intellettuali. Poi si poneva, e questa volta da comunisti, la questione di come stabilire e mantenere un organico collegamento tra quella *cultura-sapere* degli eletti e il sapere «empirico» e il diritto alla conoscenza delle grandi masse popolari.

Gli stessi operai — e la cosa appare del tutto comprensibile — non mostravano di chiedere di piú. «La cultura non è un mito», disse il compagno Campari, rappresentante dei siderurgici dell'Ilva, nel corso del II Congresso della cultura popolare svoltosi a Bologna nel gennaio del 1953: «accostiamoci ad essa con volontà e metodo, scegliamo il materiale di studio: il dialogo e il dibattito che ne seguiranno dovranno essere estesi a tutti gli strati del popolo italiano, per fare comprendere che la cultura, nonostante le falsificazioni e le deviazioni della società vecchia e corrotta, non spetta ad una determinata classe ma compete a tutta la nazione»[12]. Certo non ci si accorgeva che, cosí posto, il problema era un po' quello della quadratura del cerchio: come fare diventare nazional-popolare una cultura in gran parte costituita dai valori mistificati della classe dominante? Nel corso di quel congresso bolognese, restò senza esiti apprezzabili la fatica spesa dagli intervenuti nel tentativo di risolverlo.

Emilio Sereni, autore della relazione principale, arzigogolò sulla differenza tra *folklore passivo* e *folklore attivo* in rapporto al concetto di cultura popolare: nel primo, cioè in quello passivo, vide «qualcosa di arcaico [...], una cultura passiva, limitata localmente», incline a identificarsi con «l'erudito locale che ricerca la storia del vescovo della sua diocesi senza un interesse storiografico»; nel secondo, cioè in quello attivo, riconobbe i caratteri genuini di una «cultura popolare attiva che nasca da una lotta»:

[...] qualcosa che costituisce un potente invincibile elemento di organizzazione, non solo della cultura stessa delle masse popolari, ma della stessa
cultura delle classi dirigenti [...] perché intorno a questi tempi (i tempi
elaborati dal folklore attivo) *quando essi riescono a traboccare dalle masse
popolari verso il mondo della cultura superiore degli intellettuali* traggono
una ispirazione utile alla loro creazione e superano quell'individualismo
che è caratteristica del lavoro produttivo intellettuale[13].

Come è facile notare, lo storico del *Capitalismo nelle campagne*, forse
senza accorgersene, teorizzava una netta distinzione tra una *cultura-
sapere* (quella «superiore degli intellettuali») e una *cultura-lavoro* (dove per lavoro si intendeva, ovviamente, quello manuale) per sua propria natura subalterna, anche se utile e generosa produttrice di materiali informi che avrebbero potuto acquistare valore nell'operazione
di recupero-razionalizzazione attuata dai veri sapienti o nella demiur-
gica trasfigurazione realizzata dagli artisti. Il collegamento tra le due
culture sarebbe stato quindi possibile solo al livello di quegli intellettuali che, a superamento delle loro tendenze individualistiche, fossero riusciti ad appropriarsi dei materiali del *folklore attivo* e a ritra-
smetterli al popolo dopo averli sottoposti a un processo di edificante
elaborazione nelle forme alte del sapere e della creatività. In concreto, la stessa operazione che avrebbe consentito il collegamento sarebbe stata di esclusiva pertinenza dell'intellettuale. Coerente con questo ragionamento, Sereni raccomandò anche la buona divulgazione
scientifica, cioè quel livello di incontro tra sapienti e popolo sul quale
la scienza, senza essere deformata, viene diluita in conoscenze tecniche e informazioni pratiche. La raccomandazione gli offrì l'occasione
di spezzare una lancia a favore di una riabilitazione postuma del posi-
tivismo che, è vero, era stato gravemente nocivo perché aveva impedito «il radicamento nel movimento operaio italiano di correnti ideologiche piú avanzate, piú moderne»[14], ma aveva avuto il merito di favorire la diffusione delle conoscenze scientifiche.

La sortita filopositivistica di Sereni non piacque all'italianista barese Mario Sansone che la interpretò come un'indicazione a favore
dell'«incremento della cultura scientifica e di quella tecnica» a scapi-
to della cultura umanistica.

Vedete: noi che siamo abituati al vecchio privilegio della cultura umanistica [...], rinsaldato con una falsa interpretazione dall'idealismo della riforma Gentile, abbiamo considerato con molta attenzione, e con la dovuta benevolenza, un'esigenza di questo genere e la riconosciamo valida, ma a certe condizioni: 1°) che non si sostituisca all'astrattismo della cultura umanistica o pseudoumanistica, l'astrattismo della cultura scientifica, della cultura matematica che è altrettanto pericolosa; 2°) che essa, la cultura scientifica e la cultura tecnica, sia considerata come aspetto di quella nuova coscienza di cui parliamo e come incremento di quella coscienza. Se dovessimo sostituire a un'impalcatura esterna e decorativa un'altra impalcatura, noi non otterremmo assolutamente nulla[15].

In sostanza, Mario Sansone riteneva che la cultura umanistica dovesse cominciare ad essere il terreno privilegiato del rapporto intellettuali-popolo. E a chi gli avesse fatto notare che quel rapporto in realtà non esisteva e non era mai esistito, avrebbe risposto con il giro di parole della sua semplicistica proposta ai congressisti bolognesi:

Si tratta di questo: da un lato di non fare più della cultura un diversivo o una forma di aristocrazia; si tratta di democratizzare la cultura stessa da una parte, e, dall'altra, di farla sentire come un elemento nel circolo della nostra esistenza, come una forma del nostro vivere, come un bisogno di contatto col mondo, di conquista del mondo, di luce aperta sul mondo, quindi un elemento della nostra gioia di vivere[16].

Dunque, ecco ancora ribadito il concetto di una *cultura-sapere* prodotta da un ceto di eletti, come un *bene alto* dell'umanità. Per farla vivere nel popolo, i produttori avrebbero dovuto aprirsi ad un inedito esercizio di umanitarismo: poiché il sapere è uno e indivisibile (tanto che «un problema specifico della cultura popolare non esiste»[17]) la sua democratizzazione avrebbe richiesto, d'ora innanzi, un impegno partecipativo e divulgativo dell'intellettuale. Qualcosa come uno scendere in piazza ad elargire gratuitamente un prodotto prezioso, sollecitando il popolo ad apprezzarne il valore.

Il cattolico senatore Molè insisteva su questa rappresentazione, un po' da *festival*, della fatica rinnovatrice per democratizzare la cultura: «Bisogna che questi uomini i lavoratori manuali possano accedere alle suggestioni della bellezza, al dinamismo delle correnti di pensiero che hanno mosso la storia degli uomini»[18]; «[...] tutte le classi, tutti i ceti hanno il diritto di partecipare a tutti i congegni, a tutte le leve di comando della vita collettiva: ed è logico che la cultura sia patrimonio di tutti»[19].

Ben comprensibilmente Giuseppe Di Vittorio — con un'intensità che era frutto della sua sofferta condizione di autodidatta costruitosi come dirigente alla scuola del movimento operaio — forzava il piú possibile il senso di quei discorsi in direzione di un originario primato culturale del popolo.

> La cultura perché sia tale bisogna che sia veramente nazionale; per essere nazionale bisogna che sia profondamente popolare, che attinga cioè dal popolo la linfa per la sua creazione, conferisca al popolo questa possibilità di continua elevazione e divenga cosí patrimonio di tutto il popolo. Perciò non comprendiamo come vi possano essere distinzioni fra la cultura di alcuni intellettuali, la cultura dei meri intellettuali e la cultura delle masse popolari. La cultura non può essere che una, perché la cultura sia nazionale. Non può essere rappresentativa della cultura di un popolo quella che fosse circoscritta ad una aristocrazia limitata di grandi intellettuali chiusi in una specie di torre d'avorio [...] i quali concepissero la cultura come un'accumulazione di nozioni a mero scopo speculativo o anche di intima soddisfazione spirituale [...]; è rappresentativa della cultura del popolo quella che affonda le sue radici nella storia, nella tradizione, nel costume, nel folklore del popolo e ne esprime non soltanto i sentimenti e le passioni, ma i bisogni, l'anelito di libertà, l'anelito di giustizia, di progresso, di emancipazione, di liberazione, l'ansia di avanzare [...], di innalzarsi, di progredire. Questa soltanto può essere una cultura veramente nazionale[20].

Come è facile notare, il capo della Cgil aveva acquisito piuttosto correttamente la nozione gramsciana del «nazionalpopolare». Però non pare che egli avesse superato la corrente idea della *cultura-sapere* da trasmettere alle masse popolari per assicurarne l'*elevazione*. Tale sapere, nel ricondursi continuamente alle masse, avrebbe dovuto alimentarsi di *folk* e riconoscere nella cultura popolare, sua base, sua elementare natura, la fonte della sua legittimazione nazionale. Una visione, questa, tutto sommato ancora romantica. In piú c'era che Di Vittorio, con il suo richiamo al «nazionalpopolare», intendeva porre le basi per una radicale condanna del monopolio del sapere. A tal fine chiedeva che gli intellettuali cominciassero finalmente a produrre *nel* popolo e al servizio del popolo. Gli faceva eco, a nome degli operai, il siderurgico Campari: «Abbiamo possibilità immense, sfruttiamole

[...]: l'uomo di cultura non è nato studioso, e se a noi non mancherà la volontà potremo dare ad essa nuova luce»[21]. Gli operai non chiedevano molto di piú che l'affermazione del loro diritto allo studio. Ed anche, se si vuole, chiedevano una partecipazione ai processi creativi della cultura del tipo di quella che i consumatori aspirano talvolta a farsi riconoscere dai produttori.

Consapevole dei limiti di questa impostazione, Raffaello Ramat ne proponeva il rinnovamento a partire dalla terminologia: cassare definitivamente la dizione «cultura popolare», cioè «un vecchio termine il quale deriva sempre da una mentalità la quale pensa che la cultura ufficiale, la cultura organizzata [...] si debba, si possa dare in un certo modo, con una certa tattica, con una certa tecnica, al popolo il quale di per sé non può arrivare a certe formulazioni scientifiche, a certe formulazioni letterarie, a certe formulazioni filosofiche»[22]; parlare, invece, d'ora innnanzi, di *cultura di popolo*, poiché questo, il popolo, non va concepito come «un recipiente che possa essere piú o meno riempito di un certo liquido» dagli uomini di cultura che «sarebbero coloro i quali possono e vogliono dare una certa quantità di tale liquido piú o meno puro»[23], bensí come un'autonoma forza «creatrice».

Ma, cosí, non si sarebbe fatto altro che invertire i termini del problema, cedendo alla retorica di un populismo che proclamava un popolo di per sé scienziato, letterato, filosofo, artista. Come non accorgersi dell'arretratezza culturale delle masse popolari? Non aveva già detto, molto realisticamente, Emilio Sereni che la cultura popolare era caratterizzata o condizionata dalle antiche tare della passività, della «ristrettezza e chiusura provinciale», della «retorica», dell'«oleografismo», del «melodrammatismo», del «dilettantismo autodidattico e liberatorio?»[24]

Il problema, formulato nei termini di un'ipotesi di mero trasferimento del sapere dei *colti* ai *semplici* (anche se, in verità, Sereni parlava di una necessaria «compenetrazione e circolazione dal basso in alto e dall'alto in basso»[25]), non era risolvibile. Né sarebbe stato producente seguire Ramat nella sua idillica inversione dei termini. Ci voleva una mentalità del tutto sgombra dai residui delle vecchie misture di illuminismo e di idealismo per comprendere che il processo di formazione di una nuova cultura, che fosse insieme elevata e nazionalpopolare, non passava tanto da un'operazione intellettuale gestita da intellettuali (divulgazione, democratizzazione, riavvicinamento di *humanitas* e scienza), quanto piuttosto dalla costruzione di nuove forme di produzione culturale in un'inedita sintesi di teoria e di prassi (un nuovo blocco storico) che assicurasse l'egemonia alle masse popolari. Il problema era quindi tutt'uno con quello della liquidazione del blocco storico della borghesia capitalistica perché — come scrisse con chiarezza Giulio Trevisani, direttore del *Calendario del popolo* — «la cultura in una società divisa in classi non può non avere un carattere di classe»[26].

Che questi e non altri fossero i termini reali della questione non poteva certo sfuggire a dei marxisti autentici che per di più stessero leggendo Gramsci. Ne aveva già discusso, con grande lucidità, su *Rinascita* nel 1949, Antonio Banfi. In un regime borghese — aveva scritto — la cosiddetta cultura popolare è poco più di un falso costruito dai ceti dominanti: interpretata ora «con mentalità romantica [...] come espressione dello spirito del popolo (organicità e spontaneità nativa)», ora come «il residuo semplificato o corrotto di una cultura dominante anteriore», con il trionfo politico della borghesia si è innestata «nella politica democratica borghese subendone tutte le variazioni ed i compromessi»[27]. Di qui, da una parte, la sua strumentalizzazione (l'assorbimento o, meglio, l'invenzione del popolaresco da parte della borghesia «per supplire al perduto contatto con l'elementarietà della vita e della passione nel suo rompere con le tradizioni e definirsi in una civiltà tecnico-scientifica»[28]); dall'altra, il suo progressivo impoverimento:

[...] sul popolo è riversata una cultura che gli è estranea, frammentata, impoverita, ridotta a semplici massicci contenuti, senza energia di critica e di analisi, senza slancio costruttivo: una cultura che gli è data e che esso non elabora mai, e che gli è data in forme e in misura classisticamente determinate e calcolate. Al popolo non resta che la sterilità pietosa dell'autodidattismo dilettantesco [...]. Una cultura che di fatto asservisce l'uomo del popolo, strappato al suo mondo, alla classe dominante e alla sua ideologia. [...] Lo sviluppo borghese della cultura conduce ad una spaventosa miseria culturale delle classi popolari, alla rottura di ogni organicità, alla perdita di ogni spontaneità della loro coscienza, a un abbrutimento sempre più profondo, di cui è responsabile anche l'umanitarismo riformi-

sta. Non è, io credo, senza ragione che proprio nelle regioni d'Italia ove
la borghesia è piú avanzata, nel Piemonte e nella Lombardia settentriona-
le, vive una plebe nel piú spaventoso stato di incultura, priva cioè di una
propria spontanea coscienza giudicatrice e creatrice, di proprie autonome
forme culturali, affondata nell'anticultura di un confessionalismo nutrito
di rassegnazione, di rinuncia, di umiliazione umana [...][29].

Con alle spalle un'elaborazione cosí ricca come quella rivelata dal-
l'articolo di Banfi, la povertà di dibattito del congresso bolognese del
1953 appare perlomeno stupefacente. Tuttavia i difetti di impostazione, le incertezze teoriche, i vuoti e le indulgenze retoriche di quel
dibattito — comprese le strane affermazioni di un Sereni che era di
certo un autentico marxista — risultano comprensibili se si valutano
con attenzione gli effetti della strategia della democrazia progressiva
sulla politica culturale del partito.

Si è già rilevato che l'operazione impostata da Togliatti e da Alicata per la formazione di un fronte della cultura, contro i processi
di imbarbarimento pilotati dalle forze oltranziste della «repubblica
guelfa», aveva ottenuto piú un successo di ordine politico (l'imponente aggregazione a sinistra degli intellettuali democratici) che di egemonia culturale. Alicata aveva archiviato l'elenco delle condizioni che
nel 1944 riteneva indispensabili perché gli intellettuali potessero stabilire un reale «legame con il popolo» (accostarsi alla classe operaia,
riconoscerne «la funzione storica nazionale», appropriarsi delle sue
esperienze, «intendere la vera essenza della dottrina rivoluzionaria che
di questa esperienza costituisce la sintesi ideologica: il marxismo-
leninismo»[30]).

Era ormai diventato un principio tattico universalmente seguito,
a tutti i livelli dell'organizzazione del partito, quello di non pretendere professioni di marxismo-leninismo da parte degli intellettuali conquistati alla linea politica del partito. Consequenzialmente, il partito
doveva mediare la sua ideologia con la concezione della cultura piú
diffusa tra gli intellettuali, che poi, oltretutto, era quella stessa che
la borghesia, nella lunga e non ancora del tutto esaurita esperienza
della sua egemonia, aveva radicato nei ceti popolari.

L'integralismo terzinternazionalista

All'orientamento accondiscendente e mediatore (che tendeva a presentarsi come tattico-politico, ma che finiva per indurre, quasi inavvertitamente, i suoi sostenitori a compromessi teorici rivelatori di un loro sostanziale attaccamento a canoni di giudizio e a valori della tradizione liberaldemocratica) si opponevano, in modo drastico e inquieto, gli esponenti di quell'informale corrente populistico-operaista che si riconosceva nei metodi e negli obiettivi rivoluzionari della lotta armata, già sperimentata con efficacia nel periodo resistenziale. Essi, i «duri», per quanto riguardava lo specifico campo delle relazioni con i temi e con gli uomini della cultura, avevano come fondamentale arma di difesa e di attacco l'intransigenza ideologica, presentata e vissuta in termini di vigilanza contro il pericolo di infiltrazioni dei «nemici del popolo» nel partito. Nel loro integralistico rapporto con l'ortodossia finivano per pretendere un totale assorbimento della vita intellettuale nell'esperienza quotidiana della lotta di classe e nell'impegno per la rivoluzione proletaria. Tale pretesa dimensionava anche il loro concetto della cultura, che era quello sul quale insisteva Pietro Secchia, leader incontestato della corrente.

> La cultura che molti borghesi credono di possedere in esclusività è il popolo che la porta con sé, che la porta in avanti, che la fa progredire, la vivifica per il presente e per l'avvenire. La cultura non appartiene in esclusiva ai frequentatori delle università. La cultura è soprattutto ciò che aiuta a comprendere il popolo nei suoi bisogni, nelle sue sofferenze, nelle sue aspirazioni, perché per il popolo acquisire cultura significa soprattutto acquistare coscienza dei suoi interessi e degli interessi della nazione [31].

Che queste potessero proporsi come le linee maestre per un ortodosso orientamento marxista-leninista è fuori discussione. Alla *cultura-sapere* degli intellettuali tradizionali si contrapponeva la *cultura-lavoro*, la vera cultura nella sua concretezza di prassi costruita e verificata dalla storia, delle masse popolari. Il che, alla fin fine, comportava, radicalmente, la stessa soppressione dell'intellettuale come specifica figura sociale e il rifiuto e la condanna del sapere tradizionale in quanto sapere di classe della borghesia.

Dal passato veniva al presente l'ombra, ancora cupa e densa, di una colossale mistificazione ai danni del popolo: poiché la cultura era stata l'espressione di una condizione di privilegio — scriveva e insegnava agli aspiranti quadri delle scuole di partito Giulio Trevisani — si era risolta in uno «strumento di dominazione politica» e «la verità era stata sempre nascosta al popolo o falsificata»[32].

La classe dirigente non limita la sua falsificazione alla filosofia, alla storia o alle dottrine economiche. Essa penetra in modo subdolo ed inocula il suo veleno in qualsiasi attività culturale: nella letteratura, nelle arti, negli spettacoli, nelle scienze, ovunque e comunque, cercando di arginare l'avanzare di una nuova ideologia che propone all'umanità un nuovo modo di produzione, un nuovo tipo di società fondato sulla abolizione delle classi[33].

Senza una nuova storia non ci sarebbe stata una nuova cultura. Al proletariato, forza rinnovatrice, spettava il compito di costruirle entrambe, indissociabilmente: «La classe lavoratrice deve contrapporre alla cultura borghese, conservatrice, clericale e imperialista, la sua cultura: una cultura nuova e progressiva che esprima le sue aspirazioni e le sue esigenze»[34]. In modo del tutto consequenziale, non si sarebbe potuta accontentare di intellettuali a mezzo servizio e con duplicata coscienza, un po' borghesi e un po' comunisti, formalmente militanti e spiritualmente indipendenti.

È quasi superfluo rilevare che questa richiesta integralistica si appalesava come la piú idonea a saldarsi con l'istanza gramsciana dell'«intellettuale organico». Oltre che dalla sua purezza ideologica, era indubbiamente avvantaggiata dalla sua praticità o, meglio, dalla sua funzionalità al sistema delle mode e dei convincimenti del tempo. Diventare «organici» a tutto tondo equivaleva a conquistare, se non l'assoluta certezza della verità, almeno la sicurezza di sviluppare un'elaborazione di pensiero o un'esperienza di ricerca in un itinerario segnato da incrollabili certezze teoriche e da punti fermi della storia (la rivoluzione d'ottobre e la costruzione del socialismo nell'Unione Sovietica). Determinava, simultaneamente, le condizioni migliori per vivere l'esaltante sensazione di un salto di coscienza: una radicale liberazione da quell'aristocraticismo che, fin dagli anni trenta, era diventato il principale complesso degli intellettuali; e la sensazione di avere superato le tradizionali barriere che separavano l'attività culturale dal mondo del lavoro; avere conquistato una nuova prospettiva di civiltà che rendeva possibile la ricomposizione unitaria del lavoro intellettuale e del lavoro manuale.

Si pensi al brivido di autorinnovamento che doveva provare un uomo di cultura, un letterato, un artista — già da tempo abituato al dubbio di essere soltanto un parassita d'oro o tutt'al piú un servizievole strumento dei ceti dominanti — nel nuovo stadio di coscienza che gli conferiva finalmente il titolo di lavoratore. E c'è di piú. L'accesso alla dimensione storico-concreta dell'internazionalismo operaio, al segno del trionfo militare sul nazifascismo, accendeva l'entusiasmo per un totale riscatto della dignità nazionale dalla vergogna della sconfitta (e dal pericolo di un nuovo asservimento all'impero americano) e dava il senso di un avvenuto superamento dei limiti dell'antico provincialismo della tradizione culturale italiana.

Tutte le scelte in una siffatta direzione erano corroborate dal mito della solarità progressista dell'Urss. Internazionalismo, progressismo e spirito nazionale si potevano cosí fondere in un contesto di pratiche e di ideali dalle valenze quasi profetiche, nel quale diventava del tutto secondario chiedersi se e in quale misura ci si stesse ancora preoccupando di rappresentare e di difendere la cosiddetta libera cultura. In ogni caso, la libertà non stava nella mistificante esperienza democratica dell'occidentalismo filoimperialista. «Non è una cultura libera», scrivevano gli intellettuali comunisti di Caltanissetta, e non è una cultura nazionale quella che «impedisce che l'esperienza della parte piú progredita dell'umanità arricchisca la nostra esperienza nazionale»: infatti, «l'Unione Sovietica, sostenendo e dirigendo la lotta per la pace in campo internazionale, aiuta il nostro popolo per lo sviluppo di una cultura moderna, libera, nazionale»[35].

In certo senso, la rinunzia alla disorientante indipendenza ideologica della condizione borghese aumentava, anziché diminuire, la sensazione di essere pienamente liberi: dall'emancipazione degli operai, dei contadini, delle masse lavoratrici — lo assicurava ricorrentemente il partito nei suoi documenti ufficiali — sarebbe nata una nuova società nella quale, come nell'Unione Sovietica, gli intellettuali non avrebbero piú dovuto «vendere le loro capacità tecniche, la loro intelligenza, ai nemici dei lavoratori»[36]. L'essere in linea per un avvenire tanto radioso compensava ampiamente i disagi dell'ubbidienza e dell'acritica accettazione dei rituali.

È probabile che si diventasse stalinisti come nella Chiesa cattolica si diventa gesuiti. Ed è certo che nella severa militanza di quei gesuiti rossi — i loro nomi si leggono a decine in *Rassegna sovietica*, nel *Calendario del popolo* e un po' ovunque nei numerosi organi di stampa, maggiori o minori, del partito e delle sue federazioni — gli elementi di gramscismo, che stavano cominciando a diffondersi nel dibattito sul grande tema del rapporto intellettuali-partito, si saldavano perfettamente con lo stalinismo.

Intransigenza e tolleranza: un confronto alla base del Pci

La corrente dell'integralismo e dell'intransigenza ideologica era oggettivamente in conflitto con la linea della democrazia progressiva. Dato il compatto e omologante culto dell'unità assicurato dal metodo del centralismo democratico, era molto difficile che il conflitto apparisse in forme evidenti. Esso però stava nelle cose ed era all'origine dei diversi e spesso contrapposti modi di valutazione del ruolo degli intellettuali nel partito, dei diversi apprezzamenti del valore della militanza dei recenti convertiti di dubbia maturità marxista-leninista, dei diversi gradi di intensità e di convinzione dell'impegno politico con il quale le varie federazioni e sezioni e i singoli compagni si davano da fare per incrementare le conversioni e aumentare la penetrazione comunista.

Si moltiplicavano alla base del partito quelle critiche agli intellettuali delle quali si è già riferito e che adesso, con la conoscenza delle loro fonti e motivazioni, risultano meglio interpretabili. Era particolarmente accentuata la diffidenza nei confronti delle capacità di militanza dei compagni colti. «Il lavoro intellettuale», denunziava il dirigente D'Ambrosio, a Modena, «è scarso anche negli organismi diretti da compagni intellettuali. Ovvero il compagno intellettuale fa fatica ad inserirsi nel partito con un suo specifico compito di lavoro e finisce per distaccarsi e rimanere del tutto inoperoso»[37]. Questo è solo un esempio delle numerose lamentele di analogo tenore che si leggono nei verbali del lavoro comunista degli anni cinquanta. Un altro, del 1952 — un brano della relazione di Dante Gobbi al Comitato federale di Ravenna — è forse ancora piú tagliente e articolato:

> In genere i nostri intellettuali riescono ad imporsi nel loro ambiente per la loro seria preparazione culturale e professionale, però manca a molti di essi una spiccata personalità politica, cioè essi non sono sufficientemente uomini di partito. Alcuni di essi temono forse di sminuire la loro personalità di uomini di cultura [...]. Essi devono vivere piú vicini al partito [...], devono sapere imparare dal partito e assimilare sempre di piú la linea politica del partito, la sua teoria rivoluzionaria. Essi devono studiare piú decisamente i testi dei nostri classici, dibattere i loro problemi e i loro dubbi nel partito il quale è sempre pronto a chiarire e ad aiutarli in modo da allargare quello che Togliatti ha chiamato il fronte ideale della nostra lotta [38].

Si trattava, si badi, di rilievi spesso mossi da intellettuali — gli «organici», i funzionari-dirigenti — ad altri intellettuali. Nella forma, e qualche volta anche nello spirito, erano in linea con le posizioni ufficiali del partito. Non di rado quello stesso dirigente che dava a vedere di nutrire una profonda disistima politica per i compagni non «organici» dichiarava, come il modenese Silvestri, di accontentarsi di intellettuali non marxisti, purché decisi a battersi «per la difesa della cultura nazionale contro l'oscurantismo clericale: anzi — assicurava — noi chiamiamo certi intellettuali alla difesa delle loro concezioni liberali della cultura alla quale tengono» [39]. Epperò, al fondo dei vari rilievi critici, c'era sempre un'intimazione di marxismo-leninismo rivolta a persone alle quali si riconosceva formalmente il diritto, se si vuole il privilegio, di accostarsi al partito e di partecipare alle sue lotte con autonomia di coscienza.

Quel che i «duri» non riuscivano a tollerare — e certo non a torto, dal loro punto di vista — era l'eventualità che gli ex fiancheggiatori, una volta diventati militanti, non liquidassero integralmente il loro passato culturale. Il che equivaleva a dare al fatto dell'iscrizione al partito il senso di una drastica rottura che avrebbe dovuto imporre all'intellettuale tradizionale di sopprimere pressoché la totalità degli elementi di base della sua formazione culturale: in una parola, di *rinascere*.

Certe entusiastiche iniziative delle federazioni fornivano un'anticipazione di quel che sarebbe potuto accadere — nel caso di un'istaurazione in Italia di un sistema comunista-stalinista — soprattutto agli operatori culturali non protetti dal successo e dalla fama, ai piccoli intellettuali di provincia, dagli insegnanti agli studenti, in esecuzione dell'impegno politico di rieducarli per favorirne la rinascita: indagini e inchieste per l'accertamento della formazione marxista-leninista, corsi accelerati di cultura marxista con regolari esami finali, *trainings* nelle fabbriche e nelle campagne, e persino gite culturali guidate, come quella organizzata per gli intellettuali di Reggio Emilia, portati a Ferrara oltre che per «visitare le opere d'arte di quella città, anche per visitare i bunker nei quali tuttora sono costretti a vivere i braccianti»[40].

Gli stessi metodi del lavoro culturale avrebbero dovuto essere cambiati, perché, puntualizzava il compagno Silvestri, «l'attività di studio dei nostri intellettuali non può essere vista in senso personale, senza che questo patrimonio acquisito non venga propagandato nel partito e fuori di esso [...] contro la riluttanza che i nostri intellettuali hanno»[41].

All'orientamento integralistico si contrapponevano — i dibattiti della base del partito ne fornivano costantemente l'occasione — le risposte critiche dei compagni *liberal* che si appellavano alle fondamentali ipotesi strategiche della democrazia progressiva. Lo stesso Silvestri — che possiamo ormai assumere come l'esempio vivente di una situazione nella quale la contraddizione oggettiva diventava spesso anche soggettiva — rilevava con preoccupazione quanto «il settarismo e l'incompetenza stessa di certi compagni» avessero contribuito a determinare «l'allontanamento dal partito di intellettuali che vi militavano». E, aggiungeva, con evidente spirito autocritico: «Esiste da parte nostra la tendenza ad incolpare gli intellettuali, ma se facciamo un esame è colpa nostra [...]; abbiamo così conquistato ceti medi ma non intellettuali»[42].

A parte la denunzia dei difetti organizzativi, i *liberal* rilevavano che «la diffusa sottovalutazione dell'importanza della lotta sul fronte della cultura»[43], derivava in definitiva dal permanere di una sostanziale sfiducia nei confronti degli intellettuali in genere e dal fatto che non si fosse compreso fino in fondo che la battaglia degli intellettuali era «un aspetto della lotta di classe»[44]. Il compagno Mattioli lamentava che non si fosse fatto abbastanza per conquistare «gli intellettuali tradizionali, parte dei quali — diceva — non sono in malafede ma solo disorientati e stanno cercando un orientamento»[45]. Analogamente Carlo Salinari invitava a considerare piú decisamente «il lavoro culturale come uno strumento della lotta politica»[46] e ammoniva: «Se vogliamo attraverso la nostra azione riuscire ad interessare l'intellettuale borghese, *dobbiamo produrre culturalmente*, prendere cioè delle iniziative di cultura legate al popolo in forma concreta e non limitarci soltanto a fare chiacchiere»[47]. Spregiudicatamente, senza complessi di opportunismo, si sarebbero potuti indicare agli intellettuali «tradizionali» anche i vantaggi pratici del loro eventuale trasferimento nel fronte guidato dal Pci.

Il fatto che migliaia di uomini facciano il teatro di massa, comprino libri, partecipino a manifestazioni culturali, innalza il livello culturale di massa, crea un mercato di consumo della cultura e della produzione culturale diverso e maggiore (si legge di piú, l'Emilia ad esempio è il maggior mercato). Di fronte a queste manifestazioni culturali di massa che non possono sfuggire alla sensibilità dell'intellettuale cosiddetto tradizionale, questi o si avvicina a questo tipo nuovo di cultura o se ne distacca maggiormente determinando in se stesso una crisi profonda[48].

Ancora riflettendo sugli aspetti tattici dell'azione per la conquista degli intellettuali tradizionali, Antonio Roasio insisteva sull'opportunità di mantenere un atteggiamento suadente e flessibile, in particolare nei confronti dei tecnici e degli specialisti, se non altro per fare un'efficace concorrenza alla Dc che nelle aree padane, come del resto in tutta Italia, stava tentando — ne era un esempio di prim'ordine Manlio Rossi Doria — di «legare a sé gli agronomi e gli studiosi della terra e farli suoi strumenti nella lotta contro la riforma e i contadini: dobbiamo essere noi a prendere invece i contatti con questi uomini, tecnici, maestri, studiosi di questi problemi, legarli ai movimenti contadini, renderli partecipi e forza importante nella lotta per la riforma»[49]. Probabilmente, per il tema specifico, Roasio teneva presenti le rassicurazioni di un tecnico di fama nazionale, l'ex fascista compagno Paolo Fortunati, già uomo di primo piano nello stato maggiore del mussoliniano «assalto al latifondo» del 1940, che era solito insistere sull'opportunità di mirare al recupero, appunto, degli esponenti del sapere tecnico-scientifico, con particolare riguardo ai professori universitari che «pur non essendo molto preparati politicamente, intellettualmente avevano una preparazione profonda».

Nell'insieme, gli orientamenti favorevoli all'acquisizione, e poi al mantenimento e allo sviluppo, di presenze e di posizioni ideologicamente e culturalmente differenziate e autonome nel partito si stavano già delineando con varie sfumature nei primi anni cinquanta al di là degli stessi effetti del caso Vittorini. Tali orientamenti tenevano in vita, usufruendo della legittimazione ad essi conferita dalla linea togliattiana, tensioni critiche vivaci. Nel contempo, non erano insoliti ed eccezionali quegli stati di disagio, ancora sotterranei, per il prevalere dello stalinismo sia alla base del partito che ai vertici della dirigenza politica, che sarebbero poi esplosi nel 1956 dopo i fatti di Ungheria[50].

L'intellettuale organico e la cultura di massa

L'indirizzo integralistico staliniano da una parte e quello comunista-*liberal* dall'altra — ciascuno, nell'immediato, con una sua propria dose di gramscismo e di fedeltà alla linea da rivendicare — costituivano, nell'area peculiare del dibattito culturale, gli elementi contraddittori di quella doppiezza individuata e denunziata da Togliatti come caratteristica di un diffuso modo di interpretare e di perseguire in concreto le ipotesi strategiche della democrazia progressiva. Tali elementi, come si è visto, non sempre erano distinti e distinguibili. Spesso convivevano in una sola persona. E non c'è da stupirsi per il fatto che gli intellettuali, data la loro naturale complessità, visibile tanto nelle idee quanto nei comportamenti, apparissero, ai vari militanti di base fanatici di «baffonismo», cioè ai vari «Cipputi» e «Peppone», come i piú «doppi» e inaffidabili tra i «doppi».

Poiché la diffidenza è quasi sempre un effetto dell'ignoranza, non si possono avere dubbi sulla natura dei sentimenti che numerosi militanti di base — quelli che non riuscivano a leggere o a capire *l'Unità* — nutrivano nei confronti dei raffinati teorici e disquisitori di marxismo, dei compagni filosofi e degli artisti e letterati d'avanguardia.

Non era raro che venissero attaccati duramente i giornalisti dell'*Unità*. «Essi», aveva già detto, per esempio, un «Cipputi» genovese nel 1948, «non comprendono piú il linguaggio e le esigenze della base, e la base, a sua volta, non li capisce piú. Questi compagni (salvo alcuni elementi) credono che il loro compito sia quello di un giornalista normale borghese e non si sentono abbastanza comunisti, non si sentono ancora giornalisti di tipo diverso»[51]. E che dire di quell'altro giornalista comunista che aveva tenuto una conferenza sulla democrazia progressiva in una sezione di Genova-Sturla e non era stato compreso dai compagni per avere usato «un linguaggio incomprensibile per la massa dei lavoratori»?[52]

In compenso, da qualche altra parte, c'era il purista compagno Masetti che protestava per la disinvoltura con la quale funzionari e dirigenti offendevano impunemente la lingua italiana: «Le lettere e le circolari», notava con amarezza, «sono molto spesso poco chiare, lunghe e anche con errori ortografici»[53].

Nell'uno e nell'altro senso, la quotidiana esaltazione del ruolo-guida del proletariato, la volontà di mettere a profitto una dogmatica preparazione politica acquisita mediante i corsi delle scuole di partito e l'orgoglio di essere protagonisti di una grande storia liberavano i compagni di base dai complessi d'inferiorità nei confronti degli intellettuali. Spesso i lavoratori criticavano e redarguivano i compagni colti con il tono sicuro e saccente di chi sta a casa propria. Ed era quella saccenteria, convenzionale e ripetitiva anche nel linguaggio, ostentatamente giudiziosa e provocatoria, quasi chiesastica, il migliore costume di naturalezza in stile staliniano. Gli intellettuali comunisti che non vi si adeguavano o che, peggio, la contrastavano apertamente, erano costretti a rimanere in sofferenza ai margini del partito, catecumeni in permanente sospetto di eresia; gli altri, i fedeli perfetti, gli «organici», a livelli piú o meno elevati dell'organizzazione, talvolta assumendo importanti funzioni direttive, ne diventavano gli interpreti e i perfezionatori, inventori di formule e di slogan, veri e propri virtuosi della casistica marxista-leninista. Eppure anche questi ultimi non potevano considerarsi del tutto al riparo dall'eventualità di severe incursioni critiche persino nella sfera tradizionalmente piú riservata e personale del loro lavoro culturale, perché, avendo rinunziato all'autonomia della cultura, dovevano adesso accettare la legittimità dei giudizi e dei controlli del Principe e dei suoi funzionari. Tale rinunzia — lo si è già accennato innanzi — di solito aveva al suo fondo un alcunché di religioso. La si compiva con il senso di una scelta che fondeva libertà e necessità. In quel fervoroso stato di dipendenza, pur con l'ossessione di rincorrere sempre la linea per non rischiare le deviazioni, ci si poteva sentire, oltre che piú sicuri, anche piú liberi.

A suo modo l'intellettuale «organico» continuava a difendere strenuamente la fondamentale, forse l'unica, condizione del suo patto con il Principe: che l'esperienza alla quale aveva ceduto la sua anima fosse davvero, e fino in fondo, un'esperienza rivoluzionaria per cambiare il mondo. Il suo ideologismo lo portava a perseguire l'obiettivo di una società dalla quale potesse nascere l'*uomo nuovo*: la società del lavoro umanizzato che avrebbe conferito proprio all'intellettuale (l'artefice dei processi creativi, il protagonista dell'umanizzazione) le qualità e i titoli di lavoratore ideale. «Dove c'è veramente una cultura la quale possa veramente aspirare a tal nome», si era chiesto Raffaello Ramat nel corso del Convegno bolognese sulla cultura popolare, «se non là dove si costruisce effettivamente un tipo nuovo di uomo, là dove si evolve una nuova forma di uomo?»[54].

Una tanto intensa fede rivoluzionaria, a pensarci bene, non era professata gratuitamente. Essa metteva capo all'utopia di una *respublica* del sapere, finalmente integrata con la cultura-lavoro, nella quale il processo di affermazione dell'uguaglianza, nell'incivilimento collettivo, sarebbe stato coincidente con la piena assunzione da parte degli intellettuali dei compiti di classe generale. In altri termini, «organico» al partito, ma non altrettanto, nonostante le ufficiali dichiarazioni, al movimento operaio, il perfetto intellettuale comunista continuava a pretendere che fosse quest'ultimo, il movimento operaio, a diventare «organico» alla sua utopia: una società nella quale tutti fossero in qualche misura degli intellettuali e accettassero la guida, ai vari livelli, dei supremi depositari, interpreti e creatori di un «sapere generale», non piú di classe, bensí *scientifico*, universale. Il mitizzato proletariato sarebbe stato lo strumento decisivo per fare crollare le vecchie forme della cultura di classe.

In una prospettiva conforme a tale progetto, veniva impostato il problema della formazione e dello sviluppo di una cultura di massa. «Sarebbe sbagliato», rilevava Salinari, «considerare che la cultura di massa interessa solo le masse; separare il lavoro culturale inteso come fenomeno di massa e il lavoro tra gli intellettuali sarebbe sbagliato: sono due aspetti della stessa medaglia»[55].

Una siffatta visione del mondo — sulla quale incidevano anche gli effetti di un iperideologizzante recepimento della teoria gramsciana degli intellettuali — era, neanche a dirlo, molto distante dalla realtà delle cose. E non tanto per il suo vizio costitutivo di scambiare l'operaio ideale con l'operaio reale, quanto, soprattutto, per il suo oggettivo contrasto con gli autentici contenuti del mito staliniano vissuto dalle masse popolari. Questi contenuti, infatti, non erano proprio funzionali all'ipotesi intellettuale di *fare l'uomo nuovo*, bensí alla ricerca, davvero molto empirica ed esistenziale, dei modi migliori per conseguire una definitiva liberazione dall'oppressione e, piú ancora, dalla fame e dalla miseria, senza rompere la continuità con il sistema dei valori agricolo-contadini al quale restava legata, nei primi anni cinquanta, la gran parte dei ceti popolari italiani: in breve, la rappresentazione di un futuro *rosso* che salvaguardasse le sperimentate virtú del *bianco* (la famiglia e la casa, il pudore e il buon senso, le antiche sicurezze del buon vivere semplice e morigerato, persino le fondamentali lealtà del costume religioso), conciliando tradizione e progresso, stabilità e modernizzazione.

Dal punto di vista di una corretta e realistica percezione politica dell'esistente, non si sarebbe potuta vedere altra via perseguibile per legare il lavoro intellettuale alle masse che quella che garantisse il piú fermo ancoraggio della cultura comunista alla mentalità da cui nasceva la «metafora staliniana». Togliatti se ne rese conto appieno e fu inflessibile nel dettare e nel mantenere conformi direttive.

Lo zdanovismo, e in particolare il realismo socialista, erano le forme culturali che meglio si adattavano all'impegno di unificare il sapere e la creatività dei «lavoratori della letteratura e delle arti» con la sensibilità e il gusto delle masse popolari. Adeguarvisi fu per gli «intellettuali organici» un ineludibile esercizio di militanza. Alcuni vi si sottoposero forse con delle considerevoli riserve mentali, ma con l'orgoglio di mostrare la propria capacità di restare in linea e con la passione sincera di servire il partito nei suoi fini rivoluzionari; altri con riluttanza crescente e con malcelata sofferenza.

VII. La mediazione sociale dello stalinismo

Il Pci e la battaglia per la cultura

La legittimazione dei poteri di vigilanza e di controllo del Principe sul lavoro culturale era stata in gran parte opera degli stessi «intellettuali organici». Pertanto, senza scandalo, anzi fiduciosa di potere contare su un largo consenso, la burocrazia politica faceva valere in quel senso le sue ragioni.

«Oltre che sul terreno politico e ideologico», ricordava il genovese Secondo Pessi, «il partito ha il *dovere* di intervenire nel campo culturale, scientifico, artistico, affinché le nostre posizioni ideologiche vi si affermino»[1]. Tali posizioni avevano il loro fondamento e un costante ancoraggio nel pensiero di Ždanov — «il glorioso difensore di Stalingrado, il grande teorico che ha saputo dare un ultimo impulso e sviluppo alla dottrina di Lenin e Stalin»[2] — un pensiero, come è noto, piuttosto schematico e rozzo che i funzionari del Pci assumevano di peso, senza preoccuparsi granché di adeguarlo alle esigenze della vita culturale italiana. A sacralizzarlo aveva contribuito decisamente Togliatti, sostenendone, più che i contenuti specifici e gli imperativi sulle varie questioni particolari, i princípi metodologici per l'impostazione dei rapporti intellettuali-partito.

[...] il partito che dirige l'opera grandiosa di costruzione di una società nuova, di una società socialista, è responsabile, in quanto organizza la parte migliore della società, anche degli indirizzi culturali e artistici. Non dispone né può disporre la creazione di opere d'arte, come dispone l'edificazione delle fabbriche, le trasformazioni dei campi, le proposte di una politica di pace, ma è portatore, in forma adeguata, anche dell'aspirazione della società e del popolo a un'arte che sia all'altezza della vita sociale e non degeneri per i viottoli dell'impotente intellettualismo formalistico. Indizio di scarsa cultura è il negare che vi sia stato, in tutte le epoche storiche, chi abbia orientato e diretto anche la creazione artistica — nella misura, s'intende, che per questa la cosa è possibile — a seconda delle proprie aspirazioni. In una società socialista anche questa funzione si esercita in modo nuovo, consapevole, aperto, moralmente superiore anche solo perché affronta il dibattito collettivo[3].

In definitiva, per il capo del Pci, il controllo del partito sulla produzione artistico-letteraria e sull'attività culturale in genere era questione di efficienza del potere socialista (secondo l'esempio fornito dall'Urss) e, indissociabilmente, di un diritto democratico da assicurare alle masse lavoratrici: il diritto di comprendere i prodotti del lavoro intellettuale, di esserne davvero i destinatari e i fruitori e di potersene appropriare nei significati, nei valori e nei fini, riconoscendosi in essi.

Questa impostazione, fatta valere duramente nei confronti di Vittorini, fu manifestata con altrettanto rigore in altre occasioni. Per esempio, nella polemica con Massimo Mila che in una nota bibliografica della *Rassegna musicale*[4] aveva osato dare dell'ignorante a Ždanov per avere «condannato», oltre che Schönberg, Malipiero, Prokof'ev e Chačaturijan anche Šostakovič, l'autore della recente *Sinfonia di Leningrado*, «una delle somme realizzazioni dell'arte musicale sovietica»[5].

Al noto musicologo Togliatti obiettò che Ždanov si era in realtà limitato a stigmatizzare «quella particolare degenerazione della musica che la grande maggioranza degli uomini normali critica e respinge»[6]. E fu durissimo nella foga del polemizzare. Se c'era un ignorante, questo doveva essere il Mila tanto distratto da non accorgersi che «anche nei concerti per raffinati in Italia si comincia[va] a urlare Schönberg e a fischiare Malipiero»[7] e soprattutto incapace di «comprendere l'arte come espressione della vita sociale»[8] e fautore di bizzarri avventurismi, forse apprezzati da «un ristretto numero di eletti», cioè dagli «iniziati al gergo cabalistico», ma non dai molti oppositori di ogni tipo di «esercitazione e decomposizione formale intellettualisti-ca»[9]. Di fronte a quelle «cosiddette musiche» che erano «soltanto un mezzo per farsi venire la pelle d'oca», cosí come di fronte a ogni altro prodotto di analoga valenza degenerativa, «la maggioranza del genere umano», mostrandosi sanamente inorridita, avrebbe potuto andar fiera del fatto di essere tacciata di ignoranza e primitivismo da qualche pro-vocatore dall'estro impazzito.

Se gli artisti vogliono oggi cercare un «linguaggio» nuovo, questo è affar loro, a parte la confusione che il termine introduce, perché i linguaggi ven-gono creati dai popoli nel crogiuolo della loro storia, e non fabbricati su ricetta da cenacoli di disgregatori della forma. In questo modo si mette insieme il volapük, non la lingua di Dante! Facciano dunque in modo questi ricercatori, che la loro ricerca non li porti a vedere un'opera d'arte nel coperchio spaccato di una scatola di sardine o a scoprire armonie miste-riose negli stridi di un pollaio di gallinacci. Altrimenti, è inevitabile, di-venteremo tutti pompieri, non vorremo piú ammirare altri quadri che di Giacomo Grosso, né bearci di note che non siano «di quella pira», né leg-gere racconti che di Carolina Invernizio[10].

Sulla piattaforma delle direttive di metodo e di gusto fissate dal capo del partito, i funzionari e gli «intellettuali organici» — all'indo-mani del 18 aprile e, con accentuata intensità nel 1949 dopo la sco-munica di Pio XII, fino al momento culminante che coincise, nell'ot-tobre del 1952, con la mobilitazione sollecitata da un'importante riu-nione della Commissione culturale nazionale del partito, presieduta dallo stesso Togliatti — si impegnarono a fondo in quella che fu det-ta, un po' pomposamente, la battaglia della cultura contro l'anticul-tura.

Questa, l'anticultura, era un'idea o meglio uno schema concettua-le per l'identificazione della cultura degli avversari, che non sarebbe stato possibile circoscrivere in una precisa definizione. Per i non mi-litanti restava ineffabile. Ma ai militanti riusciva intuitivamente chiara e distinta come la forma generale della mentalità anticomunista che li costringeva a quotidiani scontri e confronti. Quindi consisteva in-nanzitutto nel sistema dei pregiudizi borghesi, quello nel quale vive-vano — diceva Roasio — gli «intellettuali tradizionali legati alla bor-ghesia»[11]. Era il preconcetto e viscerale rifiuto del marxismo-leninismo e l'inimicizia dichiarata, o astutamente camuffata, nei confronti del movimento operaio; erano il clericalismo e l'intellettualismo come autocompiacimento dell'astratto sapere e culto aristocratico delle forme, e la mistificazione occidentalista con il suo oggettivo filoimperialismo e, ovviamente, l'antisovietismo e la falsa informazione e molte altre cose ancora.

Sull'argomento esercitò con zelo le sue semplificatrici capacità di affrontare sintesi didattiche Giulio Trevisani. Scrisse, infatti, tra l'altro: «Anticultura è un'arte in cui domina il cervello, il ragionamento astratto, il compiacimento formale, la ricerca dell'assurdo, nell'intento palese di fare dell'arte per iniziati, dell'arte per intenditori, che rifugge dai vivi problemi del popolo ed esprime soltanto i complessi dell'autore [...]. Anticultura è tutto ciò che giustifica o teorizza il rifuggire dall'impegno umano, sociale: anticultura è quindi anche quella interpretazione che vuole dimostrare su concetti pseudoscientifici il piú retrivo idealismo»[12].

Tra i contenuti specifici dell'anticultura, il piú denso di immediate significazioni politiche, sul fronte della guerra fredda, venne identificato nell'americanismo cioè nel mito provocatorio del cosiddetto «mondo libero», nella sua insidiosa espansione propagandistica.

Esso veniva indicato come il principale responsabile di una crescente volgarizzazione delle coscienze sotto la piatta normativa del denaro, all'insegna del pragmatismo e di un artificioso ottimismo del vivere. «Questa cultura», scriveva ancora Trevisani, «ha una totale impronta di superficialità: gli stessi concetti fondamentali di libertà, di democrazia, non sfuggono a questo difetto che deriva dal fatto vero e reale, pratico, che in effetti si tratta di pseudolibertà e di pseudodemocrazia. Chi è il protagonista di questa pseudolibertà e di questa pseudodemocrazia? È il tanto vantato *uomo comune* americano per il quale basta la divagazione, che s'accontenta della stampa e del cinema che i grandi monopolisti gli forniscono: [...] dai romanzi a fumetti (sprone all'abbandono della lettura e della riflessione) al divismo, alle *pin-up-girls*, ai vari *Reader's Digest*, è tutto uno sciocchezzaio propagandistico, tutta una cultura vuota, in cui trionfa il cattivo gusto e la pacchianeria»[13].

Si trattava, in breve, di un'evidente condanna dell'America come

modello di una modernizzazione devastante. Una siffatta rappresentazione della società capitalistica, nella sua radicale diversità dal mondo
libero e felice dell'Urss, non aggiungeva granché a quanto si era pensato
e scritto sullo stesso tema negli anni trenta sulle riviste fasciste o cattoliche, da *La conquista dello Stato* a *AntiEuropa*, da *Il Selvaggio* a *Frontespi-
zio*: l'idea consolidata di un'America senz'«anima», senza idealità, culturalmente amorfa, il mondo delle banalità e degli ebeti sorrisi dai
denti d'oro[14].

Può apparire quasi incredibile che i comunisti si sentissero investiti del compito di ricordare ai cattolici che la società americana viveva sotto la dominazione di un volgare materialismo, rispetto al quale
quello ufficializzato dai paesi socialisti, per la sua capacità di assicurare in concreto l'*umanesimo integrale* di cui parlava Maritain, avrebbe avuto il diritto di essere riconosciuto come il regno della libertà
dal bisogno conciliata con i valori dello spirito. Una nota anonima di
Rinascita stigmatizzando lo «scandaloso» americanismo di don Luigi
Sturzo e la sua dichiarata intolleranza nei confronti dell'Urss e dei
comunisti, si appellò direttamente al Vangelo e a San Gerolamo per
sollecitare i cattolici ad una maggiore coerenza e lucidità di giudizio
nella valutazione di quel che andava accettato o respinto in base ai
canoni della dottrina e della tradizione del cristianesimo: «Americanus es, non es christianus», rimproverava quella nota al vecchio leader cattolico-popolare, «sei in linea con gli ordini degli imperialisti
d'America, ma lo spirito del Vangelo non lo conosci piú»[15]. Spettava, quindi, ai comunisti farsi carico dei princípi e dei valori morali
che i cattolici, vittime dell'americanismo, avevano di fatto rinunziato a difendere, a dispetto del moralismo di facciata, della censura di
regime e delle ricorrenti campagne per il buoncostume?

Contro il piú vistoso fenomeno della cultura di massa americana,
il divismo, si inalberavano tanto la ragione critica dei colti, quanto
il buon senso e la morigeratezza di costume dei ceti popolari. «Noi
non vorremmo affatto», disse Emilio Sereni in parlamento, «vedere
la produzione italiana orientarsi verso le forme del divismo all'americana, che con l'arte e col valore artistico [...] non hanno niente a che
fare»[16]. Analoghe misure di difesa e di «lotta» furono invocate da
maestri e professori comunisti contro la moda dei fumetti.

La professoressa Gobetti vedeva nella crescente affermazione in Italia del fumettismo, nelle sue espressioni grafiche e stilistiche, nella sua banalizzante suggestione di contenuti e di forme, l'avanzata di un'«educazione corruttrice» da combattere con determinazione: «C'è troppa stampa a carattere puramente speculativo e commerciale e che non ha radici nella nostra cultura nazionale, che va per la maggiore e che i ragazzi leggono»[17]. Oltretutto il partito si era già espresso inequivocabilmente sulla questione: i fumetti — aveva sentenziato *Propaganda* — costituivano il sintomo piú evidente della tendenza della stampa borghese alla falsificazione[18].

Si potrebbe osservare, analizzando a fondo i verbali del dibattito culturale del Pci, che attraverso le varie affermazioni nelle quali il «nazionalpopolare» era genericamente assunto come il referente ideale dei valori da difendere, o da costruire, passava il sottilissimo filo della continuità con posizioni già sostenute a diverso titolo da numerosi intellettuali durante il periodo fascista. Com'è ovvio, cambiavano adesso le motivazioni e la composizione ideologica delle finalità da perseguire: non piú l'edificazione dell'*italianità* e la salvaguardia delle condizioni necessarie per garantire l'autarchia della cultura, ma la combattiva opposizione al tentativo — denunziato dal citato documento del 1949 — di «una vera e propria colonizzazione da parte dei gruppi dominanti dell'imperialismo americano»[19].

Tra arte, letteratura e filosofia — a parte gli antichi e non ancora neutralizzati veleni del nietzschianesimo e dell'espressionismo, di Freud e della psicoanalisi — venivano individuate le piú recenti e «clamorose espressioni di anticultura»[20]: intanto, le rinascenti suggestioni surrealiste e gli influssi della produzione letteraria americana sull'onda delle operazioni editoriali della Einaudi e della Mondadori patrocinate e dirette da Pavese e da Vittorini; poi, l'ermetismo, «scuola letteraria antipopolare, reazionaria», che camuffava il suo «vuoto di coscienza» con l'uso provocatorio di un «linguaggio incomprensibile, cifrato, incomunicabile»[21].

Un vero e proprio scandalo del tempo, una mostruosa caduta del pensiero, travasata in una certa «teppistica» moda giovanile, si denunziava nell'esistenzialismo: «posizione teorizzata in campo filosofico che nasce dal senso di solitudine disperata dell'uomo»[22].

Esso è la teoria dello *scacco* dell'uomo, del naufragio della sua ragione, dell'infelicità senza via di salvezza.
Si tratta perciò di una filosofia che stacca l'uomo dalla vita sociale, che impedisce di vedere i rapporti di classe, che nega la fiducia nella lotta di classe e quindi finisce col diventare un prezioso alleato dell'imperialismo[23].

Una filosofia, l'esistenzialismo, che rivelava la putrescenza dei valori borghesi e l'estrema e oggettiva arroganza della sua cultura decadente: un'ultima «trovata della borghesia» — precisava Dante Gobbi — che «sotto il manto di un'apparente spregiudicatezza intellettuale serve la merce avariata del nullismo borghese»[24].

L'offensiva contro l'anticultura dei «nemici del popolo» — Togliatti, in una nota di plauso rivolta al particolare impegno de *Il Calendario del popolo*, la definí una «crociata contro l'ignoranza»[25] — veniva interpretata e condotta dagli «intellettuali organici», e dalla parte piú terzinternazionalista della base del Pci, come un'esperienza di lotta tra le piú utili per verificare la validità delle attese circa l'inevitabile crollo del sistema capitalista. Carlo Salinari, tra gli altri, se ne mostrava religiosamente convinto: il capitalismo, prossimo alla paralisi definitiva, si rivelava già incapace di produrre cultura.

La borghesia svolge una grande attività soprattutto intesa a svilire e a degradare ogni manifestazione e forma di attività culturale anziché creare una cultura nuova. Oggi, infatti, la borghesia non può piú permettersi di sviluppare una cultura nuova, moderna. Non potendo fare questo ecco come si spiega il perché della linea seguita dalla borghesia che può essere definita di anticultura. Ciò crea le condizioni e ci dà la possibilità di dare vita e sviluppare un largo fronte di lotta culturale[26].

A fronte dell'anticultura generata dal disfacimento dei valori borghesi, il proletariato stava già dimostrando, con l'esempio dell'Urss, la sua capacità salvifica di produrre una *cultura nuova*. Questo convincimento fideistico, normativo per tutti gli «intellettuali organici», e comunque spesso autentico e profondo soprattutto per i militanti di base, non trovava riscontri del tutto adeguati nel piú largo orizzonte dell'intellettualità di sinistra tanto poco rassicurante per le sue recenti e non ancora superate compromissioni con la tradizione borghese, cosí esposta ai pericoli del deviazionismo con la sua cultura marxista fragile e indecisa. Nei suoi confronti, il Pci mantenne gli orientamenti comprensivi e accattivanti che erano consigliati dalla scelta strategica della democrazia progressiva. Per esempio, Massimo Mila, cosí duramente attaccato e quasi insultato su *Rinascita* da Togliatti, poté contrattaccare, con articoli di risposta, altrettanto duri nel tono e nel linguaggio, anch'essi pubblicati da *Rinascita*.

Con le bordate polemiche, si voleva offrire una verifica immediata della capacità di sviluppare al massimo la dialettica culturale fino all'esplosione delle contraddizioni: in una siffatta vitalità dei confronti e degli scontri, senza esclusione di colpi, Togliatti faceva consistere il valore di quella lotta per il progresso e nel progresso che si ostinava a denominare, con terminologia ancora idealistica, «battaglia delle idee»: una lotta e una battaglia i cui effetti — preventivati come positivi in ogni caso, perché frutto di un intenso dinamismo dialettico — sarebbero stati assorbiti e valorizzati al meglio dalla cultura comunista.

In altri termini, il partito dava a vedere di volere limitare i suoi compiti di guida all'esercizio di un impegno di pedagogia politico-culturale i cui frutti si sarebbero visti e misurati alla distanza. Tale pedagogia doveva comunque tenere ben fermi i suoi princípi e ostentarli per la difesa dell'identità comunista. Nell'immediato, erano i princípi fissati da Stalin e da Ždanov che, per le lettere e per le arti, si riassumevano nel verbo del «realismo socialista».

Il malinteso zdanovista e il realismo italiano

Ben diversamente dal termine «anticultura» che, come si è visto, aveva un contenuto piú politico che culturale, «realismo socialista» era una definizione quasi tecnica, dal significato chiaro ed univoco.

Qui si tralascerà la storia dei processi culturali italiani ritenuti, a ragione o a torto, conformi a tale definizione. Sarà, piuttosto, piú interessante vedere come essa fu usata politicamente dai dirigenti, dai quadri intermedi, e dalla stessa base del Pci, per guidare o, se si preferisce, per controllare il senso della militanza degli intellettuali comunisti e sincronizzarlo con il complessivo processo di radicamento sociale del partito in Italia.

Come è noto, nei primi anni quaranta, tra la Resistenza e gli inizi del dopoguerra, il realismo fu egemone nella grande produzione della cinematografia, della narrativa e delle arti figurative. Gli intellettuali, riflettendo sulla loro esperienza di lavoro, ne fornirono numerose definizioni. Le unificava la percezione acuta di un necessario rapporto di integrazione tra lavoro culturale e impegno politico, il convincimento, indotto dal dramma dei tempi, dell'immediata incisività nella prassi della produzione culturale («le parole sono pietre» avrebbe scritto nel titolo di un suo celebre libro Carlo Levi; la parola è azione avrebbe teorizzato Jean-Paul Sartre). Di qui la concezione del *lavoro* intellettuale come intervento nel sociale (l'*éngagément* si sarebbe detto) e una conforme scelta di temi, di contenuti, di forme stilistiche.

Le basi teoriche erano state fermamente poste da Alicata, fin dal 1944, nell'equazione *realismo* = *razionalità dell'arte*. Ne conseguiva l'opposizione al tentativo borghese di recuperare «tutte le manifestazioni irrazionaliste dell'arte e della letteratura contemporanea»[27] (astrattismo, surrealismo, ermetismo, esistenzialismo, ecc.).

Le interpretazioni piú o meno articolate ed estensive del concetto, nonché le loro varianti, furono tanto numerose che sarebbe fatica improba — e qui decisamente inutile — tentare di riprenderle tutte. Massimo Caprara, polemizzando con Carlo Bo — che in un articolo apparso su *Cronache sociali* aveva sollecitato un recupero tradizionalista della nozione di realismo, all'insegna della vecchia tesi proclamata dagli scrittori cattolici nel Convegno di San Miniato del 1938 (la «letteratura come vita e come ricerca della verità») — precisò che le poetiche ispirate dalla progettualità socialista non potevano comunque indurre all'errore di ritenere che, alla fin fine, non c'era nulla di nuovo sotto il sole e a mettere cosí insieme Leopardi, Verga, Manzoni, Stendhal, Balzac e persino Dante e Ariosto: no, perché il realismo non aveva nulla da dividere con la retorica cattolica della verità, nulla con «la voluttà di accettare soltanto le sublimazioni idealiste della vita»[28]. E, questo, pur dando per scontato che «ogni epoca ha il suo realismo che è un modo rivoluzionario per intendere l'arte (appunto perché la verità è sempre rivoluzionaria) e varia, s'intende, in relazione ai fatti storici, sociali, alla cultura e all'ideale di quella classe in quel paese»[29].

Per un'incorreggibile mentalità da letterato accademico come quella di Gaetano Trombatore, che si sentiva rassicurata solo se riusciva a spiegarsi le novità in termini di svolgimento della tradizione, il realismo era soprattutto un'inedita versione del verismo[30].

Una siffatta interpretazione, che guardava al passato, non dava sufficiente risalto alla pretesa originalità della nuova produzione letteraria degli scrittori di sinistra, un'originalità che per i comunisti di rigida mentalità staliniana andava colta non proprio nella tradizione nazionale avviata dal verismo ottocentesco, ma in una recente dimensione politico-culturale definitasi nell'Urss. Conseguentemente, secondo gli stalinisti, anche il neorealismo non avrebbe dovuto essere altro che la forma italiana dello zdanovismo. Persino uno scrittore come Italo Calvino, che pure stalinista non era affatto, sembrava sensibile a tale orientamento, tanto è vero che redarguiva i suoi colleghi che «s'era[no] messi paura dei comunisti perché mescola[va]no la politica alle lettere» ed erano «finiti a scrivere raccontini politici d'elzeviro sul *Corriere*, magari con un Cremlino alla Kafka»[31].

Lo scrittore torinese, nel valutare gli sviluppi del realismo in Italia, rilevava con inquietudine, nel 1948, il ritardo della narrativa rispetto alla cinematografia.

In poche parole: il cinema italiano ha ben chiaro cos'è cinema e cos'è anticinema; cos'è Italia e cos'è anti-Italia. E la letteratura? Certo non si rende conto di cos'è oggi anti-letteratura e anti-Italia, e mai come oggi dovrebbe averlo chiaro. La guerra non è ancora bombe e morti: e se abbiamo fiducia nelle nostre forze, non lo sarà forse mai. Ma ha già il volto del *Reader's Digest* tradotto in italiano, della banalizzazione dello scibile, dell'incunearsi d'una direzione culturale da colonia tra la nostra intellettualità tradizionale e la sua base di massa. L'imperialismo che va ferreamente unificandosi avrà d'anno in anno terra sempre più scottante sotto i piedi [...]: la sua vantata liberalità culturale si va già polarizzando sui libri i cui condensati servono ai nuovi scopi. E non ci sarà autorità ufficiale *nazionale* cui potersi appellare se non l'A.C. sempre più arrogantemente estranea alla nostra storia e il Vaticano è già un'Avignone d'oltre oceano.
Il fascismo era un mostro in cui si riconoscevano però i fermenti di tanta storia e letteratura nostra andata a male. L'americanismo no: è patinato e odontoiatrico, fuori di tutte le letterature, anche la sua, incommensurabile all'Italia: pure nei nuovi parroci delle squadre verdi del professor Gedda.
Il cinema italiano è una cittadella contro la colonizzazione americana: de-

ve la letteratura restare città aperta?

«Ma voialtri comunisti siete un altro babau — ci si dice — con la vostra Unione Sovietica e i vostri rigori ideologici!»

«Noialtri comunisti — rispondiamo — abbiamo oltre a tutto da pensare al problema d'innestare la tradizione della civiltà italiana su di una nuova egemonia delle masse popolari. Seguire l'esempio dell'Unione Sovietica vuol dir questo; mirare alla soluzione del nostro secolare problema di saldare la cultura degli intellettuali con quella del popolo»[32].

L'evidente impegno politico che rivelava anche Calvino, con intensa passione di militante, poteva certo, nell'immediato, rassicurare gli «intellettuali organici» e i dirigenti. Ma si poteva essere davvero certi del fatto che i compagni scrittori e artisti, sui temi del loro mestiere la pensassero come i funzionari e i militanti di base del partito? Invero un grave malinteso di fondo stava dividendo la stragrande maggioranza degli intellettuali che avevano scelto il realismo degli zelanti tutori dell'ortodossia zdanoviana: questi chiedevano un'arte che fosse al *servizio* delle masse popolari, illustrativa e rappresentativa delle lotte, in definitiva apologetica e propagandistica; quelli, invece, continuavano ad esercitarsi nello sforzo inedito di saldare, come diceva Calvino, «la cultura degli intellettuali con quella del popolo» ma senza mai mettere in discussione l'autonomia del lavoro culturale.

Il realismo offerto dalla letteratura era sostanzialmente diverso da quello richiesto dalla politica. Questo era vero anche per il cinema e per le arti figurative. Certo, dal suo punto di vista di uomo di partito, non sbagliava Roasio quando rivendicava le energie creative sprigionatesi dalle lotte popolari: «Il cinema realistico», diceva, «è nato dalla forza del movimento democratico, cosí il teatro di massa»[33]. Ma sarebbe stato sbagliato considerare sommariamente quelle energie come un'espressione della cultura comunista.

Il convegno cinematografico svoltosi a Perugia nel settembre del 1949 rivelò l'incontestata supremazia del realismo e della cultura di sinistra in quell'importante settore delle attività artistiche, il piú dotato di strumenti e moduli di intervento diretto sulla cultura delle grandi masse. Umberto Barbaro, commentandone i risultati su *Rinascita*, li sintetizzò in un'entusiasmante osservazione: «nessuna idea sana, nessuna teoria coerente, nessun gusto giustificabile nel mondo del cinema come arte che non possa definirsi di sinistra»[34]. E Cesare Zavattini, in un'appassionata introduzione al dibattito, chiarí, anche con dei precisi riferimenti autobiografici, il senso che i cineasti italiani attribuivano alla loro scelta neorealistica: «Il cinematografo ci ha divertito, ci ha distolto dalla realtà, ha seguíto Meliès e non Lumière, ha tradito il suo compito; quello che gli chiediamo oggi è ritrovare il compito suo essenziale: quello di farci intendere la realtà»[35].

Del resto, era già diffuso il convincimento che ormai soltanto in Italia, per merito dei registi della prima generazione del dopoguerra, «il cinema fosse considerato, da chi lo faceva, qualcosa di piú serio di uno spettacolo Barnum per incantare il pubblico»[36].

Con il neorealismo il cinema aveva conseguito finalmente la sua piena maturità di espressione artistica e riteneva di avere trovato «un linguaggio, una vena, una fonte inesauribile d'ispirazione»[37]. Gli effetti di quella prodigiosa evoluzione si erano espansi rapidamente nell'intero orizzonte della produzione artistica. «È la prima volta», rilevò Pietro Germi, «che *l'arte italiana, per mezzo del cinema*, rompe dopo tanto tempo quella barriera di conformismo accademico che la separava dalla verità»[38].

Il cinema pareva costituire, dunque, il principale campo di verifica del carattere «rivoluzionario» del realismo, anche quando a realizzarne concretamente i prodotti erano artisti non comunisti come Rossellini, De Sica, Blasetti, Zampa. Come chiarí Giuseppe De Santis non si trattava affatto di una moda, scaturita da esigenze casuali, ma di un profondo cambiamento che, a partire dai cineasti, investiva gli stessi processi ideativi dell'arte.

Che cos'è il neorealismo nella sua sostanza umana e sociale? È finalmente, nella storia della cultura italiana, l'apparizione di un'arte popolare. Popolare, s'intende, non già nel senso di avere adottato un linguaggio mediatorio e volgarizzato ma nel senso di avere scelto a protagonista delle vicende ch'essa narra il popolo. Il popolo, con le sue speranze, le sue sofferenze, le sue gioie, le sue battaglie e — perché no? — le sue contraddizioni. Quel popolo che il governo difensore degli esercenti e dei monopolisti americani del cinema vorrebbe ricacciare indietro e che invece avanza con la sua forza ineluttabile, protagonista di un'arte perché protagonista di una storia che rappresenta il secondo Risorgimento d'Italia, la storia di una nazione che lotta per diventare una nazione moderna[39].

Ma, pur con le precauzioni adottate da De Santis, era davvero corretto rappresentare il neorealismo come la matrice di un'arte popolare? Meno che mai di un'arte proletaria conforme ai canoni zdanoviani. Era, infatti, una produzione che si sintonizzava egregiamente con le finalità delle lotte democratiche in corso in Italia per la forza, la suggestione, e l'immediata fruibilità di massa, dei suoi contenuti di denunzia, di analisi critica e di documentazione, ma non aveva nulla a che fare con l'oleografica eroicizzazione della classe lavoratrice, con l'esaltata fede nell'immancabile trionfo del proletariato, con la visione manichea di un mondo nettamente diviso in *bene* e *male* e regolato dalla lotta di classe, in breve con la retorica e con lo schematismo che caratterizzavano la cinematografia sovietica. Semmai si insisteva in Italia sulla rappresentazione di realtà popolari deboli e disperate, su storie di sconfitte e di oppressioni non superate, sul valore politico e morale di istanze di liberazione frustrate. Lizzani avrebbe voluto che si facessero piú film «impostati su fatti, problemi, tragedie gravi del nostro paese, come l'alluvione, come altri fatti, come altri avvenimenti che perturbavano l'opinione pubblica»[40]. In ogni caso, sarebbero stati dei film di grande passione civile, ma non a tesi e non ideologicamente controllati, anche se Emilio Sereni, a nome del Pci, se ne assumeva la paternità ideale e la rappresentanza politica:

> Noi non rinunciamo alla lotta di classe anche sul terreno del cinema, e proprio per questo sappiamo di rappresentare, al tempo stesso, gli interessi e le aspirazioni di tutti coloro che tengono ad assicurare all'Italia una produzione cinematografica degna del nostro paese per il livello artistico, per la sua capacità di affermazione all'estero, per la sua libertà da ogni asservimento allo straniero[41].

In fondo, non si trattava di nient'altro che dell'applicazione della strategia della democrazia progressiva al mondo del cinema. E nella dura battaglia contro il mostro clericale della censura si saldavano tutte le possibili alleanze democratiche, ma non si andava troppo per il sottile nella ricerca del carattere socialista delle opere.

In linea di massima Ždanov era fuori causa, anche se la parte piú stalinista dell'intellettualità di partito continuava ad elargire i suoi consigli e le sue ammonizioni ai cineasti, invitandoli a seguire l'esempio sovietico.

Per i compagni piú ortodossi — ne interpretò garbatamente i sentimenti su *Rinascita* Pietro Ingrao, criticando, nel 1952, *Umberto D.*, l'ultimo film di De Sica e Zavattini — anche «nelle opere piú efficaci del cinema realistico italiano» si ritrovava «una concezione del mondo ingenua, spaventata e inutile»[42]; troppo spesso gli autori si fermavano alla «denunzia angosciata» senza riuscire ad «offrire soluzioni», perché non le avevano, non erano capaci di vederle[43]. Dal loro punto di vista, quei compagni ortodossi avevano ragione perché, a volere usare la terminologia dell'epoca, si potrebbe dire che il neorealismo, in Italia, era sí un realismo democratico (con istanze a suo modo anche «rivoluzionarie», nel senso della rivoluzione nazionalpopolare), ma non un realismo socialista.

Le opere della cinematografia neorealistica italiana non erano minimamente comparabili con gli apologhi e le allegorie della coeva produzione sovietica: i film dei vari F. Ermler (*La grande svolta*, dopo la vittoria di Stalingrado), I. Pyr'ev (*La leggenda della terra siberiana*), B. Babočkin (*La porta di Brandeburgo*, ovvero l'ingresso dell'armata rossa a Berlino), S. Gerassimov (*La giovane guardia*, cioè il prototipo eroico della gioventú comunista), V. Stroeva (*L'alba sopra Praga*, sulla liberazione della Cecoslovacchia), V. Žuravlë (*Un'arma minacciosa*, cioè l'atomica), A. Štolper (*Il nostro cuore*, il cuore degli eroi dell'aviazione sovietica), A. Bergunker e M. Egorov (*L'oceano glaciale*, ovvero il lavoro eroico dei lavoratori sovietici nell'Artide durante la guerra), A. Kustov e V. Suchobokov (*Il mistero dei due oceani*, sull'eroismo dell'equipaggio del sottomarino *Pioniere*), S. Derevenskij e I. Semgano (*La freccia*, sui giocatori di calcio dell'Urss), I. Raizman (*Il treno va ad oriente*, sul valore socialista dell'amicizia), V. Pudovkin (*L'ammiraglio Nakhimov*), V. Ejsymont (*Il canto del Varjag*, dedicato all'impresa della nave da guerra russa *Varjag* durante la guerra russogiapponese del 1905); le imponenti e pompose oleografie dei piani quinquennali (*Contropiano, Terra dissodata, Il conducente di trattrici, Komsomolsk, Il membro del governo, Una grande vita*); e tutti gli altri[44] innumerevoli, frutti dell'arte «responsabilizzata dal partito» che cantavano — precisò, I. Bol'šakov — «l'eroismo del lavoro, il pathos della grande edificazione» e «poetizzava[no] il lavoro», narrando «delle elevate qualità morali e spirituali degli uomini sovietici, del loro amore pieno di abnegazione verso la Patria e della loro grande devozione alla causa del partito»[45].

Anche nel campo delle arti figurative, in Italia — per quel che ci fu di autentica arte realistica, al di là della grande ricerca di Renato Guttuso — non si videro gli enfatici operai col pugno chiuso, i didascalici metallurgici dai bicipiti d'acciaio e le contadine beatificate dalle poetiche fatiche del colcos.

Nel 1948, la XXIV Biennale di Venezia, salutata come «la più importante manifestazione d'arte contemporanea che si sia mai avuta in Italia»[46], offrí un quadro del panorama artistico mondiale che Guttuso, a quei tempi il più «organico» tra i «pittori organici», giudicò scoraggiante, nonostante alcuni elementi «di vitalità, di coscienza, di umanità» dai quali si sarebbe potuto sperare lo «sviluppo di un lavoro avvenire»[47].

Nella rassegna veneziana erano rappresentate tutte le detestabili «negazioni della realtà» che avevano scandalosamente condotto i pittori e gli scultori, «aiutati dalla compiacente indifferenza della società borghese», a «rivolgersi ai mezzi espressivi in sé e per sé fino a negare, nella più parte dei casi, una qualsiasi funzione rappresentativa e figurativa all'opera d'arte»: il cubismo che sezionava l'oggetto, per scomporlo e ricomporlo «in una nuova unità che fosse unità ideale e non oggettiva»; il «fanatismo della forma pura» arrivato alle estreme conseguenze nelle righe nere sulla tela bianca di Mondrian; il simbolismo, complicato dal freudismo, nei quadri surrealisti di Klee, Kandinsky ed altri[48]. Per fortuna c'erano anche De Pisis, Maccari, Campigli, Cagli, Mafai, Vespignani, Carlo Levi e, tra gli scultori, Arturo Martini e Marino Marini. E nonostante la diffusa influenza esercitata dai maestri e dai seguaci dell'*informale*, numerosi segnali positivi, provenienti soprattutto dai giovani, indicavano che si stava sviluppando una corrente di artisti sensibili alla lezione del realismo.

La previsione di Guttuso era esatta, tanto è vero che, qualche anno dopo, nel 1952, la XXVI Biennale fu letteralmente invasa da opere realistiche: a parte quelle dello stesso Guttuso che ebbe l'onore di una grande mostra personale — altre personali furono dedicate a Re-

nato Birolli, Mario Mafai e Carlo Levi — i quadri di Purificato, Muc-
chi, Borgonzoni, Migneco, Martina, Omiccioli, Pizzinato, Zigaina,
le incisioni e i disegni di Gasperini, Francese, Attardi, Vespignani,
Anna Salvatore, Nobile, Treccani, Zancanaro, Muccini, Grazzini, Gatto e le sculture di Genni, Fabbri, Mazzullo e Raphael. Questi artisti
si proclamarono esponenti di un «realismo nuovo» che — secondo
quanto ne scrisse ancora Guttuso su *Rinascita* — costituiva l'integrale negazione della teoria dell'arte per l'arte, e quindi del mero forma-
lismo (la ricerca della pura forma) «incapace di approssimarsi e di adeguarsi a fenomeni creativi rivoluzionari»[49] e, «dopo quasi mezzo secolo di buio, finalmente si apprestava a debellare anche il tran-tran
del manierismo naturalistico, della scenografia metafisica e del deco-
rativismo arcaizzante, sostituendovi l'impegno attivo della libera fantasia creatrice figurativa»[50].

Per gli avversari, tra i quali primeggiava Lionello Venturi, quegli
artisti del «realismo nuovo» erano soltanto dei docili esecutori degli
ordini del Cominform. Il che era soltanto un'accusa volgare. Comunque essi fruivano di un assiduo sostegno del Pci che ne propagandava
le firme con attente recensioni delle mostre e con la diffusione, attraverso la stampa di partito, di numerose riproduzioni delle loro opere.
Essi erano anche incoraggiati dal fatto che la dottrina del realismo
socialista, almeno per quanto riguardava le arti plastiche e figurative,
si evolvevano verso posizioni che andavano superando il rozzo ed
elementare schematismo dei princípi zdanoviani. Il realismo socialista — preciserà nel 1955 un anonimo redattore di *Rassegna sovietica*, commentando un saggio del critico d'arte russo Nedošivin — stava
dando vita ad una «nuova civiltà figurativa», da non confondere, però, con «le facili soluzioni del naturalismo»[51]. Se, infatti, i formali-
sti erano da condannare in quanto artisti che «non conoscevano e non
volevano conoscere il vero contenuto della vita», i naturalisti cadeva-
no «nell'esclusiva ricerca dell'esteriore verosimiglianza del vero» riducendo i compiti dell'arte «all'esclusiva osservazione elementare e
apatica»[52]. Il realista autentico, invece, muovendo dallo studio della
vita reale, avrebbe dovuto ricrearla, senza falsarla, con l'estro della
sua personale fantasia, fissandola in una rappresentazione di universale valore e di universale significato.

[...] studiare la vita non significa limitarsi alla elaborazione approfondita del vero. Su un piano piú vasto questo significa trovare nell'ambiente circostante i grandi, importanti problemi in contatto diretto con la realtà. L'opera d'arte realistica deve essere la risposta verace, intelligente, appassionata del pittore a questi problemi. Alcuni pensano che il principio marxista-leninista circa la via del conoscere dalla viva osservazione alla generalizzazione debba intendersi nel senso che il pittore, per cosí dire, da principio osservi senza riflettere e poi rifletta senza osservare. Niente di piú falso. Con questo metodo si hanno opere la cui concezione è povera e schematica e la forza vitale di convinzione si limita a una naturalezza resa piú o meno felicemente[53].

Le affermazioni di Nedošivin erano tali da potere essere accolte senza riserve dai realisti italiani. Tuttavia, per quegli stessi artisti, il «realismo nuovo» non rappresentava un approdo; piuttosto, era la base di partenza di una ricerca aperta che avrebbe potuto condurre verso ben altre direzioni. Come per la cinematografia, cosí per le arti figurative, il realismo italiano soltanto con molta generosità si sarebbe potuto definire socialista.

Lo stesso Guttuso, fervido ammiratore di quell'infaticabile ricercatore («io non cerco, trovo», però soleva dire) che fu Pablo Picasso, dava all'impegno creativo del suo figurativismo, intriso della cultura della lotta di classe, delle finalità culturali che di per se stesse non avevano granché a che fare con il socialismo: un impegno — assicurava — che era un «duplice sforzo di sprovincializzazione dell'arte italiana e di ripresa dei valori piú profondi della nostra tradizione, antica e moderna, nel quadro di una società in trasformazione»[54]. Anche qui, come si vede, nel realismo guttusiano, ci si muoveva fondamentalmente verso il nazionalpopolare, una dimensione di valori, di pluralismo ideologico e di mediazioni politiche, che costituiva il quadro d'insieme della cultura della Resistenza. E poi, sia Guttuso che gli altri realisti, tra una vivace offensiva polemica e una coinvolgente attenzione critica, mantenero e svilupparono un intenso rapporto dialettico con la grande esperienza di ricerca e di sperimentazione condotta dalle correnti piú avanzate del mondo dell'arte in occidente, dalla Francia e dalla Germania agli Stati Uniti d'America: un rapporto dialettico dal quale trassero insegnamenti e stimoli decisivi per la loro crescita di cultura e lavoro.

Questo stato di cose, cosí poco zdanoviano, nonostante le reitera-
te dichiarazioni di fedeltà ai princípi, fu chiaramente percepito, talvolta con occasionale irritazione, piú spesso con un vero e proprio allarme, dalla base stalinista del Pci. Per esempio, il compagno Bozzoli
protestò perché la mostra di pittura contemporanea organizzata a Bologna dall'Alleanza della cultura non era coerente con la linea del partito: «È un obbrobrio», disse scandalizzato. «Bisognerebbe che il partito controllasse di piú queste iniziative»[55].

A sua volta, il compagno Mattei sviluppò la sua denunzia, a Genova, in un'analisi piú complessa e articolata guardando all'insieme delle attività culturali che si svolgevano all'ombra del partito.

Il compagno Longo ha criticato alcuni compagni intellettuali che si pre-
stano a diffondere certe teorie borghesi ed ha sottolineato che la nostra
battaglia deve essere combattuta anche su questo importante fronte della
cultura. Purtroppo secondo me si è fatto poco. [...]. Nell'Urss si critica
l'arte di Picasso dal lato ideologico e noi vediamo i nostri compagni intellettuali fare l'apologia di questa arte.
Si scrivono racconti e poesie sulla terza pagina dell'*Unità* cosí complessi
e cosí astrusi che nessuno dei nostri compagni li comprende [...].
Si esaltano certi musicisti moderni, che forse dal lato tecnico sono dei co-
lossi, ma dal lato artistico sono discutibili, non sono comprensibili alle masse, non hanno del seguito che in una ristretta cerchia di persone, trascu-
rando i grandi artisti che hanno veramente un seguito nelle masse [...].
Si cerca di esaltare tutto quello che è complesso, che è difficile, tutto quello
che è incomprensibile alle masse, quando i nostri grandi ci hanno inse-
gnato la semplicità ed anche oggi questo insegnamento ci viene dai compagni russi.
Si dice anche che il popolo deve fare uno sforzo per comprendere le cose
difficili, e si è pure arrivati ad affermare che è l'arte che segna la strada
al progresso e non l'arte un prodotto del progresso[56].

Come si vede, l'opposizione della base stalinista alle avventure creative della grande arte contemporanea era professata in nome del buon
senso antico e del gusto tradizionalista della gente semplice. Sempre
su questa linea, il solito Dante Gobbi, nel 1952 — confortato dalle
indicazioni fornite in quell'anno dalla riunione d'ottobre della Commissione culturale nazionale del Pci — avrebbe ammonito: «Il partito
deve intervenire per affermare l'egemonia della classe operaia anche
sugli aspetti piú peculiari della cultura»[57].

Il materialismo dialettico nella cultura del popolo comunista

Per quanto riguarda gli aspetti piú specificamente ideologici delle varie manifestazioni di ortodossia sovietica degli «intellettuali organici», della burocrazia politica e della base del partito, è da rilevare che in essi era trasparente una netta supremazia del materialismo dialettico sul materialismo storico.

L'ultimo Engels con le sue cadute positivistiche faceva aggio su Marx (e a maggior ragione su Gramsci). E questo non tanto per l'ovvio motivo della piú agevole volgarizzazione del materialismo engelsiano e quindi della sua migliore presa sulla mentalità dei ceti popolari, quanto, piuttosto, per piú profonde e impellenti esigenze, insieme politiche e sociali.

I comunisti — per la verità un po' tutti ai vari livelli dell'organizzazione — avvertivano come una necessità, imposta dal quotidiano confronto con gli avversari, il fermo possesso di un sapere metafisico da ostentare come scienza, in opposizione alla metafisica degli anticomunisti. Erano, quelli, anni nei quali il problema dell'origine della vita aveva una sottile significazione politica. Perché da esso dipendevano anche le scelte circa l'orientamento da dare all'esistenza umana e i modelli di società da prescegliere come i piú conformi alla natura e ai fini dell'uomo. Non si trattava, pertanto, di una mera questione di filosofia. Ne era convinto anche quell'oscuro dirigente periferico del partito che, vivendo in una provincia agropastorale della Sicilia centrale, era solito spiegare l'origine della vita con l'esempio — invero non troppo lontano dalle argomentazioni di Engels — del formaggio che a lungo andare, in cantina, produce i vermi[58]. Era questo il suo modo di fare propaganda tra i giovani che frequentavano ancora la parrocchia e avevano la curiosità di conoscere i comunisti.

Invero quali altri argomenti avrebbe potuto concepire un uomo semplice con la quinta elementare per contrastare il martellamento catechistico del papa, del professor Gedda, e in genere di tutti i preti da padre Lombardi in giú, che attraverso una serie di grossolane mediazioni, manovrando alternativamente tomismo e spiritualismo, facevano discendere l'obbligo religioso e politico-morale dell'anticomunismo dalla prova dell'esistenza di Dio?[59]

Lo stesso fanatismo clericale acceso dalla scomunica di Pio XII induceva i militanti comunisti (soprattutto i piú semplici e legati all'e-
sperienza minuta delle cellule e delle sezioni) al convincimento di potere dimostrare di essere nel giusto, cioè sul fronte avanzato della lotta di classe, solo testimoniando a se stessi e al prossimo di avere bru-
ciato l'intero retaggio della formazione cattolica e di avere conquistato, a somiglianza dei compagni sovietici, un ateismo definitivo e senza
perplessità.

Oltretutto, il troppo rapido accantonamento da parte del Pci della
lezione cattolico-comunista di Felice Balbo e di Franco Rodano[60]
aveva contribuito a rafforzare l'influenza del materialismo engelsiano e a favorire l'affermazione di una metafisica dell'ateismo comunista. Essere atei, per i compagni significava sia, come si è detto, offrire una testimonianza di *verità marxista* e *sovietica*, sia conquistare un
fondamento teorico per le proprie posizioni e riuscire quindi a giu-
stificarle e a legittimarle in un ambiente sociale ancora in gran parte
tenuto insieme dalle strutture dell'organizzazione ecclesiastica, per-
corso dalle «madonne pellegrine», infervorato dai miracoli, e ritmato
nel suo tempo dal calendario delle festività religiose. In altri termini,
era un modo un po' bizzarro per risolvere «scientificamente», in un
rapporto con la società e con la politica che restava fondamentalmente religioso, la grande questione dell'esistenza di Dio.

Un validissimo aiuto allo sviluppo e al radicamento del materialismo dialettico venne dalle pseudoscoperte scientifiche della biologia
sovietica sulla linea di ricerca che da Darwin, con la mediazione del
pensiero di Engels, aveva condotto a Mičiurin e a Lysenko.

La nuova teoria, esposta dallo stesso Lysenko nel testo della pro-
lusione ai lavori della sessione estiva del 1948 dell'Accademia Lenin
di scienze agrarie ed entusiasticamente approvata da Stalin[61], consisteva in una sorta di trasposizione dei princípi della lotta di classe
al mondo della natura, ma liquidando del tutto le «idee reazionarie»
di origine malthusiana che rimanevano nello stesso darwinismo «sotto la forma di dottrina della lotta per l'esistenza»[62].

Fu salutata in Italia dal Pci come un imponente balzo in avanti
delle conoscenze scientifiche e come la premessa di prossimi, prodi-
giosi sviluppi applicativi soprattutto nel settore agricolo. La direzio-

ne nazionale della Commissione stampa e propaganda provvide tempestivamente a divulgarla con un comunicato al quale venne allegato un articolo dello scienziato sovietico F. Dvorjankin pubblicato a Mosca dalla rivista *Bol'ševik*.

Non è questa la sede adatta per tentare una corretta esposizione della dottrina miciuriniana. Lo sconsigliano ovvi motivi di competenza e il fatto che se ne sia ormai accertata la falsità in sede scientifica. È però interessante rimarcare qualche nota dell'enfasi ideologica con la quale anche in Italia il verbo lysenkiano si diffuse rapidamente dai vertici del partito alla sua base.

Si muova da quella sorta di bollettino della vittoria che era l'articolo di Dvorjankin con il quale il Pci si allineò subito sulle posizioni sovietiche.

La lotta della tendenza miciuriniana nel campo biologico contro la biologia weismaniana idealistico-reazionaria si è conclusa, com'era da attendersi, con lo smascheramento e la disfatta del weismanismo. La vittoria della dottrina miciuriniana significa la vittoria della scienza vera sulla pseudoscienza, la vittoria della tendenza materialistica sulla tendenza idealistica, reazionaria in biologia. [...] Con la vittoria della biologia miciuriniana è venuta la fine della «teoria» delle modificazioni casuali nello sviluppo dell'organismo vivente [...]. La dottrina miciuriniana, che riconnette i cambiamenti ereditari degli organismi con le loro condizioni di vita, offre ai lavoratori dell'agrobiologia la possibilità di influire deliberatamente sullo sviluppo e sui cambiamenti degli organismi, assicura il conseguimento di modificazioni conformi allo scopo voluto. [...] Viene completamente smascherata l'essenza idealistica, reazionaria, antipopolare della teoria dell'eredità fondata sui cromosomi, l'idea reazionaria di Weismann, De Fries, Bateson, Morgan, che considera l'evoluzione come un processo regressivo e in via di estinzione. [...] D'ora in poi la scienza biologica potrà svilupparsi sulla base della dottrina miciuriniana senza incontrare ostacoli. [...].
Le teorie reazionarie weismaniano-morganiane sono il prodotto tipico dell'ideologia borghese nella fase di decadenza e di decomposizione del capitalismo. Esse rispecchiano la concezione dei servi diplomati della borghesia, per i quali la prossima fine della loro classe appare come la fine della civiltà, la morte della cultura, la fine del mondo. Di qui le «teorie» della degradazione dell'energia e dello spegnersi del calore dell'universo, le teorie della trasformazione della materia nel nulla in fisica, la teoria della «degradazione dei geni» e dell'estinguersi del processo evolutivo in biologia, espressa con particolare chiarezza nelle opere di Morgan. Nel campo della biologia, le teorie pseudoscientifiche weismaniano-morganiane servono allo scopo di eternare il dominio della borghesia. Deformando i fatti, questi

biologi cercano di dare una giustificazione «naturale» alla divisione del-
l'umanità in razze dominanti e soggette, forniscono argomenti alla predi-
cazione dell'inevitabilità delle guerre tra i popoli[63] [...].

Rinascita, a sua volta, si affrettò a fornire indicazioni, per la verità
molto generiche, sui vantaggi pratici che la suddetta teoria assicurava, in prospettiva, ai produttori agricoli, data la possibilità, verificata
in Urss dalla sperimentazione di cui Lysenko aveva proclamato il definitivo successo, di utilizzarne le «leggi» per favorire rapidi progressi
produttivi nel settore agricolo.

[La teoria] applicata all'agricoltura ha portato alla scoperta ed estensione
delle culture *a nido*, fatte in modo che pianticelle della stessa specie si di-
fendono assieme dalle specie ostili e ne trionfano. Con questo metodo i
raccolti del kok-saghis (pianta da cui si estrae la gomma) sono saliti da
3-4 sino a 30-40 e in alcuni casi sino a 60-80 quintali per ettaro. L'applicazione dello stesso principio apre nuove prospettive al rimboschi-
mento[64].

Comprensibilmente affascinate dai prodigi che si profilavano nel
paese del socialismo, le cooperative agricole comuniste diffusero capillarmente il libro di un certo Saponov, *Terra in fiore*, che trattava
delle conquiste agrobiologiche sovietiche. L'argomento non restò con-
finato alla cerchia dei compagni agricoltori che ebbero, da esso, un'ulteriore conferma della validità del loro sogno di benessere in un orizzonte rosso e favoloso, ma divenne uno dei principali argomenti di
sostegno e di verifica di quel materialismo dialettico che si presenta-
va nelle scuole di partito come il nocciolo scientifico del marxismo-
leninismo: ignari del fatto di avere a che fare con uno dei piú oscuri
e grotteschi episodi dello stalinismo culturale, gli istruttori comunisti
citavano Lysenko quando invitavano gli allievi ad «attenersi al metodo e alla teoria marxista-leninista per comprendere i fenomeni della
natura e della società nella loro essenza, per esaminarli nella loro realtà, nella complessità del loro concatenamento e del loro sviluppo»,
promettendo che in questo modo sarebbero stati «allora in grado di
agire, di intervenire con piena cognizione di causa, sia nei fenomeni
naturali che sociali», mediante la piú efficace utilizzazione delle «leggi che ne regolano il sorgere, il divenire, la scomparsa»[65].

Cosí, dalle scuole alla base, e a prescindere dalla capacità dei compagni di capirne davvero qualcosa, la teoria miciuriniana cominciò ad essere citata anche nei dibattiti delle federazioni periferiche. Ecco, per esempio, come se ne era appropriato il compagno ravennate Gastone Marri:

> È noto che le realizzazioni di Mičiurin e Lysenko e della loro scuola hanno esasperato il conflitto dei concetti dell'ereditarietà ed hanno scoperto l'idealismo introdotto nella teoria e nella genetica di Mendel, Morgan e Weismann.
> Oggi esistono due biologie, come del resto esistono due fisiche, due matematiche, ecc.
> Anche se in Italia e particolarmente nella nostra provincia è giunta un'eco smorzata dei lavori agrobiologici sovietici, spesso preceduta da commenti aprioristici e denigratori, pur tuttavia c'è una schiera di tecnici e di studiosi che si interessa alla questione[66].

Scavando nei verbali, si potrebbero trovare altre affermazioni del medesimo tenore. Il partito continuò ad alimentarle con nuove informazioni, fino al 1953, quando su *Rassegna sovietica*, diretta da Antonio Banfi, apparve un articolo dello stesso Lysenko su *La produttività delle colture agricole*, nella traduzione di Luciano Balducci[67].

Stalinismo culturale e democrazia

Il materialismo engelsiano serviva in modo egregio a favorire la formazione e lo sviluppo di una filosofia popolare del marxismo che, nell'ambiguo contesto tradizionalista-progressista, conservatore-rivoluzionario della «metafora staliniana», garantiva a tutti i militanti, e in particolare ai piú semplici e incolti, almeno la sensazione di essere depositari e destinatari di una cultura nuova che li liberava tanto dalla soggezione all'incomprensibile sapere dei borghesi, quanto dalla paura dell'inferno e della perdizione. A tale «filosofia» che potremmo definire come una sintesi di ideologia e religione — una miscela che poteva anche rivelarsi esplosiva, e non facile da manovrare per gli stessi dirigenti e per gli intellettuali organici, come si vide nell'occasione dell'attentato a Togliatti — era strettamente funzionale il realismo socialista.

Fu cosí che materialismo e realismo divennero gli elementi costitutivi di quella battaglia della cultura di massa inaugurata dal Pci dopo il 18 aprile 1948 e continuata senza tregua fino al 1953.

A oltre trent'anni di distanza, in una società totalmente cambiata, sono facili le osservazioni severe, i giudizi sommari e soprattutto le ironie su quella esperienza. Ma essa corrispondeva in pieno alle condizioni oggettive della società di massa del tempo ed era guidata dal Pci con la determinazione di non distanziarsene. L'intero processo risulta comprensibile solo se non lo si studia come il capitolo della storia politico-culturale di un solo partito. Si trattava, piuttosto, di una complessa dialettica tra le forze intellettuali e politiche del progresso democratico (di cui il Pci si trovò allora ad avere la quasi totale rappresentanza di fronte al minaccioso oscurantismo della «repubblica guelfa») e le masse sterminate di un popolo uscito finalmente attivo e protagonista dalla grande vicenda antifascista-resistenziale, epperò ancora tanto culturalmente arretrato quanto desideroso di radicali cambiamenti, nella cruciale fase di transizione da una società prevalentemente agricola ad un'altra prevalentemente industriale. Quella dialettica produsse incalcolabili effetti da vagliare in una prospettiva storica di lungo periodo e costituí, comunque, il fondamentale volano dei processi sociali di modernizzazione democratica.

Era, piú che scontata, necessaria, la difficoltà di fare filtrare gli elementi culturali della trasformazione dalla corteccia di una tradizione ancora molto radicata e resistente, dotata di una secolare legittimazione storica. Però era già gran cosa — l'avvio di molecolari processi di acculturazione di massa — il fatto che operai, contadini, disoccupati e casalinghe discutessero di modelli di società e di progetti civili e disquisissero di Marx e di Lenin, di Darwin e di Mičiurin, di arte e di filosofia, di poesia e di scienza, pur con la prorompente aggressività, la tendenza alla rigidità e al dommatismo e la colossale presunzione di chi ritiene di essersi finalmente appropriato delle forme e degli strumenti del *vero* sapere. Era gran cosa che una quantità crescente di popolani da poco distanziatisi dalla soglia dell'analfabetismo potesse vantare una dignità intellettuale-politica alternativa (rispetto a quella dei ceti dominanti), conseguita attraverso le scuole e i corsi di partito che, con tutti i loro limiti, abituavano allo studio e alla riflessione.

Liberati da antichi complessi di inferiorità, ammessi per costume di partito al *tu* dei compagni professori, gli esponenti di questa rudimentale cultura alternativa di popolo ben comprensibilmente, a fronte delle argomentazioni degli avversari colti e dei preti (nelle quali fiutavano sempre l'imbroglio), ed anche a fronte di tutto quel che non riuscivano a capire, erigevano la barriera dell'ortodossia marxista-leninista. Era, questa, la forza fideistica del loro conquistato sapere.

La questione della cultura di massa, con la sua arretratezza di fondo ma anche con i suoi vistosi e rapidi processi evolutivi, costituisce pertanto il principale dato sul quale va concentrata l'attenzione per comprendere i motivi degli orientamenti culturali del Pci. A parte l'esigenza di una formale fedeltà ai princípi sovietici fissati da Ždanov, il realismo socialista — quali che fossero, come si è visto, le deformazioni che esso subiva nell'interpretazione degli intellettuali italiani — era la formula immediatamente piú valida per consentire il collegamento, e la potenziale integrazione, della produzione culturale del cinema, della letteratura e delle arti con la cultura di massa che si stava formando nel partito e nella sua vasta area di influenza. Il materialismo dialettico assolveva i medesimi compiti in rapporto alla filosofia e alla scienza.

In altri termini, il Pci mirava soprattutto a proteggere e a perfezionare, fino alla maggiore semplificazione possibile, le forme e gli strumenti dell'accesso dei ceti popolari alla nuova cultura. Soltanto sulla piattaforma del realismo, cioè di una letteratura e di un'arte che riuscissero comprensibili alle masse, si sarebbe potuta sviluppare, come si sviluppò infatti, la «battaglia della cultura», con esiti particolarmente apprezzabili nei comuni rossi e nelle regioni rosse. Cosí avvenne un po' dovunque in Toscana, nell'Umbria, in Emilia-Romagna, a Rimini, a Cattolica, a Parma, a Ravenna e, con netta evidenza, a Bologna, dove sotto la spinta di «intellettuali organici» come Renato Zangheri si impostarono e talvolta si realizzarono iniziative di grande efficacia e prestigio che evidenziarono la concreta egemonia comunista sull'intero fronte della cultura democratica: l'iniziativa per la ricostruzione delle strutture culturali distrutte dalla guerra (per esempio, il teatro di Rimini), le manifestazioni malatestiane, l'avvio di inchieste sulla scuola e sulle sue attrezzature, la sensibilizzazione di massa alle «esigenze di vigilanza e conservazione del patrimonio artistico»[68], premi letterari come il Premio Cattolica ed altri per artisti dilettanti, la capillare distribuzione nel territorio di cineteche e cineforum.

Laddove si riusciva ad impiantarle, erano le case del popolo le principali strutture di confluenza e di coordinamento operativo — oltre che di fruizione diretta da parte di militanti e simpatizzanti, mediante conferenze, proiezioni cinematografiche, corsi di formazione marxista, ecc. — delle varie iniziative culturali promosse dalle federazioni.

L'attivismo dei singoli militanti, spesso dei piú modesti ed oscuri, moltiplicava i risultati dell'impegno dei dirigenti e ne stimolava la fantasia: si andava dai semplici dibattiti su un libro o su un film nelle sezioni, alla promozione editoriale[69], all'organizzazione di Olimpiadi culturali per i giovani[70].

Con la cura di rinforzare l'immagine monolitica del partito, «cervello collettivo» della classe operaia e delle masse lavoratrici, le varie manifestazioni, per le modalità e per i contenuti, davano a vedere di essere tutte espressioni di un'unica macchina organizzativa funzionante a pieno regime. Ne conseguivano l'inevitabile omologazione, la ripetitività, la costante riconferma e il potenziamento di quel ritualismo sovietizzante nella cui pratica talvolta gli intellettuali tentavano — lo si è già rilevato innanzi — di affermarsi come un clero di eletti preposto alla formazione dell'*uomo nuovo*.

Ma quanti fossero stati in qualche modo tentati di fare i chierici nel partito non avrebbero avuto vita facile, perché avrebbero dovuto sempre fare i conti proprio con le intimazioni all'oggettività e alla concretezza del realismo socialista e del materialismo dialettico. Quelle forme culturali staliniane ingiungevano a tutti gli intellettuali militanti di restare legati il piú possibile al sentire concreto, alla mentalità, al reale livello di coscienza delle masse popolari. Restava cosí assai limitato lo spazio concesso nel partito all'intellettualismo e alle astrazioni, e il metodo della concretezza produceva dei risultati positivi per gli sviluppi democratici della cultura. Sono risultati che, alla distanza ormai di un quarantennio, si possono sintetizzare in almeno due paradossi.

Il primo consiste in questo: l'indubbio totalitarismo culturale staliniano in pratica funzionava come democrazia reale per la stragrande maggioranza dei militanti comunisti. Di qui, per un verso il fascino quasi irresistibile che esercitava sui militanti di base e sugli «intellettuali organici» e, per un altro verso, il senso di insopportabile compressione che generava nei soggetti non inclini al conformismo.

Un secondo paradosso consiste nel fatto che le forme staliniane, pure destinate ad un inevitabile conflitto con tutte le varie espressioni dell'intellettualità laica, costituivano — al di là delle differenze apparentemente irrecuperabili e degli scontri tra le ideologie — gli oggettivi canali di comunicazione tra la politica e la forza maggioritaria della società organizzata. Esse, infatti, impedendo le fughe in avanti della cultura, vincolando le scelte e gli orientamenti della politica culturale del Pci al livello dei valori che la gran parte della società popolare sentiva minacciati dalla modernizzazione capitalistica, salvaguardavano le condizioni essenziali di una vivace dialettica — un rapporto storico-concreto di incalcolabile importanza per il presente, ma soprattutto per il futuro — tra il mondo comunista e il mondo cattolico.

Togliatti e De Gasperi, in fondo, la pensavano allo stesso modo in tema di avanguardie artistico-letterarie, di sperimentazioni sollecitate dall'irrazionalismo e dalla spregiudicatezza morale di certe élites intellettuali, in tema di surrealismo e di freudismo, di intuizionismo e di esistenzialismo, di musica dodecafonica e di pittura informale. Li univa una comune sensibilità generazionale nel giudizio sulle novità e sulle mode, nel rifiuto delle bizzarrie e nell'opposizione alle «follie» del tempo, una comune inclinazione all'armonia, all'equilibrio, alle sensate convenzioni, ai moduli logici del latino e alla cultura umanistica. Attraverso il filo sottile e profondo di tali affinità di strutture mentali e di gusto, passavano sia le intimazioni del realismo, sia quelle di una sensibilità prepolitica legata al rispetto di tradizionali valori familiari e comunitari e, quindi, per esempio, le cautele togliattiane sui temi del divorzio, dell'aborto, della libertà sessuale e della questione femminile.

Con tutto il loro corredo fideistico, di rigidità ideologica e di dommatismo, le forme culturali staliniane erano quindi importanti per la politica delle alleanze e per il mantenimento di una piattaforma comune sulla quale si sarebbe potuto poi inaugurare e sviluppare un dialogo tra comunisti e cattolici.

Non a caso Pietro Ingrao, recensendo il film di Duvivier su *Don Camillo*, pur mantenendo tutte le riserve dei compagni di base sul libro da cui era tratto — un «libello anticomunista», la «mediocrissima buffoneria del disegnatore Guareschi»[71] — ne rilevò gli aspetti positivi, costituiti dal fatto che il regista francese, «nella misura in cui si rifiutava di scendere al livello del Guareschi» e riusciva in qualche modo a evidenziare la realtà degli uomini verosimili, comunisti o non, era costretto a confrontarsi con il problema comune dei ceti popolari: «il problema della fame, della terra, della disoccupazione»[72]. Avrebbe potuto aggiungere che quel che non gli dispiaceva era l'unificante feeling contadino che collegava la mentalità del prete nocchieruto con quella del sindaco rosso e dei suoi fanatici compagni.

Roderigo di Castiglia, alias Togliatti, scrisse una volta, citando Molotov, che «tutte le strade conducevano al comunismo»[73]. Ci credeva davvero? Comunque, in Italia, le sorti della democrazia progressiva valevano bene persino una messa di Don Camillo.

Epilogo

Il governo dell'opposizione

C'è sensatamente da valutare il caso che questo libro, per la particolare natura che trae dalla sua metodologia, o per altro, non sia tra quelli per i quali è opportuno scrivere un epilogo. Infatti, per scriverlo, vanno affrontate e superate almeno due obiezioni.

La prima concerne la validità dei criteri storiografici di periodizzazione qui adottati. In proposito, si potrebbe osservare che il libro, piuttosto che concludersi, andrebbe continuato, almeno fino al 1956, per studiare le modificazioni prodotte nella storia del Pci dalla crisi della destalinizzazione. In continuità, diventerebbe poi utile approfondire, anche attraverso il dibattito del partito e la sua storia sociale, la conoscenza dei processi che fecero maturare le posizioni manifestate da Togliatti con il *Memoriale di Yalta*[1] alla vigilia della sua morte. E insorgerebbe poi la tentazione di andare oltre, sul filo di un'indagine diacronica, fino all'età di Berlinguer e alla recente cronaca del suo superamento, per cogliere la dinamica delle trasformazioni di ideologia, di mentalità e di costume che hanno consentito la formazione di un Pci definitivamente al di là dell'eredità staliniana.

Un'altra obiezione è direttamente riferibile al senso complessivo di queste pagine e si può formulare come segue: qualsiasi riflessione conclusiva, più o meno densa e articolata, darebbe l'impressione di non volere trasmettere altro che un'irritante banalità e cioè il convincimento che la storia dell'Italia repubblicana sarebbe stata incommensurabilmente diversa, e avrebbe avuto esiti di civiltà e di vita politica assai lontani da quelli oggi registrabili, senza l'attività del partito comunista di Togliatti e dei suoi successori.

Tuttavia le due obiezioni sono ragionevolmente liquidabili: la prima, rilevando che non essendosi qui voluto scrivere una storia del Pci ed essendosi voluto, invece e soltanto, penetrare nel vissuto della militanza comunista per cogliere le particolari modalità della prassi, la mentalità, la cultura, gli ideali e i bisogni di una larga parte della società italiana che attraverso il Pci partecipò all'esperienza sociale e politica del paese, quanto serviva per una sufficiente conoscenza può dirsi già esaurientemente acquisito.

Quel che occorreva — dato che non lo si era ancora fatto — era un ritratto organico e coeso della peculiare *societas* comunista italiana nella dimensione staliniana, lasciando poi ad altri, o a un successivo libro, l'analisi e il giudizio sulle ulteriori trasformazioni, magari per tentare di stabilire che cosa è morto e che cosa è rimasto vivo dello stalinismo ancora per lungo tempo.

Ora, quali che siano le imprecisioni e i limiti di quello qui costruito, tale ritratto mantiene compattezza e vigoria di colori grosso modo fino al 1953. Poi appare sempre piú sfocato e tende inesorabilmente a sgretolarsi, pur resistendo con tenacia ai tentativi di seppellirlo negli archivi della memoria. Ecco perché chiudere il libro agli inizi degli anni cinquanta è un atto di piena coerenza con le premesse dalle quali si è partiti, ed è pure un indice di rispetto scientifico per le fonti storiche della materia trattata. Com'è del resto ovvio, quell'esperienza staliniana — per essere colta e descritta al suo piú elevato e significativo grado di vitalità e di verità — aveva bisogno di uno Stalin ancora vivo ed eroicizzato dietro le cupe caligini della cortina di ferro, e dei rigori ideologici e delle tetre passioni della guerra fredda.

Alla seconda obiezione si può rispondere accettando con disinvoltura il rischio della banalità e aggiungendovi il gusto di una responsabile provocazione: non solo è vero che senza l'opera del Pci l'Italia oggi non sarebbe, nel bene e nel male, quella che in concreto è diventata, ma è addirittura vero che quanto di positivo vi ha prodotto l'esperienza comunista non sarebbe minimamente individuabile e comprensibile senza la complessa operazione progressista svolta dal partito di Togliatti proprio nella forma staliniana. Questo dovrebbe ormai risultare chiaro ai lettori, mediante una riflessione globale sulle pagine precedenti. Forse, però, non è superfluo insistere su alcuni punti centrali per l'interpretazione e aggiungere qualche finale e integrativa osservazione.

Il nodo interpretativo fondamentale è costituito dalla questione della democrazia, secondo i princípi della tradizione occidentale sviluppatasi con la rivoluzione francese — si badi — e non nella speciale versione bolscevica fattane da Lenin e dal leninismo. Ebbene, l'Italia non sarebbe certamente diventata quel paese che la lucida ed equanime intelligenza di Giorgio Amendola avrebbe poi indicato, con una voluta forzatura dei dati della realtà, come il piú democratico del mondo, se una qualche continuativa iniziativa politica non fosse intervenuta ad innalzare le masse popolari da un'antica passività ad un ruolo protagonistico, in un'esperienza non eccezionale e temporalmente limitata come era stata quella della Resistenza, ma *normale* e normalizzatrice, costituita dalle quotidiane lotte sul fronte del lavoro e del progresso civile.

Si sarebbe dovuto trattare di un processo capace di fare diventare nazionalpopolare la politica, oltre che la cultura, in un modo capillare e profondo. Le strade che andavano in tale direzione, aperte dalla guerra di popolo contro il nazifascismo, apparvero quasi tutte bloccate dopo il 18 aprile 1948.

Costretti al silenzio e persino perseguitati, come si è visto, i partigiani; risorta la destra fascista, prima nell'inedito camuffamento qualunquistico del movimento di Giannini, poi nel Msi di De Marsanich, Graziani, Almirante e dei redivivi di Salò; restaurati i poteri economici e sociali del capitalismo nella versione liberistica einaudiana, rafforzata dalla rottura del fronte dell'unità sindacale; irrobustitosi l'apparato repressivo dello Stato, costituito in misura notevole da personale ex fascista e guidato da Scelba contro i contadini del sud e contro tutte le iniziative di protesta e di lotta delle forze operaie e popolari; ricompattatasi una nuova cultura di regime su un asse clerico-fascista che aveva i suoi punti di forza nel Vaticano, nel feudo democristiano della Rai, nella stampa controllata dai «padroni del vapore» e nella scuola confessionalizzante di Guido Gonella; minacciato l'ordine delle lealtà morali, drammatizzato quello dei valori e delle opinioni religiose; aggredite in profondità le stesse basi unitarie della cultura e delle tradizioni popolari dalla scomunica del Sant'Offizio e dalla contestuale crociata anticomunista; resasi sempre piú incerta la sorte delle conquiste dell'antifascismo fissate dalla Costituzione della repubblica, il panorama politico e sociale del paese lasciava sperare tutt'altro che rapidi e decisi sviluppi della democrazia.

Ma si sarebbe potuto in qualche modo avverare il sogno ierocratico di Pio XII, lo «Stato guelfo» o «cristiano» per il quale si battevano, da una parte, con intenti e prospettive clerico-fasciste, le destre cattoliche di Gedda, dei Comitati civici e del cosiddetto «partito romano»[2] e, dall'altra, con fini di socializzazione e di alternativa cristiana al comunismo, le sinistre di Dossetti, Lazzati e La Pira? Assolutamente no, perché sia nell'uno che nell'altro senso si sarebbe incontrato l'ostacolo duro e insormontabile costituito dal movimento operaio e dalle masse organizzate e guidate dal Pci.

Fu, quindi, un primo fondamentale merito storico del partito togliattiano l'avere impedito l'affermazione di un'avventura salazariana in Italia, merito quasi esclusivo, condiviso solo con il partito socialista di Nenni, perché le altre forze laiche, quelle presenti nel quadripartito guidato da De Gasperi, nonostante il loro impegno per porre vincoli ed esercitare condizionamenti, in realtà troppo esigue e deboli per non restare esse stesse condizionate e subalterne alla Dc, assecondarono propositi di regime: per esempio, nel 1953, avallando la legge elettorale maggioritaria, la cosiddetta legge-truffa.

Importante e decisivo sul terreno della difesa dei valori della Resistenza e dell'opposizione a tutte le eventualità di ritorni reazionari e di involuzioni autoritarie (si ricordi, ancora, pareneticamente, la vittoriosa battaglia elettorale del 1953 per non fare scattare le condizioni che avrebbero consentito alla coalizione degasperiana di fruire del premio di maggioranza previsto dalla «legge truffa»), il ruolo democratico svolto dal Pci negli anni cinquanta non va visto soltanto in termini meramente difensivi. Esso fu, invece, anche e soprattutto offensivo, nel senso che fu attivo nella formazione di forze e idee di progresso, propositivo e costruttivo per la modernizzazione del paese. Questo non significa affatto che si debbano condividere gli ingenui argomenti con i quali un anonimo compagno genovese, forse il Ciuffo, aveva impiantato la sua paradossale interpretazione della funzione politica del partito:

> La politica attuale del partito [...] non è una politica di opposizione, è la politica dell'organismo supremo della nuova classe dirigente, è la politica di un partito cosciente di dover risolvere tutti i problemi fondamentali del popolo italiano, è la politica di un partito di governo: oggi nel nostro paese all'opposizione si trovano le vecchie classi, la Dc e i suoi satelliti, non le forze democratiche. La politica attuale del Pci è una politica costruttiva che rivolge la lotta delle masse alla soluzione dei problemi nazionali, è una politica che interpreta fedelmente le aspirazioni del popolo italiano[3].

Quindi, argomentava il compagno genovese, seguendo l'eco della celebre affermazione di Togliatti sul «partito di lotta e di governo», se era vero che la rappresentanza dell'Italia reale delle grandi masse popolari spettava con incontestabile evidenza al Pci, questo costituiva anche la forza direttiva reale del paese, contrastata nella sua azione e nei suoi sviluppi dalle forze *qualitativamente* minoritarie che con un imbroglio elettoralistico, sfruttando contingenti inquietudini, giocando sul ricatto del Piano Marshall e degli aiuti americani e raschiando il fondo dell'arretratezza culturale italiana, si erano assicurate il controllo e la gestione dell'Italia ufficiale, la struttura di un potere-fantoccio, antipopolare tanto quanto antinazionale.

La forzatura interpretativa è qui evidente, oggi è insopportabile. Ma è certo che il partito comunista operò costantemente in Italia con la consapevolezza di rappresentare un reale potere alternativo a quello ufficiale, un «potere di governo» provvisoriamente acquartierato in quella specie di Stato-ombra, uno Stato nello Stato, che era, alla fin fine, la struttura organizzativa partitica con le sue ramificazioni capillari nel tessuto della società italiana (le organizzazioni di massa e lo stesso sindacato dei lavoratori, le cooperative, le associazioni parallele o alleate, la sua propria stampa e gli strumenti di iniziativa nel settore della cultura, della formazione giovanile e delle attività ricreative). E il metodo di una politica condotta con stile e fini di governo non poteva non indurre a una prassi ogni volta guidata dalla ragionevolezza o, se si vuole, dal realismo, senza escludere ogni ipotesi di spregiudicatezza funzionale agli obiettivi perseguiti; sicché non a torto si sarebbe formato anche tra gli avversari il convincimento di avere a che fare con una forza politica insieme affidabile e machiavellica, seria e senza complessi, austera e flessibile, capace di coniugare integrale moralità di costumi e imperativi di *realpolitik*.

Il bilancio di un'esperienza nazionale e democratica

Con la sua certo anomala e ufficiosa attività di governo, il Pci togliattiano — espanso, con dilagante capacità di egemonia culturale e politica, dalla roccaforte assediata dei suoi due milioni di militanti agli otto-dieci milioni di elettori, alle masse, ancora piú vaste, comunque influenzate dalla sua attività — esercitò un ufficio di assai elevato valore civile nell'insegnare e nel diffondere l'uso di pratiche efficaci per la partecipazione dei ceti popolari, degli uomini e delle donne senza distinzione, alla vita pubblica.

Fu, pertanto, innanzitutto, pur con il peso del suo dommatismo e con le fanatiche presunzioni dei suoi princípi incrollabili, un'immensa centrale di educazione collettiva. Per effetto della sua azione paziente — lo si è già rilevato — milioni e milioni di incolti poveracci senza destino appresero le forme rudimentali della «scienza civile», si appropriarono di rudimentali strumenti per fare politica, conquistarono la coscienza di contare qualcosa nel gioco collettivo della vita, si avvicinarono alla lettura dei libri e dei giornali, prepararono ai loro figli il terreno per un radicale salto di qualità. Di essi, non pochi sarebbero diventati dirigenti di partito o di sindacato, esperti di economia e di organizzazione, giornalisti, studiosi, magistrati, insegnanti, funzionari dello Stato, contribuendo in modo decisivo alla formazione di quella che sarebbe stata la classe dirigente italiana degli anni sessanta e settanta.

A parte l'iniziazione ad una cosciente esperienza politica, molti italiani, comunisti o non comunisti, avrebbero avvertito di essere in gran parte debitori al partito di Togliatti per le stesse opportunità di promozione sociale sempre piú abbondantemente elargite, dopo gli anni

cinquanta, dal sistema italiano, in tumultuosa e contraddittoria ascesa di modernità e di benessere.

Non era stato, infatti, il Pci, anche se non l'unico, certo un fondamentale motore della dinamica sviluppatasi nella formazione e nella
crescita dello «Stato sociale»? Come sarebbe stato possibile, altrimenti,
arrivare alla sconfitta e alla progressiva sparizione del vecchio capitalismo della «lesina», il capitalismo degli Einaudi e dei Pella, e all'avvio di piú coraggiosi indirizzi neocapitalistici e alle affermazioni del
settore dell'economia pubblica e alla liquidazione del latifondo meridionale, e alla nazionalizzazione delle fonti di energia, e alla scolariz-
zazione di massa, e allo «Statuto dei lavoratori», e a una progressiva
riduzione dell'incidenza dei tradizionali criteri di classe per l'accesso
alle professioni e alle carriere?

Certamente, va riconosciuto, tutte queste medaglie, con i loro inevitabili risvolti negativi, non rappresentavano un esclusivo patrimonio comunista: appartenevano a tutta la sinistra italiana, compresa la
sinistra democristiana dei Fanfani e dei Moro. Ma per vie dirette o
indirette — con l'astuzia di governo o con la pressione delle masse
— il Pci, a partire dalla sua battaglia per le riforme di struttura, esercitò su tutti i processi della modernizzazione una spinta costante, con-
quistandosi un'egemonia che sarebbe insensato e fazioso disconoscere.

Oltretutto, per almeno un quinquennio, dal 1948 al 1953, nei tempi
piú oscuri del «guelfismo» clerico-democristiano, il Pci fu praticamente
solo in Italia, con l'alleato socialista e con minuscole pattuglie di laici
indipendenti, nel compito immane di difendere l'ordinamento costituzionale repubblicano e di sollecitare una piena attuazione dei suoi
princípi e delle sue norme. Sulla piattaforma dell'impegno per la difesa della Costituzione, coniugato con un'intensa e vastissima iniziativa pacifista e antifascista, il partito di Togliatti riuscí a creare quella
che potrebbe dirsi la cultura di massa del costituzionalismo italiano,
una cultura intensamente alimentata dagli ideali democratici della Resistenza. Se ne ritrovano testimonianze numerosissime analizzando
il dibattito di base dei dirigenti minori e dei militanti.

Già nel 1947, dopo la rottura del fronte politico di unità antifascista, la discussione e il lavoro politico dei compagni si erano sviluppati
intorno ai Comitati di difesa della repubblica costituiti da alcune fe-

derazioni per «sviluppare ed estendere un sistema di alleanze capace
di portare ad un vasto fronte popolare e democratico»[4]. Il movimento divenne poi assai vasto e articolato dopo il 1948, per scongiurare
pericoli reazionari avvertiti con particolare intensità.

«Vi è tutta la tendenza», rilevò tra gli altri, a Ferrara, il compagno
Scalambra, «a non applicare affatto la Costituzione e noi contro questa tendenza dobbiamo lottare e trascinare con noi il popolo; vi è la
necessità di una lunga lotta per la difesa di tutte le libertà democratiche e popolari, la resistenza a tutti i soprusi polizieschi e clericali; vi
è la lotta per la liberazione delle vittime della reazione, per la realizzazione di riforme previste dalla Costituzione, vi è la necessità di lottare per la salvezza del paese»[5]. E in modo analogo si esprimevano
gli autori, a Brescia, della risoluzione contro il governo De Gasperi
e il Patto atlantico, diffusa nei primi mesi del 1949: «La Costituzione, legge fondamentale dello Stato democratico e repubblicano, è continuamente calpestata dal governo che ne dovrebbe essere il difensore e l'applicatore; questo governo ha ormai come sola funzione di mantenere il potere di una ristretta cerchia di privilegiati, basando la sua
azione sulla violenza e sulla violazione della Costituzione, ponendosi
quindi al di fuori e contro gli interessi della nazione e le leggi dello
Stato»[6]. E Bonazzi a Bologna: «Bisogna organizzare la protesta e una
lotta di resistenza, per la difesa delle libertà costituzionali, ovunque
vengano intaccate; la Costituzione va difesa e rappresenta una piattaforma di larghe alleanze»[7].

Si trattava dell'amplificazione delle esplicite direttive e riflessioni
del partito:

> La Costituzione [...] contiene una serie di impegni programmatici per il
> rinnovamento economico e sociale della struttura della società italiana.
> [...] Il rispetto della Costituzione è dovere di ogni cittadino. Il governo
> è tenuto, prima di ogni altro, ad applicare le norme costituzionali. In real-
> tà il governo, non solo non fa nulla per accelerare l'applicazione concreta
> degli impegni programmatici contenuti nella Costituzione, ma viola siste-
> maticamente le sue norme fondamentali[8].

Si noti che proposta e protesta, piuttosto che limitarsi al fine con-
tingente di bloccare l'attività repressiva della polizia di Scelba, si in-

quadravano in una strategia per l'attuazione costituzionale nella quale l'obiettivo della salvaguardia dei diritti e delle libertà — in primo luogo dei diritti di associazione, di riunione in pubblico, di stampa e di sciopero — si saldava con quello del «rinnovamento economico e sociale» e delle «riforme di struttura». In altri termini, come diceva il compagno fiorentino Guido Mazzoni, si trattava tanto di opporre «resistenza alla fascistizzazione del paese»[9], quanto di fare risaltare l'esigenza di una politica alternativa che ponesse il lavoro e i problemi dei lavoratori al centro dei processi di ricostruzione economica e di sviluppo. Difendere la Costituzione nella sua interezza — sollecitando tra l'altro, con ricorrente energia, la legislazione necessaria per la concretizzazione della Corte costituzionale e del Consiglio superiore della magistratura — equivaleva a lottare per assicurare la continuità tra il secondo Risorgimento e la storia della repubblica.

In questo senso, le preoccupazioni per uno «Stato dei diritti» e delle libertà popolari non furono meno intense di quelle per la salvaguardia della dignità e dei valori nazionali. Si è già visto quanto stesse a cuore al Pci — seppure in contraddizione con gli insuperati tratti bolscevichi della sua fisionomia organizzativa e la sostanziale sudditanza all'Unione Sovietica — il suo carattere di partito nazionale. All'attuazione di una siffatta vocazione — già evidente nella politica inaugurata da Togliatti nel 1944 con la svolta di Salerno — il partito continuò a dedicare il suo impegno, correggendo l'orientamento di quei compagni che erano stati educati ad attribuire un assoluto privilegio ai valori dell'internazionalismo operaio.

Con la scoperta e con la crescita della comprensione del pensiero di Gramsci, i dirigenti avrebbero intrapreso e sviluppato, ai livelli di base della militanza, un'intensa attività di educazione all'idea del nazional-popolare, con riguardo — oltre che ai fini e ai compiti specifici da assegnare al lavoro culturale — alla rappresentazione del ruolo storico del Pci come rappresentante e interprete di interessi e fondamentali ideali italiani.

«Dobbiamo chiarire», precisò il ravennate Ferrari, offrendo un'efficace sintesi della pedagogia politica del partito, «che il comunismo non può sorgere che da profonde esigenze nazionali e che non può sorgere che da avvenimenti che pur avendo una profonda coscienza internazionalistica nello stesso tempo risolvono i problemi fondamentali della nazione e del paese; dobbiamo spiegare che non vi è conflitto fra internazionalismo e concezione nazionale di un partito»[10].

Il compito era arduo perché — lo rilevò con particolare vivacità Emilio Sereni riflettendo su alcune fondamentali tesi del pensiero gramsciano — i valori nazionali non erano tra gli ingredienti piú stabili e sicuri della cultura politica delle masse popolari italiane:

> Mi è capitato di girare il mondo e di sentire piú o meno bestemmiare in tutte le lingue d'Europa: non ho sentito mai la bestemmia che oggi per fortuna poco piú si sente in Italia, ma che ho sentito ripetere largamente in Italia quando ero ragazzo: *Porca Italia! Porca Italia!* È il solo paese che io conosca, l'Italia, dove esiste una bestemmia di questo genere e credo che valga la pena di pensare perché una tale bestemmia ha potuto nascere ed essere popolare nel nostro paese[11].

Una cosí diffusa insensibilità nazionale era tutt'altro che stupefacente, dato che — ricordava ancora Sereni — in Italia si era tentato, in passato, di accreditare il concetto retorico di patria, sui vecchi libri di testo umbertini e poi su quelli del fascismo, mentre la stragrande maggioranza del popolo aveva imparato a conoscere la patria vera e concreta soltanto «chiedendo il passaporto per emigrare o ricevendo la cartolina precetto [...] o la bolletta dell'imposta fondiaria»: di qui il «distacco immenso fra questa patria e la patria di cui poi si leggeva sui libri di scuola o sui giornali, la patria della retorica»[12]. I comunisti avrebbero dovuto farsi carico di approfondire quel senso concreto dei valori patriottici, legato agli interessi, ai bisogni e agli affetti quotidiani («la casa che i tedeschi bruciavano, la vacca che i tedeschi e i fascisti portavano via, la donna che i tedeschi violentavano»), inaugurato dalla Resistenza: diffondere e vitalizzare l'affetto per «una patria che è vicina a noi tutti, che è una cosa a cui noi tutti siamo legati»[13].

Era, questa del Sereni e dei molti altri che dicevano e scrivevano cose analoghe alle sue, una sorta di retorica alternativa, una mielosa traduzione in lingua bolscevica del libro *Cuore* della piccola borghesia italiana? Può darsi, e dato quel che già sappiamo circa la tendenza del comunismo italiano degli anni cinquanta ad oggettivarsi il piú possibile nella mentalità dei ceti popolari, non sarebbe il caso di scandalizzarsene.

Non era però una retorica strumentale, in nessun caso, neanche quando si andava *ultra petita*, accedendo incautamente persino a temi nazionalistici, pur coperti dalla dichiarata intenzione di combattere l'imperialismo americano, come accadde, infatti, una volta, a un ferreo compagno stalinista bolognese, il nostro solito Enrico Bonazzi, un po' nostalgico del precedente passato coloniale italiano:

> Gli imperialisti ci hanno spogliato persino della Libia e dell'Eritrea, portano la responsabilità della nostra assenza dall'Onu e ci umiliano nel nostro orgoglio nazionale trattandoci alla stregua di un paese semicoloniale. Non siamo piú liberi di dirigere la nostra economia e di orientare il nostro commercio estero. E il Patto atlantico? Significa mettere i nostri ufficiali a disposizione di comandanti, di generali stranieri, onde mandarli a combattere e a morire per i profitti dei miliardari americani e inglesi[14].

Invero l'intera generazione combattente della Resistenza, alla quale il Bonazzi apparteneva, era una generazione patriottica a tutto tondo. Che essa riuscisse a fondere quel patriottismo con i piú fermi convincimenti internazionalisti potrebbe apparire quasi un miracolo, se non si tenesse conto della complessiva storia nazional-popolare del movimento comunista e quindi anche del precedente costituito dall'esemplare cultura patriottica dell'armata rossa sovietica.

Continuità e rottura: la «miracolosa» conversione riformistica dello stalinismo

Se si volesse trovare a tutti i costi qualcosa di miracoloso nell'esperienza del partito togliattiano, occorrerebbe andare a cercare tra i fili sottili che resero possibile il costante collegamento tra una vocazione rivoluzionario-bolscevica sostenuta e alimentata con incrollabile fedeltà ideologica e una concreta attività politica finalizzata sostanzialmente agli obiettivi di un progetto riformistico, di un «riformismo forte» — tanto piú «forte» in quanto destinato a scontrarsi con le resistenze di un capitalismo intollerante qual era il capitalismo arretrato italiano degli anni cinquanta — ma comunque di per sé del tutto compatibile con le prospettive di sviluppo di una democrazia occidentale, su basi istituzionali di tipo liberale.

Certo, in quell'originale contesto, che fu il contesto di una contraddizione tra teoria e prassi, ma anche di una vivace dialettica destinata a svilupparsi e a produrre nette evoluzioni negli anni successivi, svolse un ruolo decisivo la crescente influenza del pensiero di Gramsci; va comunque riconosciuta l'eccezionale portata politica dell'operazione con la quale Togliatti utilizzò e sfruttò a fondo gli stessi fattori ideologici e politici che garantivano il rapporto del Pci con Stalin e con lo stalinismo per assicurare una costante credibilità rivoluzionaria al prammatico riformismo della democrazia progressiva.

La linea togliattiana fu infatti costantemente interpretata, e seguita dai compagni, non come una linea che allontanasse dalla prospettiva del socialismo, bensí come la strada maestra che avrebbe inevitabilmente condotto al grande salto rivoluzionario e alle favolose conquiste del «paese libero e felice».

La costruttiva prudenza della politica togliattiana veniva pertanto interpretata e vissuta dai militanti soltanto come una salutare misura di saggezza rivoluzionaria contro la febbre infantile dell'estremismo, poiché — si insegnava nelle scuole di partito citando Lenin — «la rivoluzione è impossibile senza una crisi nazionale che coinvolga sfruttati e sfruttatori» e senza che «la maggioranza degli operai abbia compreso perfettamente la necessità della rivoluzione e sia pronta a morire per essa»[15].

Data l'impossibilità di sperare in un prossimo evento rivoluzionario il Pci — lo riconobbe tra gli altri Pessi, commentando le direttive togliattiane — avrebbe dovuto continuare a muoversi ed avanzare «sul terreno della ricostruzione nazionale e del rinnovamento»: infatti, continuava lo stalinista genovese, «intorno a questa parola d'ordine che interpreta i profondi sentimenti di tutti i democratici italiani [...] il nostro partito deve essere capace, mediante una profonda lotta di massa, di spostare gli attuali rapporti di forza battendosi per il mantenimento e il miglioramento del tenore di vita delle masse lavoratrici, portarle alla dirigenza delle industrie mediante lo sviluppo dei consigli di gestione, per la difesa delle libertà minacciate e dell'indipendenza nazionale»[16]. In pratica, a fronte dell'offensiva degli avversari, si trattava di attuare temporaneamente, senza ridurre l'intensità della lotta di classe e senza rinunziare benché minimamente alle mete finali, quel passaggio, già previsto e consigliato da Gramsci, dalla guerra manovrata alla guerra di posizione.

Intanto, in attesa delle condizioni necessarie e sufficienti per la controffensiva decisiva, tutti gli argomenti, persino i piú sbagliati e dommatici dell'analisi stalinista-zdanoviana del capitalismo, venivano utilizzati a fondo per orientare l'azione, ma venivano simultaneamente convertiti — e in questo potrebbe vedersi il miracolo del comunismo italiano che era in realtà soltanto un frutto della particolare lucidità politica di Togliatti — in altrettanti punti di forza critica e di responsabilizzazione politica a sostegno del «riformismo forte» e di un indirizzo democratico, nazionale e pacifista.

Il capitalismo, impegnato nella sua estrema offensiva, condannato a un inesorabile crollo, minacciato nella sua corsa alla prosperità da una piú o meno prossima crisi strutturale, dato l'inevitabile avveramento degli effetti previsti dalla legge marxiana della caduta tendenziale del saggio di profitto, avrebbe affamato le masse popolari? Ebbene, il Pci avrebbe intanto lavorato e lottato per «il mantenimento e il miglioramento del tenore di vita»; avrebbe difeso «l'economia nazionale», avrebbe tentato di fare aumentare i posti di lavoro e di bloccare i licenziamenti, si sarebbe battuto per la rivalutazione e per l'aumento dei salari[17].

Il capitalismo stava determinando le condizioni oggettive di una prossima proletarizzazione universale della società che avrebbe colpito in primo luogo i ceti medi? Ebbene, il Pci si sarebbe impegnato per ampliare al massimo il fronte della lotta anticapitalistica, mirando a realizzare e a convalidare un'organica alleanza con quegli «strati numerosissimi di borghesi e di ceti medi influenzati dai partiti democratici avanzati o collegati con essi»[18] che, nonostante il loro anticomunismo, cominciavano a manifestare una sorda ostilità e una resistenza passiva nei confronti della politica dei governi democristiani[19]; e lavorando intensamente nel mondo degli interessi contadini, con «l'organizzazione dei mezzadri e la difesa dei piccoli e medi proprietari»[20].

Il capitalismo aveva allontanato e continuava ad allontanare il popolo dalla cultura e in Italia, anche per effetto del prevalente indirizzo clericale, stava accentuando i caratteri di classe della scuola? Ebbene, il Pci avrebbe guidato la lotta all'analfabetismo ancora diffuso
e avrebbe sollecitato la soluzione dei piú importanti problemi dell'organizzazione scolastica a partire da quelli delle strutture edilizie, mirando a far sí — precisava Giuseppe Di Vittorio — che «ogni agglo-
merato umano del paese» potesse avere, con la scuola, «un ambiente
in cui i bambini potessero non soltanto studiare, ma anche istruirsi,
educarsi verso un'esigenza di vita un pochino piú elevata di quella
in cui sono costretti dalla miseria di cui soffrono le loro famiglie»[21].

Il capitalismo, nel tentativo disperato di reagire ai processi distrut-
tivi della crisi alla quale lo condannavano le conquiste sovietiche e
il movimento di liberazione dei popoli, stava aumentando la sua aggressività internazionale e, prima o poi, sarebbe stato costretto a tentare l'avventura di una nuova guerra mondiale? Ebbene, il Pci avrebbe mirato a porsi continuamente alla guida di masse mobilitate in difesa della pace, sconfiggendo anche le posizioni opportunistiche di alcuni compagni, ben pochi in verità, che mostravano di non temere
una terza guerra mondiale calcolando che da essa sarebbe venuto il
trionfo definitivo del socialismo.

No — intimava Pessi a quei compagni di dura scorza terzinternazionalista — no, le vostre posizioni sono «sbagliate e opportuniste» perché «è proprio e solo nella misura che noi rafforziamo la lotta per allontanare la guerra che noi indeboliamo il capitalismo»[22]. E, con analoghi obbiettivi di approfondimento dell'educazione pacifista, gli faceva eco, da Ferrara, Roasio che richiamava i compagni incauti e opportunisti ad una riflessione accurata sulle istruzioni di Stalin e sul
recente esempio offerto dall'Urss durante la seconda guerra mondiale.

[...] Non vi può essere possibilità di coesistenza fra due regimi cosí
differenti [...], quindi la guerra è inevitabile e siccome si deve affrontare,
meglio farla presto, ora che l'America è forte e la Russia è debole (dicono
loro, i capitalisti)! A questo proposito bisogna dire che spesso molti compagni ed elementi democratici non sono bene orientati. Fra questi due
regimi è vero che il cozzo sarà inevitabile, perché il socialismo non può
progredire senza pestare i piedi al capitalismo, ma questo non significa
affatto che la guerra sia imminente: il cozzo può anche avvenire senza che

ci sia una guerra, ma attraverso una lotta dei popoli di questi paesi. Stalin ci ha detto chiaramente che la collaborazione fra questi due regimi può esserci, vedi ad esempio la guerra contro il fascismo e il nazismo[23].

Ma Roasio non faceva altro che riprendere gli argomenti già svolti in precedenza, forse con una carica ancora piú passionale, dal compagno Bagnolati:

C'è chi dice che una terza guerra mondiale porterà ad una rivoluzione in Italia. Evidentemente questo ragionamento è sbagliato. Quelli che pongono cosí il problema sono digiuni di politica e di ideologia, perché non riescono a comprendere che una politica di pace logora prima l'imperialismo che non una politica di guerra, perché l'imperialismo per vivere ha bisogno della guerra[24].

Se, come si vede, non riusciva sempre facile trascinare tutti i militanti — soprattutto quelli di recente formazione militare-partigiana — sul terreno di una convinta lotta per la pace, a maggior ragione si incontravano difficoltà quotidiane nello sforzo di convogliare le passioni rivoluzionarie dei «duri» guidati da Pietro Secchia, e piú ancora le forze sparse di un endemico ribellismo popolare che veniva da recenti tendenze anarchiche o massimaliste, nei canali di un ordinato e paziente lavoro politico per conquistare, passo dopo passo, giorno dopo giorno, risultati di rafforzamento e di ampliamento della democrazia nella realtà del paese.

Restò indeciso, per molti, il giudizio sul senso dell'esperienza in corso: se la togliattiana democrazia progressiva fosse una strategia di largo respiro per una pacifica anche se faticosa transizione al socialismo o soltanto l'abile indicazione di un insieme di misure e di iniziative tattiche per una temporanea fase di difesa e di rafforzamento in vista dell'inevitabile assalto rivoluzionario.

Oltre a rilevare una siffatta doppiezza nel recepimento e nell'interpretazione della sua linea da parte dei compagni, lo stesso Togliatti — al VI Congresso nazionale del partito — osservò che gli elementi di debolezza e di arretratezza ancora evidenti nella democrazia italiana si riflettevano inevitabilmente sulla vita delle organizzazioni democratiche, dei partiti e dello stesso Pci[25].

Nonostante quei limiti e le asprezze, le omissioni e gli errori conseguenti, oggi si può sensatamente sostenere — e con la certezza di fare un'affermazione scientifica, non apologetica — che il Pci di quei cari, e talvolta ingenui e fragorosi compagni fu, in Italia, il grande partito della democrazia nazional-popolare. Si realizzò come un partito di tale natura, e di tanta efficacia civilizzatrice, su masse popolari ancora culturalmente piuttosto arretrate, appena sulla soglia della futura ondata della modernizzazione neocapitalistica, proprio in quella forma di paradossale democratismo — lo si è ancora rilevato all'inizio di queste note conclusive — che fu la «forma staliniana».

È bene che di quest'ultimo dato, oggi, prima di tutti gli stessi comunisti prendano atto senza complessi, senza accettare le provocazioni di contingenti e strumentali polemiche, senza tentare di occultare le realtà del passato con inutili e sofisticati velari, perché è vero che la storia ha le sue strade infinite e i suoi risultati piú originali spesso non corrispondono ai dettami e alle previsioni delle ideologie. Non c'è dubbio che, da qualunque parte si guardino le cose, l'esperienza del comunismo italiano è, in assoluto, tra i processi piú originali, e per certi versi piú stupefacenti, della storia contemporanea: esperienza fondamentale per la formazione di una delle maggiori realtà democratiche del mondo, fu per molto tempo permeata — in anni oscuri della repubblica che coincidevano con la fase piú drammatica e pericolosa della guerra fredda — dal dottrinarismo marxista-leninista, dalle accese passioni e dagli umori integralistici della fedeltà all'Urss; e, questo, perché l'impegno riformatore che la caratterizzava aveva bisogno, per affermarsi, di una forte identità ideologica e di ferrei legami internazionalisti.

Senza la complessa dialettica di fede vigorosa e di abile e prudente arte politica che si avvalse anche del mito dell'Urss e della «metafora staliniana», probabilmente non sarebbe stato possibile attuare quella grande e molecolare mediazione tra il marxismo e la tradizione cattolica della stragrande maggioranza del popolo italiano i cui effetti sarebbero venuti pienamente alla luce dal '68 agli anni settanta, quando poi la società italiana, dinanzi alle consultazioni referendarie sul divorzio e sull'aborto, avrebbe scoperto di essere — anche se ormai tutt'altro che per esclusivo merito comunista — piú democratica, piú responsabile, piú tollerante, piú laica. Partito certo tra i non piú esposti sul terreno delle battaglie per i diritti civili, il Pci della stagione togliattiana aveva comunque creato le condizioni oggettive che avrebbero finalmente consentito a grandi masse popolari di comprenderli, di appropriarsene e di difenderli.

Ecco, dunque, la semplice conclusione: i compagni degli anni cinquanta non fecero la rivoluzione e non è qui il caso di chiederci se e quali vantaggi ne sarebbero venuti all'Italia qualora fossero riusciti a farla, ma è certo che essi furono tra i principali artefici di una grande trasformazione sociale, un vero e proprio balzo di civiltà, che ha segnato in modo decisivo e indelebile il volto dell'Italia contemporanea.

Note

I. Le forme organizzative del partito

1 [M. Alicata], *Sull'attività del partito fra gli intellettuali*, dattiloscritto non firmato, senza data, ma 1944, in Archivio centrale dell'Istituto Gramsci, Roma (d'ora in poi ACG), Federazione di Roma, MF. 086/771, pp. 773-74.

2 Cfr. *Breve corso di cultura marxista*, cit., dispensa IV, p. 3.

3 Ivi, p. 4.

4 P. Togliatti, *Che cosa è il partito nuovo*, in *Rinascita*, a. I, ottobre-dicembre 1944, n. 4, p. 25. Cfr. anche, Id., *Che cosa deve essere il partito comunista*, in *La Rinascita*, a.I, giugno 1944, n. 1, p. 21; Id., *I compiti del partito nella situazione attuale*, in *Opere scelte*, a cura di G. Santomassimo, Roma, Editori Riuniti 1974. Sui processi originativi del Pci partito nuovo e di massa, cfr. L. Paggi, *La formazione del partito di massa nella storia della società italiana*, in *Studi storici*, a. XII, n. 2, aprile-giugno 1971; anche la particolareggiata analisi di F. Sbarberi, *I comunisti italiani e lo Stato*, Milano, Feltrinelli 1980, pp. 204-253. Molto utili gli studi del volume curato da A. Agosti, *Togliatti e la fondazione dello Stato democratico*, in particolare, ivi, il saggio di D. Sassoon, *La concezione del partito in Togliatti*.

5 ACG, Federazione di Genova, verbale del Comitato federale del 2 ottobre 1948, relazione di S. Pessi, MF. 0181-1621.

6 Ivi, Federazione di Bologna, verbale cit. del Comitato federale del 20 ottobre 1950, relazione di Bonazzi, cit., MF. 0325-1799.

7 Ivi, Federazione di Milano, *Direttive per la campagna di tesseramento e di reclutamento per l'anno 1949*, in *Bollettino settimanale di direttive per le sezioni*, MF. 0182-483. Tuttavia la quota-parte fondamentale della militanza, l'«avanguardia», sarebbe stata costituita continuativamente dagli operai: oltre il 53% fino al 1946 e successivamente, tra il 1947 e il 1956, in un rapporto percentuale con il totale degli iscritti oscillante tra il 40 e il 45%. I militanti provenienti dal mondo contadino (braccianti e salariati agricoli, mezzadri e coloni, coltivatori diretti), presenti con una percentuale variabile tra il 24 e il 26%, avrebbero soprattutto caratterizzato l'organizzazione del partito nel Mezzogiorno dove — ha notato Nicola Galle-

rano (cfr. *L'organizzazione nel Mezzogiorno 1943-1947*, in *Il Partito comunista italia-no. Struttura e storia dell'Organizzazione 1921-1979*, Annali della Fondazione Gian-giacomo Feltrinelli, XXI, 1981, p. 1084) — «il punto piú debole dell'organizzazio-ne comunista era individuabile nella città». Per quanto riguarda lo sviluppo del partito di massa, va notato che il piú grande balzo in avanti nel numero degli iscritti si compí negli anni 1943-48: 501.960 iscritti alla fine del 1944, saliti, appena un an-no piú tardi, a 1.770.896 fino alla punta dei 2.115.232 del 1948. Cfr. C. Ghini *Gli iscritti al partito e alla Fgci*, in *Il Partito comunista italiano*, cit., pp. 236 sgg. Sulla composizione sociale del Pci, anche G. Sani, *L'evoluzione organizzativa del Pci (1945-1963)*, in AA.VV., *L'organizzazione partitica del Pci e della Dc*, Il Mulino, Bologna 1968, pp. 39 sgg.

8   P. Togliatti, *Ai giovani*, in *Rinascita*, a.I, n. 2, luglio 1944.

9   Id., *Un partito di governo e di massa* (settembre 1946), in Id., *Politica nazionale e Emilia rossa*, cit., p. 58.

10   Id., *Discorso alla Conferenza nazionale di organizzazione del Pci* (Firenze, 10 gen-naio 1947), in *Critica marxista*.

11   G. Amendola, *Storia del partito comunista italiano (1921-1943)*, Roma, Editori Riu-niti 1978, p. 608. «Il *partito nuovo* degli inizi», ha infatti notato, in contrario, N. Magna (cfr. Id., *Dirigenza e base*, in *L'identità comunista. I militanti, le strutture, la cultura del Pci*, a cura di A. Accornero, R. Mannheimer, C. Sebastiani, Roma, Editori Riuniti 1983, p. 181), «preservava nel suo nucleo portante molti caratteri del vecchio partito di quadri. Piú che un sintomo di ossificazione al vertice era una spia della relativa impreparazione del partito ad adottare criteri di selezione della leadership adeguati alle raggiunte dimensioni di massa». Tra l'altro, ha notato P. Spriano (cfr. Id., *Il Pci nell'Italia repubblicana*, in AA.VV., *Il pensiero e l'opera di Palmiro Togliatti*, Roma, Salemi, 1984, p. 15), la tradizionale impostazione lenini-sta, nonostante gli indubbi elementi di novità che stavano venendo alla luce, era ancora evidenziata dallo Statuto del 1945 per quanto concerneva l'organizzazione del partito.

12   P. Togliatti, *Che cos'è il partito nuovo*, cit.

13   Ivi, *passim*.

14   Sulla formazione, sulla natura e sugli sviluppi del Pcus staliniano, cfr. G. Procacci, *Il partito nell'Unione Sovietica, 1917-1945*, Bari, Laterza 1974; anche T.H. Rigby, *Il partito comunista sovietico 1917-1976*, Milano, Feltrinelli 1977, pp. 153-185. Circa l'esportazione del modello di partito sovietico negli anni dello stalinismo, cfr. R. Gallissot, *Il comunismo sovietico e europeo*, cit., in *Storia del socialismo dal 1945 al 1975*, a cura di J. Droz, (4 voll.) Roma, Editori Riuniti 1981, pp. 560-564.

15   Cfr. P. Togliatti (Ercoli), *Note sul carattere del fascismo spagnolo*, in *Stato operaio*, a.IX, n. 9, luglio 1935, ma soprattutto *Sulle particolarità della rivoluzione spagnola*, *ivi*, a.X, n. 11, novembre 1933, ora in Id., *Opere*, Roma, Editori Riuniti 1967-1984, III, t. 2, pp. 669-712 e IV, t.s., pp. 139-154. Sulla formazione di una strategia nazionale del comunismo italiano, anche a partire dalle riflessioni togliattiane sulla guerra di Spagna, cfr. P. Spriano, *Il compagno Ercoli. Togliatti segretario dell'Inter-nazionale*, Roma, Editori Riuniti 1980, pp. 117-127.

[16] Cfr. P. Togliatti, *Il Partito comunista italiano*, Roma, Editori Riuniti 1961, p. 65.

[17] *Ivi, passim*. Ma la democrazia — si precisò fermamente in uno dei primi numeri del *Quaderno dell'attivista* (cfr. *La democrazia nel partito*, ivi, ottobre 1946, n. 2) — «consiste essenzialmente nel lavoro e nello sforzo collettivo per migliorare e rafforzare il partito». Per un'approfondita analisi dell'intera questione, cfr. D. Sassoon, *Togliatti e la via italiana al socialismo*, Torino, Einaudi 1980, pp. 204-233.

[18] *Ivi*.

[19] Per questa interpretazione, cfr. l'intervento di Paolo Spriano alla tavola rotonda di *Mondoperaio*, in *Egemonia e Democrazia. Gramsci e la questione comunista nel dibattito di Mondoperaio*, Roma, ed. Avanti 1977, p. 219.

[20] I. Kant, *Critica della ragion pura* (Analitica trascendentale), 1. II, C. 2, sez. 3, I.

[21] *Breve corso di cultura marxista*, cit., dispensa IV, cit., p. 7. Erano i concetti canonici, questi, che stavano alla base della dottrina del centralismo democratico: il centralismo — precisava il *Quaderno dell'attivista* (cfr., ivi, *La democrazia nel partito*, cit.) — che «permette che tra un congresso e l'altro tutto il partito sia diretto dagli organismi democraticamente eletti ad ogni istanza e non consente a nessun compagno di prendere fuori del partito, di fronte cioè ad avversari e nemici, una posizione diversa da quella decisa dalla maggioranza e dall'organismo dirigente». Cfr. anche M. Flores, *Dibattito interno sul mutamento della struttura organizzativa 1946-1948*, in *Il Partito comunista italiano*, cit., pp. 55-57.
Per gli sviluppi del dibattito sul centralismo democratico nella successiva evoluzione del Pci, cfr. A. Occhetto, *La problematica dell'unificazione e la rinascita del pensiero socialista*, in AA.VV. *Classe operaia, partiti politici e socialismo nella prospettiva italiana*, Milano, Feltrinelli 1966, pp. 163 sgg. Ma per un bilancio storiografico, cfr. D. Sassoon, *Togliatti e la via italiana al socialismo*, cit., pp. 322-340.

[22] Dove infatti, nell'ed. Ricciardi (Napoli 1944, p. 53), si legge: «Il partito per potere funzionare bene e dirigere le masse secondo un piano, deve essere organizzato conformemente ai princípi del *centralismo*, avere uno statuto unico, un'unica disciplina, un unico organismo dirigente, rappresentato dal suo congresso, e, negli intervalli tra i congressi, dal Comitato centrale; occorre che la minoranza si sottometta alla maggioranza, le varie organizzazioni al centro, le organizzazioni inferiori a quelle superiori. Senza queste condizioni il partito della classe operaia non può essere un vero partito, non può adempiere il suo compito di dirigere la classe».

[23] Lenin, *Un passo avanti e due indietro*, in *Opere scelte*, Roma, Editori Riuniti 1970, p. 288.

[24] Cfr. *Breve corso di cultura marxista*, cit., dispensa IV, cit., p. 6.

[25] Cosí, per esempio, al VII Congresso della Federazione comunista bolognese (15-17 dicembre 1950): cfr. il relativo verbale in ACG, Federazione di Bologna, MF. 0325-1986.

[26] Ivi, circolare per la preparazione delle assemblee di cellula e dei congressi sezionali, 29 ottobre 1950, MF. 0325-1875. Sul meccanismo elettorale comunista, affidato in pratica alla discrezionalità del centro dirigente, cfr. O. Massari, *La Federazione*, in *Il Partito comunista italiano* cit., pp. 133 sgg. Ma soprattutto, sull'impianto gerarchico del Pci, G. Poggi, *Il Pci come sistema organizzativo*, in AA.VV., *L'orga-*

nizzazione partitica del Pci e della Dc (Istituto di studi e ricerche C. Cattaneo), Bologna, Il Mulino 1968; S. Sechi, *L'austero fascino del centralismo democratico*, in *Il Mulino*, 1978, n. 257.

27 Cfr. *Breve corso di cultura marxista*, cit., dispensa IV, cit., pp. 6-7.

28 ACG, Federazione di Roma, schema di lezione sui *Fondamenti del marxismo-leninismo*, (IV lezione, f.ta Dinucci), dispensa ciclostilata ad uso della Scuola Ždanov, carpetta «Scuole di partito», p. 5.

29 Ivi, Federazione di Bologna, verbale del Convegno regionale del 7 ottobre 1951, intervento di Salinari, MF. 0336-123.

30 Ivi, Federazione di Torino, verbale della Conferenza di officina (3-10 luglio 1948), intervento di Contini, MF. 0181-911.

31 Ivi, intervento di Cerrato (delegato Officina 14, cellula 2, reparto collaudo integrativo Fiat Mirafiori), MF. 0181-911.

32 Ivi, intervento dell'impiegato-Fiat Bigando, MF. 0181-968.

33 Cfr. G. Trevisani, Schema di conferenza «La cultura popolare», s.d., p. 10, in ACG, Federazione di Genova, carpetta «Stalin», senza altra indicazione.

34 ACG, Federazione di Bari, verbale della Conferenza provinciale di villaggio (25 luglio 1948), intervento di G. Pinto, MF. 0185-210.

35 Ivi, Federazione di Brescia, circolare n. 6 in preparazione del I Convegno provinciale di organizzazione (20 maggio 1950), MF. 0324-557.

36 Ivi, Federazione di Bologna, circolare per la preparazione delle assemblee di cellula e dei congressi sezionali, 29 ottobre 1950, MF. 0325-1870.

37 Ivi, verbale del Comitato federale cit. del 20 ottobre 1950, relazione di Bonazzi, cit., MF. 0325-1809. La sezione, centro di formazione ideologica e di concreto lavoro politico, fu sempre più valorizzata come nucleo organizzativo di base dopo la Conferenza di organizzazione di Firenze (6-10 gennaio 1947) e andò via via assumendo un ruolo privilegiato anche rispetto alla cellula, che era, in pratica, l'unità organizzativa fondamentale del vecchio partito di impianto leninista predisposta per vivere ed operare nel luogo di lavoro con specifiche finalità adeguate alle esigenze di una struttura-partito funzionante in situazioni di clandestinità. In altri termini, come spiegarono i dirigenti della Scuola centrale quadri, la sezione era «l'organismo caratteristico del ritorno alla vita legale, all'attività svolta alla luce del sole». Essa compendiava «l'esperienza della lotta delle cellule e dei settori del periodo clandestino» con quella del «vecchio circolo socialista che era un centro di organizzazione politica elementare di tutti i soci». Sezioni di tipo particolare che funzionavano anche come veri e propri centri di assistenza sociale erano le cosiddette case del popolo. La cit. Conferenza di organizzazione di Firenze lanciò la parola d'ordine «ogni sezione una casa del popolo». Ma la trasformazione era tutt'altro che facile se non altro perché comportava spese non indifferenti per la costituzione di attrezzature tecniche, ricreative e culturali: gli strumenti per affrontare i problemi popolari del quartiere e per dare vita a diverse esperienze di lavoro politico o di mera ricreazione (giornale murale, manifesti interni, gruppi teatrali o musicali, ecc.) e persino il bar e l'ambulatorio. Cfr. O. Massari, *La sezione*, in *Il Partito comunista italiano*, cit., pp. 161-163.

[38] ACG, verbale del Comitato federale sulla stampa del 24 gennaio 1949, intervento di Dozza, MF. 0301-2015.

[39] Ivi, MF. 0301-2017.

[40] Ivi, Federazione di Ferrara, verbale del Comitato federale cit. del 12 ottobre 1948, conclusioni cit. di I. Scalambra, MF. 0183-143. Permanevano, in altri termini, e si riproducevano, nelle sezioni certe abitudini che erano state tipiche del vecchio circolo socialista che serviva da ritrovo per i lavoratori, da luogo di ricreazione in sostituzione del caffè e delle bettole, che svolgeva un'attività generica culturale e politica e che durante le campagne elettorali si trasformava in un efficace strumento elettoralistico. Pertanto — come ha notato Oreste Massari — «lo sforzo di attivizzazione socio-politico-culturale degli iscritti e delle masse popolari in genere tramite la sezione» si scontrava con «la permanenza di grossi difetti dell'organizzazione, sempre puntualmente portati all'attenzione del partito da parte della dirigenza politica». Cfr. O. Massari, *La sezione*, in *Il Partito comunista italiano*, cit., pp. 162-163, che cita anche le specifiche osservazioni della Scuola centrale quadri del Pci sulla questione.

[41] Istituto Gramsci siciliano (d'ora in poi IGS), fondo «T. Cannarozzo», b.4, f.5, nota, f.ta D'Agostino, al Comitato direttivo della Sezione Bertolini di Messina, 28 ottobre 1948.

[42] ACG, Federazione di Bari, relazione, f.ta A. Guelfi e R. Scionti, della Commissione di organizzazione provinciale alla Direzione nazionale del partito, 29 luglio 1950, MF. 0328-1434.

[43] Ivi, Federazione di Milano, Direttive per la campagna di tesseramento per l'anno 1949, cit., MF. 0182-481.

[44] Cfr. A. Colombi, *La tessera del Partito*, in *Il lavoratore bergamasco*, a.IX, n. 20, 18 dicembre 1953; Id., *Il militante di partito*, in *Quaderno dell'attivista*, luglio 1948.

[45] ACG, Federazione di Bari, circolare alle sezioni di partito della città e provincia, MF. 0321-3699.

[46] Ivi, Federazione di Parma, *Appunti* di V.M. (Valdo Magnani) per preparazione politica e organizzativa del Congresso di federazione e dei Congressi di sezione, s.d., MF. 0326-650.

[47] Ivi, Federazione di Milano, Direttive per la campagna di tesseramento per l'anno 1949, cit., MF. 0182-481.

[48] Ivi, Federazione di Alessandria, circolare, sul tesseramento, alle sezioni, 27 novembre 1948, MF. 0181-326. Per quanto riguarda le precauzioni raccomandate dai supremi dirigenti del partito per la «delicata» operazione del tesseramento, cfr. P. Secchia, *Tesseramento e vigilanza*, in *Quaderni dell'attivista*, 1949, n. 2.

[49] ACG, Federazione di Milano, *Gara di emulazione per la campagna di tesseramento e di reclutamento per l'anno 1949*, MF. 0182-487.

[50] Ivi, Federazione di Napoli, verbale del Comitato federale del 24 novembre 1949, intervento di Abdon Alinovi, MF. 0302-3288.

[51] Ivi, Federazione di Padova, istruzioni di A. Marelli, in *Attività comunista* (bollettino della Segreteria provinciale) n. 1, 1 giugno 1949, MF. 0182-343. Cosí anche

a Bari: «Ogni sezione ed ogni cellula deve lavorare secondo un piano. Dobbiamo fare ogni sforzo per evitare il solito lavoro artigianale senza prospettive e senza un piano prestabilito che obblighi alla disciplina del lavoro e alle realizzazioni concrete. Ogni sezione deve fare un piano sezionale per il tesseramento [...]. Deve metterlo per iscritto, deve assegnare dei compiti precisi settimanali a tutte le cellule e ai collettori. Deve legare il tesseramento alle lotte sindacali e politiche. Deve controllare l'esecuzione di quanto è stato stabilito. Nel piano sezionale deve essere distinto l'obbiettivo per il rinnovo tessere [...] dal tesseramento donne e dal tesseramento verso particolari categorie». Ivi, Federazione di Bari, circolare alle sezioni della città e provincia, cit., MF. 0321-3699.

52   Ivi, Federazione di Milano, *Gara di emulazione per la campagna di tesseramento*, cit., MF. 0182-480.

53   Ivi, Federazione di Napoli, verbale del Comitato federale del 26 maggio 1949, relazione di S. Cacciapuoti, MF. 0302-3260, *passim*.

54   Ivi.

55   Cfr. *Con impegno e vigore mobilitato il Partito per il tesseramento*, in *Toscana nuova*, a.VI, n. 48, 2 dicembre 1951.

56   ACG, Federazione di Milano, *Gara di emulazione per la campagna di tesseramento*, cit., MF. 0182-484.

57   Ivi, Federazione di Reggio Emilia, circolare, f.ta Scanio Fontanesi, alle sezioni del partito, 26 ottobre 1949, MF. 0301-3703.

58   Ivi, *Bollettino di istruzioni e direttive per il tesseramento*, MF. 0301-3709.

59   Ivi, Federazione di Alessandria, circolare alle sezioni del partito, 27 novembre 1948, MF. 0181-327.

60   Ivi, Federazione di Firenze, *Modalità per la gara di reclutamento*, 20 maggio 1950, MF. 0326-2156.

61   Ivi, Federazione di Reggio Emilia, circolare, f.ta Scanio Fontanesi, cit., MF. 0301-3703.

62   Ivi, Federazione di Massa e Carrara, circolare, f.ta Giovanni Martelli, segretario provinciale alle sezioni di città e provincia, in *Bollettino* (ciclostilato) della Federazione per la campagna tesseramento 1951, MF. 0327-408.

63   Ivi, Federazione di Ancona, circolare della Segreteria provinciale a tutte le sezioni, 8 novembre 1950, MF. 0327-1219.

64   Ivi, Federazione di Bari, relazione di A. Lampredi sul lavoro svolto in provincia di Bari per il tesseramento 1949, MF. 0302-3658.

65   Ivi, Federazione di Bologna, verbale del Comitato federale del 24 gennaio 1949, intervento di Biondi, MF. 0301-2012.

66   Circolare della Direzione nazionale del Pci (Sezione di amministrazione), in *Istruzioni e direttive di lavoro della Direzione del Pci a tutte le Federazioni*, n. 18, ottobre 1952, p. 8.

67   ACG, Federazione di Bologna, verbale del Comitato federale del 28 ottobre 1948, intervento di Scarabelli, MF. 0182-1791. Sul tesseramento, con una vivace sotto-

lineatura dei vari elementi che fondavano l'orgoglio per il rigore della disciplinata militanza nei comunisti italiani, cfr., tra gli altri, P. Secchia, *I nostri iscritti*, in *Rinascita*, a.IX, n. 2, febbraio 1952.

II. *Il lavoro politico dei compagni*

1   ACG, Federazione di Bologna, circolare per la preparazione delle assemblee di cellula e dei congressi sezionali, MF. 0325-1870.

2   Ivi.

3   Ivi, Federazione di Padova, *Bollettino interno per il mese della stampa comunista*, novembre 1950, n. 6, MF. 0324-2407-08.

4   Cfr. *Come si fa la propaganda*, a cura della Sezione centrale di stampa e propaganda del Pci, Roma s.d., ma 1951, pp. I-II.

5   Ivi.

6   Ivi, p. 25. Il corsivo è ns.

7   ACG, Federazione di Bari, verbali della cit. Conferenza di villaggio, intervento di Tommaso Azzarita, MF. 0185-211.

8   Cfr. *Come si fa la propaganda*, cit., p. II.

9   Cfr. P. Secchia, *Il capogruppo*, discorso pronunziato al Convegno dei capigruppo della città di Firenze, 4 novembre 1951, ed. a cura del *Quaderno dell'attivista*, s.d., ma 1952, p. 9, *passim*. Il «capogruppo», ha notato Fausto Anderlini, «costituisce forse l'istituzione piú paradigmatica di una visione e di una pratica complessiva di gestione della macchina di partito e di rapporto con i militanti». Egli ha, infatti, compiti di «amministrazione» (riscossione quote, rinnovo tessera, abbonamento giornali di partito e diffusione stampa) e di «direzione politica» (illustrazione alla base delle questioni politiche di rilievo, trasmissione alla base della linea politica, direzione dei compagni nel lavoro di propaganda) e acquista «un ruolo praticamente onnicomprensivo di tutti i livelli di base dell'agire politico», riassumendo cosí a un tempo i «ruoli del militante di base, del dirigente politico, del propagandista, dell'esecutore di direttive, istituendo un rapporto diretto con le istanze superiori ed esautorando de facto gli organi direttivi di cellula». Cfr. F. Anderlini, *La cellula*, in *Il Partito comunista italiano*, cit., pp. 212-213.

10   Cfr. *Come si fa la propaganda*, cit., p. 8.

11   Ivi, pp. 4-7, *passim*.

12   Ivi, p. 28.

13   Ivi, p. 29.

14   ACG, Federazione di Latina, schema di conversazione *Perché partecipiamo al governo*, a. 1946, MF. 113-1187-89.

15   Ivi, Federazione di Biella, *Celebrazioni del 7 novembre*, schema di discorso, circolare, cit. MF. 088-980-81; anche le «istruzioni» per i discorsi politici, 24 ottobre 1947, ivi, Federazione di Novara, MF. 139-1418-22.

16   Ivi, Federazione di Ancona, verbale della riunione della Segreteria provinciale con il comitato cittadino di Iesi, 16 gennaio 1949, relazione di Giorgini, MF. 0302-917.

17   Per esempio: «Nome e cognome / data di iscrizione / cariche eventuali ricoperte / numero dei Comuni della provincia / numero e dislocazione delle sezioni / numero di iscritti al partito nel territorio della Federazione (con particolari indicazioni sugli iscritti del capoluogo) / numero di sedi dei sindaci comunisti della provincia / numero di iscritti alla FGCI / numero di iscritti all'UDI / indicazioni numeriche sulla Camera del lavoro e sugli iscritti alla CGIL e alla Federterra / Notizie sull'organizzazione della DC nel territorio». Cfr. *Questionario per gli iscritti*, ivi, Federazione di Treviso, a. 1945, MF. 024-61-6.

18   La scheda «Jülg Carlo» in IGS, f.do «T. Cannarozzo», b. 4, f. 7.

19   ACG, Federazione di Genova, verbale del Comitato federale del 7 settembre 1948, relazione di S. Pessi con la citazione testuale del telegramma di Stalin, MF. 0181-1602.

20   Ivi, Federazione di Parma, *Appunti* di V. Magnani per la preparazione politica e organizzativa del Congresso provinciale, MF. 0326-650.

21   Ivi, Federazione di Reggio Emilia, verbale del Comitato federale allargato del 7 settembre 1948, relazione di V. Magnani, MF. 0183-874.

22   Ivi, Federazione di Parma, *Appunti*, cit. di V. Magnani, MF. 0326-655.

23   Ivi.

24   Cfr. *L'istruttore di partito*, n. 3, ciclostilato, novembre 1949, ivi, Federazione di Padova, MF. 0308-423.

25   Ivi.

26   ACG, Federazione di Genova, verbale del Comitato federale del 6 agosto 1948, intervento di Bertolini, MF. 0181-1602.

27   Ivi, verbale dal cit. Comitato federale del 7 settembre 1948, relazione cit. di Pessi, MF. 0181-1602.

28   Ivi, verbale cit. del Comitato federale del 6 agosto 1948, intervento di Ovaldi, MF. 0181-1609.

29   Cfr. *L'istruttore di partito*, cit.

30   ACG, Federazione di Firenze, verbale del Comitato federale del 18 ottobre 1950, intervento di E. Ragionieri, MF. 0326-2183.

31   Ivi, Federazione di Genova, verbale del cit. Comitato federale del 7 settembre 1948, relazione cit. di S. Pessi, MF. 0181-1603.

32   Ivi, verbale del cit. Comitato federale del 6 agosto 1948, intervento di Tonini, MF. 0181-1605.

33   Ivi, Federazione di Milano, *Gara di emulazione per la campagna di tesseramento*, cit., MF. 0182-486.

34   Ivi, Federazione di Parma, *Appunti* cit. di V. Magnani, MF. 0326-655.

35   Ivi.

[36] Ivi, Federazione di Bari, relazione cit. di Guelfi e Scionti alla Direzione nazionale del partito, 23 luglio 1950, MF. 0328-1438.

[37] Ivi, Federazione di Bologna, verbale del Comitato federale del 28 ottobre 1948, 1° intervento di A. Masetti, MF. 0182-1792.

[38] Ivi, 2° intervento di A. Masetti, MF. 0182-1797.

[39] Ivi, Federazione di Livorno, relazione politico-organizzativa della sezione di Venturina, f.ta Aldo Montomoli, MF. 0302-291.

[40] Ivi.

[41] Ivi, Federazione di Torino, verbali della cit. Conferenza di officina (3-10 luglio 1948), intervento di Fabbri, MF. 0181-941.

[42] Ivi, Federazione di Genova, verbale del cit. Comitato federale del 6 agosto 1948, intervento cit. di Tonini, MF. 0181-1605.

[43] IGS, f.do «T. Cannarozzo», b. 4, f. 5, nota f.ta Nino D'Agostino (responsabile della Commissione quadri della federazione) al Comitato direttivo della Sezione Bertolini di Messina, 28 ottobre 1948.

[44] Testimonianza della signora Maria Lucioni Diemoz.

[45] IGS, f.do «T. Cannarozzo», b. 4, f. 7, delibera di espulsione di Giovanni Carbone della Sezione E. Curiel di Messina, 20 novembre 1947.

[46] Ivi, b. 4, f. 4, lettera di N. D'Agostino alla Commissione quadri della Federazione di Genova, Messina, 13 gennaio 1949.

[47] Ivi, b. 4, f. 7, lettera del segretario della Sezione di Genova G. Natalini alla Federazione di Messina, Genova, 6 ottobre 1948.

[48] Ivi, lettera di N. D'Agostino alla Commissione quadri della Federazione di Genova, Messina, 13 gennaio 1949.

[49] Cfr. C. Ghini, *Problemi attuali della edificazione del Partito*, in *Rinascita*, a.V, n. 7, luglio 1948.

[50] Ivi.

[51] Ivi.

[52] ACG, Federazione di Massa e Carrara, risoluzione politico-organizzativa del V Congresso provinciale comunista, MF. 0327-423.

[53] Ivi. Nel Pci, è stato notato, rimase a lungo insuperata la contraddizione tra l'esigenza di ampliare il partito di massa e il rigore con il quale si continuava a tutelare il «partito di élite»; cfr. G. Sani, *L'evoluzione organizzativa del Pci*, cit., in AA.VV. *L'organizzazione partitica del Pci*, cit., pp. 171-173.

[54] ACG, Federazione di Genova, verbale del Comitato federale del 7 settembre 1948, conclusioni di S. Pessi, MF. 0181-1619.

[55] Ivi, Federazione di Reggio Emilia, verbale del Comitato federale allargato del 7 settembre 1948, intervento di Onder Boni, MF. 0183-875.

[56] Ivi, Federazione di Massa e Carrara, rapporto politico-organizzativo di Giovanni Martelli, al IV Congresso provinciale del partito, 24-25 aprile 1949, MF. 0302-348.

57   Ivi. Per un'esauriente conoscenza della tipologia del dirigente di partito e di quella
     comunista in particolare, cfr. G. Sani, *Profilo dei dirigenti di partito*, in *Rassegna
     di sociologia*, 1972, n. 1. Cfr. anche P. Secchia, *L'azione svolta dal Partito comuni-
     sta in Italia durante il fascismo 1926-1932*, in Annali della Fondazione Giangiacomo
     Feltrinelli, X, 1970, p. 65. Sugli aspetti esistenziali e politici della funzione diri-
     genziale nel Pci, cfr. G. Bonazzi, *Problemi politici e condizione umana dei funziona-
     ri del Pci. Un'indagine sulla Federazione comunista di Torino*, in *Tempi moderni*, luglio-
     settembre 1965. Per acute ed utili osservazioni, anche se relative ad un periodo
     successivo a quello qui studiato, cfr. C. Sebastiani, *I funzionari*, in *L'identità comu-
     nista*, cit. pp. 79-153.

58   IGS, f.do «T. Cannarozzo», b. 4, f. 5, lettera f.ta da numerosi militanti della se-
     zione comunista di Comara Inferiore (Messina) al Regionale del partito, s.d., ma
     aprile 1948.

59   ACG, Federazione di Torino, verbali della cit. Conferenza di officina (3-10 luglio
     1948), intervento di Fabbri, MF. 0181-941.

60   Ivi, intervento di Rossotto, MF. 0181-965.

61   Ivi, Federazione di Bari, verbale della cit. Conferenza di villaggio, intervento di
     Giuseppe Lovino, MF. 0185-212.

62   Ivi, Federazione di Massa e Carrara, verbale del Comitato federale dell'11 agosto
     1949, MF. 0302-415. La «burocratizzazione» del partito era in parte la conseguen-
     za del fatto che il «centralismo democratico» in pratica determinava anche un «cen-
     tralismo organizzativo» sulla linea gerarchica *segretari federali - segretari regionali -
     Commissione Centrale di organizzazione*. Quest'ultima dal 1945 al 1953, soprattut-
     to per effetto dei metodi adottati da Pietro Secchia che ne fu il supremo dirigente,
     costituí — lo rileverà Giorgio Amendola (cfr. Id. *Il rinnovamento del Pci*, Roma,
     Editori Riuniti 1976, p. 36) — il fulcro del potere del partito, quasi un partito
     nel partito, che aveva come fondamentali riferimenti organizzativi i Comitati re-
     gionali e piú ancora i «segretari regionali», dotati di un'autorità cosí ampia e, al
     loro livello territoriale, cosí incontrastata, che lo stesso Togliatti, in un famoso in-
     tervento al Comitato centrale, li definí «satrapi».

63   ACG, Federazione di Modena, verbale della riunione del Comitato esecutivo del
     1° settembre 1949, intervento di Silvestri, MF. 0301-3005.

64   Ivi, Federazione di Genova, verbale del Comitato federale del 9 agosto 1949, in-
     tervento di Tucci, MF. 0181-1570.

65   Ivi, Federazione di Bologna, verbale della riunione del Comitato esecutivo del 15
     aprile 1949, intervento di A. Landi, MF. 0301-2123.

66   Ivi, intervento di Roasio, MF. 0301-2126.

67   Ivi, Federazione di Genova, verbale del Comitato federale cit. del 9 agosto 1949,
     relazione di Antolini, MF. 0181-1580-81.

68   Ivi, conclusioni di S. Pessi, MF. 0181-1588-89.

69   Ivi, Federazione di Torino, conclusioni di Pecchioli alla cit. Conferenza di officina
     (3-10 luglio 1948), MF. 0181-1030.

[70] Ivi, Federazione di Genova, verbale del Comitato federale del 6 agosto 1948, intervento di Noberasco, MF. 0181-1616.

[71] Ivi, Federazione di Bologna, relazione stampata di A. Masetti al Comitato federale del 24 gennaio 1949, MF. 0301-2007.

[72] Per esempio a Bologna (ivi, nella cit. relazione, MF. 0301-2007) dove alla specifica Commissione fu affidato il compito di «indirizzare il lavoro ideologico e di seguirne la realizzazione per controllarlo». Il «lavoro culturale», inteso come impegno per la formazione ideologica — precisò Cesare Luporini (cfr. il suo intervento nel *Resoconto sul VI Congresso della Federazione comunista fiorentina*, in *Toscana nuova*, ed. speciale, a. VII, 28 gennaio 1951) — «è un lavoro di prima linea e la classe operaia ha appunto questa grande funzione nazionale».

[73] Cfr. *Per l'organizzazione dei brevi corsi Lenin*, in *Istruzioni e direttive di lavoro della Direzione del Pci a tutte le Federazioni*, n. 18, ottobre 1952, p. 16.

[74] Ivi.

[75] ACG, Federazione di Bologna, verbale del Comitato federale del 20 ottobre 1950, relazione di Bonazzi, MF. 0325-1802.

[76] Cfr. B. Bertini, *Scuole di partito*, ritaglio di un articolo pubbl. a Genova il 6 novembre 1950, in ACG, Federazione di Genova, «carte Ciuffo» (Scuole di partito).

[77] Ivi, Federazione di Modena, verbale della riunione di Comitato esecutivo del 21 agosto 1950, relazione di Carletti, MF. 0326-151.

[78] Ivi, Federazione di Bologna, verbale del cit. Comitato federale del 20 ottobre 1950, relazione di Bonazzi, cit., MF. 0321-151.

[79] Cfr. B. Bertini, *Scuole di partito*, cit.

[80] Id., *Il lavoro ideologico come attività sistematica*, ritaglio di un articolo s.d., in «carte Ciuffo», della Federazione di Genova, cit.

[81] Ivi.

[82] Ivi.

[83] Ivi.

[84] Cfr. l'articolo non f.to *Guida per lo studio di «Gruppi Togliatti». Per la solidarietà nazionale*, ritaglio, in «carte Ciuffo», cit.

[85] Ivi.

[86] ACG, Federazione di Ferrara, circolare «ai compagni istruttori», f.ta R. Costetti, della Commissione quadri federale, 20 febbraio 1952, MF. 0346-1448-51, *passim*.

[87] Ivi, Federazione di Livorno, relazione organizzativa di Dario Durbé Niccodemi alla Direzione nazionale del partito, 15 gennaio 1950, MF. 0326-2355. Il lavoro didattico per la formazione dei quadri svolto nei primi anni cinquanta fu davvero imponente: il numero complessivo dei corsi organizzati negli anni 1951-1954, rispetto al periodo 1945-1950, salí da n. 3.008 a n. 13.952; gli allievi regolarmente frequentanti aumentarono da n. 58.634 a n. 257.049 (oltre il 10% degli iscritti al partito). Si sviluppò notevolmente l'attività delle scuole regionali e, a loro volta, le scuole nazionali o centrali effettuarono «corsi regionali» (cioè con allievi selezionati su basi regionali) di un mese, maschili e femminili, per dirigenti sezionali e

locali, intercalati ai «corsi nazionali» (cioè con allievi selezionati su base nazionale). Imponente fu anche la crescita dei corsi provinciali e locali, variamente intito-
lati a Lenin, Stalin, Ždanov, Gramsci e Togliatti: dai 2.946 organizzati nel periodo 1945-1950, si passò ai 13.479 organizzati nel periodo 1951-1954, con un totale
di partecipazione di 254.072 allievi. La regione che si distinse per la maggiore attività fu l'Emilia (8.041 corsi con la partecipazione di 254.072 allievi). Nel complesso, quindi, circa un terzo degli iscritti al partito fu addottrinato ideologicamente,
mediante iniziative didattiche di varia durata e intensità (corsi semestrali, trime-
strali, mensili, ecc.). Per questi dati, cfr. *Forza e attività del Partito* (dati statistici)
per la IV Conferenza nazionale del Pci, a cura della Segreteria, cit., pp. 69-70.

88   Particolarmente importante era la scuola regionale toscana, con sede a Sesto Fiorentino, nella quale insegnavano Fabiani, Caiani, Mazzoni, Luporini, Scappini, Bar-
dini e Barontini.

89   ACG, Federazione di Roma, lettera di C. Bracci a P.G. Colombi, Roma 12 luglio
1944, in carpetta «Scuole di partito».

90   Ivi, Federazione di Ferrara, verbale del cit. Comitato federale allargato del 12 ottobre 1948, relazione cit. di I. Scalambra, MF. 0183-119.

91   Ivi, Federazione di Bologna, relazione cit. di A. Masetti sulla stampa, 24 gennaio
1949, MF. 0301-2007.

92   Sui metodi, sui fini e sull'organizzazione delle scuole di partito, cfr., ivi, Comitato
regionale toscano, MF. 0183-967-972, la relazione di Renato Giachetti, *Ispezione
alla scuola di Partito regionale della Toscana*, 27 novembre 1948, dove, tra l'altro,
si dà una descrizione accurata delle modalità dell'autocritica, anche ai fini delle
autobiografie richieste agli allievi. «I risultati di ogni corso», rilevava, infatti, Mario Spinella, «*si rivelano soprattutto nelle autobiografie che i compagni sono tenuti a
fare in presenza di tutto il collettivo negli ultimi mesi. Si tratta di un esame critico di
tutta la propria vita*: ambiente sociale da cui si proviene, influenza dei genitori e
degli amici, esperienze di vita, legami col Partito e con la classe operaia. La maturità critica e autocritica di ogni compagno viene vagliata attraverso la sua capacità
di analizzare se stesso e le circostanze della propria vita. I punti poco chiari vengono sottolineati dalle insistenti domande dei compagni — si realizza collettivamen-
te quell'*inventario*, quel *conosci te stesso* di cui parla Gramsci, ponendolo ad inizio
di ogni elaborazione teorica». Cfr. M. Spinella, *La Scuola Centrale del Partito*, in
Rinascita, a.V, n. 8, agosto 1948. Il corsivo è ns.

93   Ivi.

94   Per esempio la seguente su un certo Giuseppe Cambria che aveva frequentato i
corsi della «Scuola per cooperatori» di Ravenna: «Possiede una cultura generale superiore a quella elementare. Non si era mai interessato alla cooperazione. È stato
malato per quasi venti giorni per un attacco di malaria. Però ha dimostrato buona
volontà di apprendere ed ha compreso l'importanza politica della cooperazione».
Cfr. lettera di Umberto Massola, responsabile della Commissione centrale quadri
del partito al segretario della Federazione di Messina, Roma, 14 novembre 1947,
in IGS, f.do «T. Cannarozzo», b. 4, f. 7.

95   Per la bibliografia dei corsi della Scuola centrale A. Ždanov, cfr. le relative informazioni della carpetta «Scuole di partito», cit., in ACG, Federazione di Roma. Cfr.

anche A. Colombi, *Per la preparazione teorica dei quadri del movimento operaio*, in *Rinascita*, a.VII, n. 5, maggio 1950. La Federazione di Milano, in particolare, aveva predisposto una rigorosa graduatoria delle «letture consigliate» ai compagni delle sezioni, anche in funzione dei corsi «accelerati» di formazione politica: «1. *Opere scelte* di Lenin: I e II volume; 2. Stalin, *Questioni di leninismo*; 3. Stalin, *La questione nazionale*; 4. Marx, *Il manifesto*, con commento dell'Istituto Marx-Engels di Mosca; 5. *Il partito e l'Internazionale*; 6. *Piccola enciclopedia del socialismo*; 7. *Un popolo alla macchia* di Longo; 8. *Grande congiura*; 9. *Che fare? Sulla via dell'insurrezione*; 10. *Manifesto del P.C.* (edizioni Rinascita) e la Costituzione dell'Urss».

⁹⁶ ACG, Federazione di Ferrara, verbale del Comitato federale allargato, cit. del 12 ottobre 1948, relazione cit. di I. Scalambra, MF. 0183-120.

⁹⁷ Ivi.

⁹⁸ Ivi, Federazione di Modena, verbale del Comitato federale del 27 settembre 1952, relazione di Silvestri, MF. 0345-2344.

⁹⁹ «In Italia», precisò il Silvestri nella relazione cit. sopra, «ci sono 148 giornali di fabbrica, con una tiratura complessiva di 180.000 copie. Esempi: *Il trattore* dell'O.C. Fiat di Modena, *Voce Operaia* di Reggio Emilia, *Il martello* dei Cantieri Ansaldo di Livorno, *I soffioni* della Lardarello della Val Cecina, *La voce dei lavoratori* della Cogne di Bologna, *Il giornale* della Richard Ginori, *La vetreria* della Sangoben di Pisa».

III. *Princípi ideologici e norme politiche*

¹ ACG, Federazione di Genova, carpetta «Scuole di partito», *Appunto*, non f.to, forse di Ciuffo, p. 2.

² Ivi, p. 3.

³ Cfr. *L'alto appellativo di un membro del partito*, in *Pravda*, 28 agosto 1952, in *Articoli sulla preparazione del XIX Congresso del PC(b) dell'Urss*, in IGS, f.do «Li Causi», b. 2, f. 22.

⁴ Ivi.

⁵ Ivi.

⁶ ACG, Federazione di Roma, carpetta «Scuole di partito», schema di lezione ciclostilata, f.ta Dinucci, sui *Fondamenti del marxismo-leninismo*, s.d., IV lezione, pp. 4-5.

⁷ Ivi. Piú precisamente, aveva scritto Paolo Tedeschi (*Il partito della classe operaia*, ed. del Pci, Delegazione per l'Italia meridionale, Napoli, s.d., p. 3), «per i bordighisti il partito non è parte di una classe, non è l'avanguardia della classe operaia, ma puramente e semplicemente l'insieme di tutti quelli, qualunque sia la loro origine sociale, che accettano il programma del partito e che vogliono battersi per il comunismo: questa concezione ha avuto il doppio effetto di isolare per anni il partito nel settarismo piú chiuso, imbragandolo, e di esporlo cosí a tutta una serie di deviazioni opportunistiche».

⁸ ACG, Federazione di Roma, lo schema di lezione di Dinucci, cit. sopra pp. 4-5.

[9] Ivi.

[10] Ivi.

[11] Ivi.

[12] Ivi.

[13] Ivi.

[14] Ivi.

[15] ACG, Federazione di Genova, verbale cit. del Comitato federale del 2 ottobre 1948, relazione cit. di S. Pessi, MF. 0181-1624.

[16] Ivi, Federazione di Torino, verbali della cit. Conferenza di officina (3-10 luglio 1948), intervento dell'operaio Salvatore Contini, MF. 0181-911.

[17] Ivi, Federazione di Bologna, relazione cit. di A. Masetti sulla stampa, 24 gennaio 1949, MF. 0301-2007.

[18] Ivi, Federazione di Genova, verbale del Comitato federale del 7 settembre 1948, relazione di S. Pessi, MF. 0181-1602.

[19] Ivi.

[20] IGS, f.do «T. Cannarozzo», b. 4, f. 5, segnalazione del segretario della Camera del lavoro di Barcellona Pozzo di Gotto alla Federazione comunista di Messina, 27 dicembre 1947.

[21] ACG, Federazione di Brescia, verbale del Comitato federale del 25 ottobre 1950, MF. 0324-594.

[22] Ivi.

[23] IGS, f.do «T. Cannarozzo», b. 4, f. 7, lettera circolare di E. D'Onofrio a tutti i segretari di Federazione, Roma 17 dicembre 1948.

[24] Sul «caso Morisi», cfr. *l'Unità*, cronaca dell'Abruzzo, 6 agosto 1948.

[25] IGS, f.do «T. Cannarozzo», b. 4, f. 7, Comunicazione della Federazione comunista messinese a tutte le sezioni e cellule, Messina, 27 aprile 1949.

[26] Ivi.

[27] ACG, Federazione di Bologna, risoluzione del Comitato federale *Contro la guerra per la pace*, 28 ottobre 1948, dalla quale emergono con chiarezza le critiche alle tendenze «operaiste» di una certa parte della base del partito.

[28] Ivi, verbale del Comitato federale del 22 maggio 1950, intervento di Bonazzi, MF. 0325-1418.

[29] Ivi, Federazione di Napoli, verbale della riunione di Comitato direttivo dell'8 febbraio 1949, intervento di Cacciapuoti, MF. 0302-3051.

[30] Ivi, Federazione di Bologna, risoluzione cit. *Contro la guerra, per la pace*, MF. 0182-1808.

[31] Ivi, Federazione di Genova, verbale del cit. Comitato federale del 2 ottobre 1948, relazione cit. di S. Pessi, MF. 0181-1624.

[32] Ivi, Federazione di Padova, verbale del Comitato federale del 23 febbraio 1950, relazione di Mario Passi, MF. 0324-2209.

[33] Ivi, Federazione di Ancona, verbale del Comitato federale del 6 gennaio 1949, relazione di A. Maniera, MF. 0302-845.

[34] Ivi, Federazione di Ferrara, verbale del cit. Comitato federale del 12 ottobre 1948, relazione di I. Scalambra, MF. 0183-114.

[35] Ivi.

[36] Ivi.

[37] Ivi, verbale del Comitato federale del 30 ottobre 1948, intervento di Mario Libertini, MF. 0183-155.

[38] Per questi concetti, cfr. l'intervento di Roasio al Comitato federale cit. sopra, MF. 0183-164.

[39] Ivi.

[40] Ivi, Federazione di Reggio Emilia, verbale del Comitato federale allargato del 7 settembre 1948, intervento di F. Onofri, MF. 0183-878.

[41] Ivi, Federazione di Padova, verbale del cit. Comitato federale del 23 febbraio 1950, MF. 0324-2209. «Noi», aggiungeva il Passi nella sua requisitoria contro il settarismo, «non andiamo abbastanza verso gli altri».

[42] Ivi, Federazione di Bari, verbale del Congresso di sezione di Bitonto (2-3 dicembre 1950), intervento di Minenna, MF. 0328-1518.

[43] Ivi, Federazione di Bologna, schema di relazione su La fabbrica, a. 1949, MF. 0301-1941.

[44] Ivi, Federazione di Genova, verbale del cit. Comitato federale del 7 settembre 1948, relazione cit. di S. Pessi, MF. 0181-1602.

[45] IGS, f.do «T. Cannarozzo», b. 4, f. 7, lettera di N. Barrile alla Federazione comunista messinese, Messina, 2 agosto 1948, passim.

[46] Ivi.

[47] Ivi, lettera del segretario della sezione di Tortorici alla Segreteria provinciale di Messina, Tortorici, 9 luglio 1948.

[48] Ivi. Tra i numerosi casi di «insensibilità politica» o di «indegnità» rilevati e puniti dagli organi territoriali del Pci, si ricordi qui quello riguardante i compagni umbri Mario Scoppa, Mario Margutti e Giovanni Rossetti espulsi dal partito: cfr. l'Unità, cronaca dell'Umbria, 24 luglio 1948. Per analoghi motivi fu espulso il compagno Giulio Chiodini della sezione di Castelferretti: cfr. l'Unità, cronaca delle Marche, 14 agosto 1948.

[49] IGS, f.do «T. Cannarozzo», b. 4, f. 7, Appunto, dattiloscritto A. Saccà, Messina 17 luglio 1948.

[50] ACG, Federazione di Bologna, verbale del cit. Comitato federale del 24 gennaio 1949, relazione cit. di A. Masetti, MF. 0301-2007.

[51] Si veda, per esempio (in IGS, f.do «T. Cannarozzo», b. 4, f. 7 lettera della cellula marinai di Messina alla Federazione, s.d., ma 1947) l'istruttoria per l'espulsione del compagno Maddano che «in occasione di una riunione dei dipendenti della Marina italiana si permetteva di criticare in pubblica assemblea l'operato del segreta-

rio del Sindacato marinai il quale è un nostro compagno, critica che oltre ad essere fuori luogo era anche distruttiva».

52 ACG, Federazione di Torino, verbale del direttivo della Cellula Off.30 della Fiat, 4 luglio 1948, intervento di Mercuri, MF. 0181-940.

53 Ivi, per gli interventi dei cit. compagni.

54 Ivi, Federazione di Genova, verbale del Comitato federale del 6 agosto 1948, intervento di Mattei, MF. 0181-1607.

55 Ivi, Federazione di Reggio Emilia, *Bollettino di istruzioni e direttive per il tesseramento* (1950), MF. 0301-3712.

56 Cfr. F. Ormea, *Le origini dello stalinismo nel Pci. Storia della svolta comunista degli anni Trenta*, Feltrinelli, Milano 1978, pp. 151-178; sul caso Silone, ivi, pp. 259-284. Per l'analisi delle forme mentali comuniste nel continuativo esercizio di condanna e riprovazione di Tasca, cfr. P. Secchia, *Un opportunista marcio. Angelo Tasca*, in *Trent'anni di vita e di lotte nel Pci*, Quaderni di *Rinascita*, 2, 1951; ma anche G. Amendola, *Il significato della «svolta» del Pci*, in *Rinascita*, 10 marzo 1967. Per una condanna senza appello di Silone (di cui si contestano persino le qualità di scrittore), cfr. C. Salinari, *L'uomo Silone*, in *l'Unità* (ed. di Genova), 2 agosto 1952. Per una riflessione sui fatti, sulla base di approfondite indagini storiche, cfr. L. Cortesi, *Introduzione* a *I primi dieci anni del Pci* di A. Tasca, Bari, Laterza 1971, p. 45; P. Spriano, *Storia del Partito comunista italiano*, cit., v. II, pp. 230-261; E. Ragionieri, *Palmiro Togliatti*, cit.; anche L. Fenizi, *Silone e Tasca: due eretici*, in *Mondoperaio*, aprile-maggio 1988, n. 4-5, pp. 82-87. Utile per una lettura degli avvenimenti, e in particolare della svolta del 1927-1930, dal punto di vista degli eretici, A. Leonetti, *Un comunista 1895-1930*, a cura di Ugo Dotti, Milano, Feltrinelli 1977, pp. 157-187.

57 ACG, Federazione di Parma, verbale della II Conferenza provinciale di organizzazione, 19-20 novembre 1949, MF. 0301-3171.

58 Ivi, Comitato Regionale Toscano, la cit. relazione di R. Giachetti, *Ispezione alla scuola di Partito regionale*, MF. 0183-971.

59 Ivi, MF. 0183-971.

60 Ivi, Federazione di Genova, verbale del Comitato federale del 6 agosto 1948, intervento di Ciuffo, MF. 0181-1613.

61 Ivi, Federazione di Bologna, verbale del Comitato federale del 2 settembre 1948, intervento di Ghinolfi, MF. 0182-1791.

62 Ivi, Federazione di Genova, verbale del cit. Comitato federale del 6 agosto 1948, intervento di Adamoli, MF. 0181-1607.

63 Ivi, Comitato Regionale Toscano, la cit. relazione di R. Giachetti, *Ispezione alla scuola di Partito regionale*, MF. 0183-968.

64 Ivi, Federazione di Reggio Emilia, verbale del Comitato federale allargato del 7 settembre 1948, relazione di V. Magnani, MF. 0183-874.

65 Ivi. Precisò, in proposito Fabrizio Onofri (MF. 0183-878) ribadendo i concetti del Magnani: «Non c'è nulla da nascondere al Partito; Doriot finí come è noto nelle mani della polizia perché non fu leale e onesto di fronte al Partito».

66 Ivi, la cit. relazione di V. Magnani, MF. 0183-873.

67 IGS, f.do «T. Cannarozzo», b. 4, f. 5, lettera del segretario della sezione comunista di Comara Inferiore (ME) al Regionale del partito, s.d., ma aprile 1948.

68 Ivi.

IV. I comportamenti e i valori

1 ACG, Federazione di Bologna, verbale del cit. Comitato federale del 24 gennaio 1949, relazione cit. di A. Masetti, MF. 0301-2009.

2 Ivi, Federazione di Genova, verbale del cit. Comitato federale del 7 settembre 1948, relazione cit. di S. Pessi, MF. 0181-1602.

3 Cfr. P. Secchia, *Il capogruppo*, discorso pronunziato a Firenze, il 4 novembre 1951, opuscolo dei *Quaderni dell'attivista*, s.d., ma 1952, p. 12.

4 Ivi, p. 13.

5 ACG, Federazione di Genova, verbale del cit. Comitato federale del 6 agosto 1948, intervento cit. di Bertolini, MF. 0181-1613.

6 Le sanzioni previste dagli Statuti del partito, da quello varato dal V Congresso nel 1946 agli altri, successivi del 1948 (VI Congresso), del 1951 (VII Congresso) e dal 1956 (VIII Congresso) sono le seguenti: il richiamo orale, il biasimo scritto, la sospensione o la destituzione dalla carica, la sospensione dal partito da uno a sei mesi, la radiazione, l'espulsione. La facoltà di decidere il richiamo orale e il biasimo scritto è attribuita all'«organismo dirigente dell'organizzazione a cui appartiene il compagno da richiamare o biasimare». Le altre sanzioni «sono decise dall'assemblea dell'organizzazione di partito a cui è iscritto il compagno sottoposto a sanzioni e sono confermate dal comitato direttivo dell'organizzazione superiore». È comunque riconosciuto al compagno sottoposto a procedimento il diritto di «conoscere gli addebiti che gli vengono fatti e di giustificarsi», nonché il diritto «di essere presente alla riunione in cui si discute il suo caso» e di ricorrere alla Commissione federale di controllo e alla Commissione centrale di controllo. Particolari disposizioni, quanto all'organo deliberante, sono previste per i membri del Comitato federale o della Commissione federale di controllo e del Comitato centrale e della Commissione centrale di controllo. Cfr. M. D'Antonio, G. Negri, *Raccolta degli Statuti dei partiti politici in Italia*, Milano, Giuffrè 1958, p. 21; anche R. Martinelli, *Gli statuti del Pci, 1921-1979*, in *Il Partito comunista italiano*, cit., pp. 63-82. Sulle drammatiche, e assai umilianti, conseguenze del forzato abbandono del partito da parte dei militanti, con particolare riferimento ai casi di Leonetti, Tresso, Ravazzoli, Tasca, Silone e Cocchi, cfr. N. De Ianni, *Una scuola di vita - Funzionari comunisti tra partito e società*, con un'intervista a Clemente Maglietta, Napoli, Pironti, 1984, p. 57.

7 IGS, f.do «T. Cannarozzo», b. 4, f. 7, lettere del responsabile dell'Ufficio quadri della Sezione A. Gramsci di Messina alla Commissione quadri della federazione, 2 febbraio 1949.

8   Lettera della Segreteria della Federazione di Messina alla Commissione quadri e al Comitato regionale, s.d.

9   Ivi, lettera di N. Damiano, segretario della sezione comunista di Capo d'Orlando (ME) alla Federazione di Messina, 16 luglio 1948.

10   Ivi, f.do «Li Causi», b. 2, f. 22, per il cit. articolo della *Pravda*.

11   Per questa definizione, cfr. la cit. relazione di R. Giachetti, *Ispezione alla scuola di partito regionale*.

12   ACG, Federazione di Genova, verbale del cit. Comitato federale del 7 settembre 1948, relazione cit. di S. Pessi, MF. 0181-1603.

13   Ivi.

14   Ivi, Federazione di Firenze, *Direttive* (f.te Luigi Gaiani) per la preparazione del VI Congresso provinciale del partito, MF. 0326-2253.

15   Cfr. l'articolo della *Pravda* cit. sopra.

16   ACG, Federazione di Genova, verbale del Comitato federale del 6 agosto 1948, intervento di Tonini, MF. 0191-1605. Ma il napoletano Tedeschi era stato ben piú duro nel sollecitare comunque una «regolare» verifica dell'avvenuto ravvedimento del compagno caduto in errore: non sarebbe stato sufficiente prendere atto di una generica volontà di emendarsi; l'autocritica, soprattutto nei casi di evidente «indisciplina» o quando qualcuno si «intestardiva nei propri errori rifiutando di riconoscerli», avrebbe dovuto avere tutti i crismi di una plateale confessione pubblica dinanzi ai compagni, per offrire piena dimostrazione di avere compreso fino in fondo il *perché* e il come dell'errore. Non sarebbe stato pertanto un buon metodo quello di «liquidare la questione all'*amichevole*». E se ne avesse sofferto la dignità dell'accusato? Niente di grave in questo caso, asseriva il Tedeschi: infatti, «non si tratta per noi di salvaguardare la *dignità* di questo o quel compagno, si tratta invece di edificare il partito, di bolscevizzarlo». Cfr. P. Tedeschi, *Il partito della classe operaia*, cit., p. 15.

17   ACG, Federazione di Genova, intervento di Tonini, cit. sopra.

18   Per esempio questa «dichiarazione liberatoria» autografa (in IGS, f.do «T. Cannarozzo», b. 4, f. 7) resa da un certo Domizio Costa, ex massone messinese, e allegata alla sua domanda di iscrizione al partito: «Il sottoscritto dichiara formalmente di essersi appartato da circa due anni da ogni attività massonica e di volere mantenere per l'avvenire la stessa linea di condotta».

19   ACG, Federazione di Genova, verbale del cit. Comitato federale del 7 settembre 1948, relazione cit. di S. Pessi, MF. 0181-1604.

20   ACG, Federazione di Firenze, le cit. *Direttive* (f.te Luigi Gaiani), MF. 0326-2253.

21   Ivi, Federazione di Torino, il cit. intervento di Bigando alla Conferenza di Officina, MF. 0181-968.

22   Per la citazione testuale di Stalin, nel nuovo progetto di Statuto del PC (b) dell'Urss, cfr. la raccolta ciclostilata, *Articoli sulla preparazione del XIX Congresso del PC (b) dell'Urss*, in IGS, f.do «Li Causi», b. 2, f. 22.

23   Cfr. *Chi sono i nemici della religione, i nemici della proprietà, i nemici della famiglia*, cit., p. 54.

[24] E. Sereni, *Per la difesa del cinema italiano*, discorso pronunziato al Senato, il 25 maggio 1949, stampato a cura del Pci.

[25] Cfr. G.L. Mosse, *Sessualità e nazionalismo*, Laterza, Roma-Bari 1986, pp. 211-212.

[26] Ivi, p. 105.

[27] G. Siri, *Lettera pastorale sul ballo*, in *Rivista diocesana*, a. XXXVII, nn. 7-8, Genova, luglio-agosto 1948, p. 41.

[28] Ivi, pp. 43-44, *passim*.

[29] Cfr. *Episcopato ligure. Rinnovata riprovazione del ballo*, in *Rivista diocesana*, a. XXXIV, n. 2, Tortona, febbraio 1947, p. 9.

[30] Ivi.

[31] Ivi.

[32] ACG, Federazione di Bologna, verbale della riunione di Comitato esecutivo del 15 aprile 1949, intervento del Fortunati che riprende e contesta una frase del Grieco, MF. 0301-2119.

[33] Ivi, intervento di Grieco, MF. 0301-2120.

[34] Ivi, Federazione di Torino, relazione di L. Brunetti *Sulla funzionalità delle cellule giovanili*, in Atti della Conferenza di officina del 9 luglio 1948, OFF. 29 M-cell. n. 7-8, MF. 0181-923.

[35] Ivi.

[36] Cfr. il discorso sulla «questione giovanile» di L. Viviani, 28 ottobre 1952, pubblicato a cura dell'Udi, Roma 1953, p. 4.

[37] ACG, Federazione di Bologna, verbale della cit. riunione di Comitato esecutivo del 15 aprile 1949, discorso conclusivo di A. Masetti, MF. 0301-2128.

[38] Ivi, intervento di Biondi, MF. 0301-2122.

[39] Ivi, Federazione di Ferrara, verbale del Comitato federale del 30 ottobre 1948, intervento di Nives Gessi, MF. 0183-153. Ma la livornese Maria Marelli (cfr., ivi, Federazione di Livorno, verbale del Comitato federale del 10 dicembre 1950, MF. 0326-1588) avrebbe espresso un orientamento che potrebbe dirsi di saggia mediazione: «È nostro dovere verso il partito e verso i nostri figli essere davvero all'avanguardia vicino ai nostri mariti e compagni per preparare un avvenire felice alle future generazioni. Però noi chiediamo che i compagni mariti e fratelli delle nostre compagne abbandonino un po' quell'egoismo involontario, pensando che le loro donne stanno bene a casa. Sta a loro fare opera di persuasione a queste compagne loro congiunte che la loro presenza nella Sezione alle riunioni è piú che necessaria e non si badi a quel piccolo sacrificio che comporta l'intervenire. Possiamo voler bene ai nostri figli non soltanto portandoli a spasso o cullandoli continuamente, ma partecipando attivamente alla vita del partito che [...] preparerà ad essi un avvenire felice».

[40] Ivi, Federazione di Torino, verbale della cit. Conferenza di officina (3-10 luglio 1948), Cellula Off. 19 - Donne della Sezione Bravin, intervento dell'operaia-Fiat Negro, MF. 0181-905.

41   Ivi, Federazione di Bari, verbale del Comitato federale del 29 ottobre 1950, intervento di Gugliotti, MF. 0328-1475.

42   Cfr. *Per chi vota Caterina Pipitone?*, opuscolo di propaganda del Pci, s.d., ma 1953.

43   IGS, f.do «Li Causi», b. 7, f. 9, Atti ds. del II Congresso della cultura popolare, terza giornata, gennaio 1953, intervento di Ada Alessandrini. Comunque la «questione femminile» non era certo tra le questioni ritenute fondamentali dal Pci per la sua azione nella società. Sarebbero trascorsi vari anni prima che il partito si rendesse conto dei ritardi di elaborazione politica e dei limiti strategici che una siffatta sottovalutazione inevitabilmente comportava. Ne avrebbero preso atto, allarmati, nel clima della «destalinizzazione», nel confronto con i problemi posti dalla prima grande «crisi di egemonia» del dopoguerra, i compagni milanesi (cfr. Risoluzione del Comitato direttivo della Federazione di Milano, 15 ottobre 1956) che rilevarono quanto «il problema dell'emancipazione femminile» fosse indicativo del fatto che non sempre nel partito si era realizzata «una reale unità politica». Ne avrebbe preso atto, autocriticamente, anche Luigi Longo (cfr. il suo rapporto in *Documenti per l'VIII Congresso*) con le seguenti osservazioni: «Dobbiamo riconoscere che la politica di emancipazione femminile non è stata ancora completamente assimilata dal partito. Vi sono resistenze di ordine ideologico e di ordine politico, le quali hanno le stesse radici di altre resistenze alla giusta comprensione e attuazione della linea politica del partito». Cfr., anche per le citazioni, D. Sassoon, *Togliatti e la via italiana al socialismo*, cit., pp. 329-330.

44   IGS, f.do «Li Causi», b. 7, f. 9, testo ds. della conversazione *Commento a «I giorni della nostra vita»*, tenuta da E. D'Onofrio alle ragazze comuniste e ai giovani della Fgci, la sera dell'11 luglio 1955 nella sede della sezione comunista di Testaccio di Roma, pp. 7-8.

45   Ivi.

46   Ivi.

47   Ivi.

48   Ivi.

49   Ivi.

50   Ivi, p. 14.

51   Ivi, p. 22.

V. Intellettuali organici e «repubblica guelfa»

1   R. Lombardi, *Radiorientamenti*, Roma, ed. La Civiltà Cattolica 1947, p. 233.

2   Ivi, p. 228.

3   A. Crepas, *Ingenuità da biancofiore e furberie da salotto rosso*, in *Il Brancaleone*, a.IV, nn. 21-22, luglio 1949.

4   Ivi.

5   Cosí in una vignetta non f.ta, ivi.

6   Erano, nell'ordine di apparizione della loro firma, Marco Ramperti, Giorgio Nico-
    demi, Aniceto Del Massa, Francesco Sapori, Emilio Brodero, Gianni Bartoli, Lui-
    gi Villari, Bartolo Galletti, Paolo Zappa, Giuseppe Dall'Ongaro, Sanzio D'Arbo-
    rio, Ludovico Aminale, Attilio G. Rossi, Donatello D'Orazio. *Il Brancaleone* dava
    voce alla piú recente trasformazione clerico-fascista — all'ombra del Msi e in evi-
    dente posizione di fiancheggiamento della destra Dc — dell'ormai liquidato qua-
    lunquismo gianniniano. Il programma della testata (cfr. ivi, *Ad uno per tutti*, a. V.,
    nn. 31-33, settembre-ottobre 1950), muoveva, ad apertura degli anni cinquanta,
    dal dato di fatto dell'avvenuta emarginazione politica della sinistra dopo il 18 apri-
    le 1948 e si fondava sulla ipotesi di un'unificazione di tutte le forze moderate e
    anticomuniste intorno a un nucleo vigilante e combattivo costituito dal personale
    intellettuale e politico che sapeva vivere senza complessi il recente passato dell'e-
    sperienza fascista: «Noi assumiamo che i termini *fascista* e *antifascista* devono esse-
    re superati sul piano di una leale e schietta pacificazione nazionale».

7   Cfr. *Due compagni giornalisti ch'eran mistici fascisti*, non f.to, ivi, nn. 22-23, 18-25
    giugno 1954.

8   Cfr. *La romana meretrice di carta* (alias Maria Bellonci), non f.to, ivi, a.VI, nn. 7-8,
    23-30 aprile 1951.

9   S. D'Arborio, *Scandalo rosso per il film sui carabinieri*, ivi, nn. 25-26, 16-23 settem-
    bre 1949.

10 Cfr. *I puzzoni dell'Ambasciata*, non f.to, ivi, a.V, nn. 38-39, 23-30 novembre 1950.

11 S. D'Arborio, *Il senzamutande Luchino*, ivi, nn. 22-23, 10-25 giugno 1950.

12 Ivi.

13 M. Ramperti, *Tremino come davanti al plotone di esecuzione*, ivi, a.V, nn. 18-19,
    21-28 maggio 1950.

14 S. D'Arborio, *Il senzamutande Luchino*, cit.

15 M. Ramperti, *Tremino come davanti al plotone di esecuzione*, cit.

16 S. D'Arborio, *Il senzamutande Luchino*, cit.

17 Cfr. *I puzzoni dell'Ambasciata*, cit.

18 A.C. Jemolo, *Muoia Sansone con tutti i filistei*, in *Il Ponte*, Firenze, luglio 1949.

19 Ivi.

20 R. Zangrandi, *Crisi dell'anticomunismo intellettuale*, in *Rinascita*, a.VI, nn. 8-9, agosto-
    settembre 1949.

21 A.C. Jemolo, *Muoia Sansone*, cit.

22 Cfr. M.A. Manacorda, *La gioventú in potere dei clericali*, in *Rinascita*, a.V, nn. 4-5,
    aprile-maggio 1948. Le iniziative, dirette o indirette, contro la cultura laica e pro-
    gressista anche in Italia seguirono un andamento analogo a quello che negli Usa
    era vistosamente determinato dal trionfo del «maccartismo». A parte il rigoroso
    e talvolta grottesco attivismo degli organi censori pubblici sugli spettacoli (dalla
    cinematografia al teatro) con l'uso della normativa fascista adesso piegata alla para-
    noia moralista di un orientamento che potrebbe dirsi salazariano (nel quale si co-
    niugavano autoritarismo politico, difesa degli interessi padronali e vigilanza sul «buon

costume»), era in corso, intorno alle curie vescovili e alle parrocchie una capillare azione clericale, tendente al controllo dei comportamenti individuali, con vocazioni integristico-religiose. Il fenomeno ebbe la sua fase acuta tra il 1948 e il 1953. Naturalmente l'anticomunismo ne costituí l'aspetto fondamentale, data la possibilità di stabilire un'equazione rigida tra *comunismo* e *materialismo*. Se ne ebbe l'ibrido, davvero mostruoso, *clericalismo-americanismo*, con un intreccio delle vicende della repressione anticomunista in Usa e in Italia. Ebbero vasta e dolorosa eco negli ambienti democratici italiani la destituzione di Luigi Russo dal rettorato della Normale di Pisa, il rifiuto del «visto» americano a Moravia, Zavattini, cosí come era accaduto a Picasso e a Joliot-Curie; e poi, nei primi anni Cinquanta, «l'intervento della polizia contro la mostra *l'arte contro la barbarie*, l'intervento contro gli scambi culturali (Brecht, artisti sovietici), l'azione contro il cinema (neorealistico) e quello socialista, in modo diretto attraverso la censura e il divieto opposto ai films dei paesi popolari, indirettamente sui produttori tentando di eliminare i circoli del cinema». Cfr., tra le voci di protesta della base comunista, D. Gobbi, relazione al Comitato federale allargato ravennate sul lavoro culturale, 14 ottobre 1952, in ACG, Federazione di Ravenna, MF. 0345-3110.

23 Cfr. M.A. Manacorda, *La gioventú in potere dei clericali*, cit.

24 Cfr. *Un giudizio su Alfredo Panzini*, in *Rinascita*, a.VI, n. 4, aprile 1949.

25 Cfr. G. Candeloro, *L'offensiva clericale*, ivi, n. 11, novembre 1949.

26 C. Alvaro, *Sulle condizioni degli intellettuali nei nostri anni in Italia*, ivi, a.V, n. 3, marzo 1948.

27 Ivi.

28 Ivi.

29 Per i particolari del processo, si rinvia al ns. *L'autarchia della cultura. Intellettuali e fascismo negli anni trenta*, Roma, Editori Riuniti 1983, pp. 129-134; anche L. Mangoni, *L'interventismo della cultura. Intellettuali e riviste del fascismo*, Bari, Laterza, 1974, pp. 256-283; M. Isenghi, *Intellettuali militanti e intellettuali funzionari*, Torino, Einaudi, 1979, pp. 43-50.

30 Sull'egemonia crociana, l'approfondita analisi di A. Leone de Castris, *Egemonia e fascismo*, Bologna, Il Mulino, 1981, pp. 133-170; anche le sintetiche note di N. Bobbio, *La cultura e il fascismo*, in AA.VV., *Fascismo e società italiana*, Torino, Einaudi, 1973, pp. 211-246; *id.*, *Profilo ideologico del Novecento italiano*, Torino, Einaudi, 1986, pp. 74-85.

31 [M. Alicata], *Sull'attività del Partito fra gli intellettuali*, dattiloscritto s.d., ma 1944, non f.to, in ACG, Federazione di Roma, MF. 086/771, pp. 773-74.

32 Ivi, p. 774. Si potrebbe asserire sensatamente, a patto di non doversi sottoporre all'onere della prova, che il Pci attrasse anche quanti, convinti ormai dell'ineluttabile vittoria del comunismo in Italia, ritennero di dovere fare presto e bene per trovarsi al momento opportuno nella posizione «giusta» e rimanere a galla. Fu, questo, con tutta probabilità, il caso personale di Curzio Malaparte. Particolarmente travagliato, nelle dimensioni di una dialettica irrisolta, sarebbe rimasto, invece, per tutti gli anni cinquanta il rapporto tra il Pci e gli intellettuali di una vasta sinistra laico-socialista o liberal-radicale (comunque non etichettabile con precise defini-

zioni ideologiche), sempre autonoma, seppure qualche volta, e in casi singoli, disponibile a impegni di milizia politica (ma piú nel Psi che nel Pci), raccolta intorno a riviste come *Il Ponte*, *Belfagor*, *Lo spettatore italiano*, *Comunità*, *Il Mulino*, *Nuovi Argomenti*, *Itinerari*, ecc. Come rileverà N. Bobbio nei primi anni cinquanta (cfr. *Intellettuali e vita politica*, in *Politica e cultura*, Torino, Einaudi, 1955, pp. 122-123) quegli intellettuali erano certo all'opposizione, ma costituivano «un blocco di ghiaccio compatto, preso fra due correnti di flutti: [...] "piú vicini ai comunisti quando si tratta di indignarsi della miseria, dell'analfabetismo, della struttura antiquata dello stato dei baroni e dei grandi industriali; piú vicini ai liberali quando si tratta di protestare in favore delle libertà contro certe purghe, certe forche, certi processi. E naturalmente sono accusati contemporaneamente di essere *guardie svizzere* della reazione dagli uni e *utili idioti* del comunismo internazionale dagli altri"».

33 [M. Alicata], *Sull'attività del partito fra gli intellettuali*, cit., p. 773.

34 Ivi, p. 776.

35 Ivi, p. 777.

36 Ivi, p. 782.

37 Ivi.

38 Ivi, p. 772.

39 Ivi.

40 Ivi, p. 774.

41 Ivi, p. 777.

42 La rivista *Società* esordí, nel gennaio del 1945, con enunciazioni programmatiche che, nonostante la scelta ufficialmente marxista-leninista (e, in qualche caso, persino enfaticamente stalinista) dei suoi redattori e collaboratori, in definitiva rivelarono che l'esigenza di una mediazione tra cultura marxista e tradizione idealistica era avvertita, prima ancora che verso l'esterno, all'interno stesso dell'area in formazione dei cosiddetti intellettuali organici. Infatti, nel testo di quelle enunciazioni (cfr. l'editoriale *Situazione*, ivi, nn. 1-2, gennaio-giugno 1945) veniva ribadito il fondamentale ruolo di depositari del sapere proprio degli intellettuali, anche se questi dichiaravano di avere finalmente compreso di non costituire una classe a sé e di essere integralmente al servizio, senza «ambiguità riguardo alla via da seguire», del mondo del lavoro e delle sue lotte per la liberazione dallo sfruttamento capitalistico. Diretta da Gastone Manacorda e Carlo Muscetta, la rivista avrà la sua fase aurea nei primi anni Cinquanta, annoverando tra i suoi collaboratori studiosi e letterati come Delio Cantimori, Valentino Gerratana, Natalino Sapegno, Giovanni Ferretti, Giorgio Candeloro, Giuliano Procacci, Luciano Cafagna, Paolo Chiarini, Ettore Bonora, Mario Mirri, Giovanni Cherubini, Carlo Salinari, Sergio Romagnoli, Lucio Colletti, Giulio Carlo Argan, Ernesto De Martino, Renzo De Felice, Massimo Mila, Franco Cagnetta, Francesco Albergamo, Carlo Bertelli, Niccolò Gallo, Gianfranco Corsini, Massimo Aloisi, Armando Saitta, Ernesto Ragionieri, Piero Dallamano e, con un ruolo insolito di saggista, Italo Calvino: tutti, a vario titolo, «intellettuali organici» (ma con diverso carattere predisposti a quella che sarà, nel '56, la crisi della destalinizzazione), per adesso non lontani dall'orientamento esemplarmente rivelato da un celebre articolo di G. Manacorda (*Umanesimo di Stalin*, in *Società*, gennaio-giugno 1953).

[43] Lo studioso degli eretici italiani si iscrisse al Pci nel 1948; ne sarebbe uscito nel 1956. Sul suo itinerario intellettuale-politico, cfr. M. Ciliberto, *Intellettuali e fascismo. Saggio su Delio Cantimori*, Bari, Laterza, 1977; anche il puntuale e denso saggio di G. Manacorda, *Lo storico e la politica. Delio Cantimori e il partito comunista*, in *Storia e storiografia. Studi su Delio Cantimori*, Atti del convegno tenuto a Russi (Ravenna) il 7-8 ottobre 1978, a cura di B.V. Bandini, Roma, Editori Riuniti, 1979, pp. 61-109.

[44] Di A. Banfi vide la luce nel 1950 quella raccolta di saggi (*L'uomo copernicano*, Milano, Mondadori) che segnò ufficialmente il suo approdo, dal «razionalismo critico», al marxismo. Cfr. anche Id., *La mia prospettiva filosofica*, Padova, Liviana, 1950.

[45] Cfr. Roderigo di Castiglia (P. Togliatti), *Vittorini se n'è ghiuto, e soli ci ha lasciato*, in *Rinascita*, a. VII, nn. 8-9, agosto-settembre 1951. «Vittorini?», scrisse Togliatti, puntualizzando le fasi del travagliato rapporto tra il Pci e lo scrittore siciliano, «sí, era stato accanto a noi nel combattimento contro la tirannide interna e l'invasore straniero. Come tanti altri. Né meglio, né peggio, dicono. Poi era venuto un racconto dedicato a questo combattimento *Uomini e no*, bello ma discutibile, per quella manía di non saper presentare se non attraverso un torbido travestimento di letteratura gli eroi di quella battaglia, che furono uomini del popolo nella loro grande maggioranza, uomini chiari e semplici, dunque, di fronte ai fatti, di fronte al dovere da compiersi e al destino. Poi una rivista, che fu diffusa largamente e favorita dai nostri, che attendevano qualcosa di nuovo e di buono, ma finí per scontentare tutti e lo stesso direttore, perché conteneva di tutto e non conteneva nulla [...]. Morí, la rivista, dopo un inizio di dibattito sulla politica e la cultura. Ma qui già si camminò sui carboni, perché l'intenzione che trasudava dalle parole non era quella di distinguere, congiungere e separare, queste due attività umane, ma piuttosto di trovare, per l'uomo *colto* o preteso tale, una scappatoia per conto suo, lontano delle non grate fatiche dei *politici*. Infine altri libri, scritti quando già, crediamo, lo scrittore riteneva di non avere piú nulla in comune con noi, di essersi liberato da qualsiasi costrizione e nei quali, dunque, libero avrebbe dovuto espandersi il genio. Ma sono libri di cui è difficile parlare, perché è a tutti difficile trovar la pazienza di leggerli sino alla fine». Per una rapida sintesi della polemica Togliatti-Vittorini, cfr. A. Asor Rosa, *La cultura, Storia d'Italia*, v. IV, Torino, Einaudi, 1978, pp. 1596-1604, dove è chiarito anche lo specifico ruolo che, in tutta la vicenda, ebbe Mario Alicata.

[46] Secondo Mario Alicata (cfr. Id., *Una linea per l'unità degli intellettuali progressivi*, in *Rinascita*, a.V, n. 12, dicembre 1948), Vittorini offriva una testimonianza eloquente del fatto che in Italia gli intellettuali rappresentavano «lo strato piú rilevante della piccola borghesia cittadina».

[47] *Per la salvezza della cultura italiana*, risoluzione della direzione nazionale del Pci, Roma, 2 marzo 1948. Il testo, dattiloscritto, in ACG, Federazione di Roma.

[48] Ivi.

[49] Ivi.

[50] Per il documento del 12 agosto 1949, cfr. *l'Unità*, 13 agosto 1949. Per gli aspetti complessivi della battaglia civile comunista, cfr. G. Amendola, *Gli anni della Repubblica*, Roma, Editori Riuniti, 1976, pp. 89-113.

[51] Cfr. M. Alicata, *Una linea per l'unità degli intellettuali progressivi*, cit.

52 Ivi.

53 Ivi.

54 Ivi.

55 Ivi.

56 Ivi.

57 Infatti, la pubblicazione dei *Quaderni* gramsciani, nell'edizione dell'Einaudi, cominciata nel 1948, si sarebbe conclusa nel 1951. Per l'analisi del processo di diffusione del pensiero gramsciano in Italia, cfr. E. Ragionieri, *Gramsci e il dibattito teorico nel movimento operaio internazionale*, in AA.VV., *Gramsci e la cultura contemporanea*, Atti del Convegno internazionale di studi gramsciani (Cagliari, 23-27 aprile 1967), a cura di P. Rossi, Roma, Editori Riuniti, 1975, pp. 101-147.

58 Cfr. M. Alicata, *Una linea per l'unità degli intellettuali progressivi*, cit. Per un'acuta valutazione del meridionalismo gramsciano, in contrapposizione alla funzione svolta da Croce e dal crocianesimo tra gli intellettuali del Mezzogiorno, cfr. *Id.*, *Benedetto Croce e il Mezzogiorno*, in *Rinascita*, a.IX, n. 12, dicembre 1952. Su Gramsci meridionalista, cfr. M.L. Salvadori, *Gramsci e la questione meridionale*, in *Gramsci e la cultura contemporanea*, cit., pp. 391-438; anche M.A. Aimo, *Stato e rivoluzione negli scritti sulla questione meridionale*, ivi, pp. 189-192.

59 Cfr. Id., *La società italiana e la cultura nell'analisi di Antonio Gramsci*, in *l'Unità*, 4 marzo 1951.

60 Trattasi dell'*Unità* del 27 aprile 1972. L'influenza del pensiero gramsciano sugli intellettuali italiani, avviatasi nei primi anni Cinquanta, sarebbe stata paragonabile — l'ha notato N. Bobbio (cfr. *Profilo ideologico del Novecento italiano*, cit., p. 170) — solo a quella di Croce nel primo decennio del secolo: «Con Gramsci il marxismo come filosofia passò da un momento meramente didascalico (essenzialmente dottrinario anche in Labriola) a quella dell'analisi e della ricerca sul vivo».

61 IGS, f.do «Cimino», b. 24, f. 5, Documento degli intellettuali di Caltanissetta, cit.

62 Ivi.

63 Lettera di C. Bracci a P.G. Colombi, Roma, 12 luglio 1944, in ACG, Federazione di Roma, carpetta «Scuola di partito» cit.

64 Ivi, Federazione di Bologna, verbale del Convegno regionale sul lavoro culturale, 7 ottobre 1951, cit., intervento di C. Salinari, MF. 0336-124.

65 Ivi, Federazione di Ravenna, relazione di D. Gobbi al Comitato federale allargato sui problemi della cultura, 14 ottobre 1952, MF. 0345-3104.

66 Ivi, Federazione di Genova, schema di conferma celebrativa per il XII anniversario della morte di A. Gramsci, dattiloscritto a cura della Segreteria, 26 aprile 1950, carpetta «Stalin».

67 Ivi.

68 Ivi, Federazione di Ravenna, relazione cit. di D. Gobbi al cit. Comitato federale allargato, 14 ottobre 1952, MF. 0345-3106.

69 Ivi, Federazione di Modena, relazione di M. Silvestri al Comitato federale del 27 settembre 1952, MF. 0345-2349.

70 «Questo libro, semplice ed elementare», scrisse Felice Platone (cfr. *Il marxismo-leninismo in Italia, prima e dopo la Storia del Pc (b) dell'Urss, in Rinascita*, a.V, n. 12, dicembre 1948), «dev'essere vivamente consigliato ai professori o aspiranti professori di marxismo che ancora non l'hanno letto e studiato. Provino a leggere questo *racconto* del leninismo in azione e forse scopriranno un mondo ignorato e insospettato, forse troveranno la chiave per capire ciò che in Marx, in Lenin, in Gramsci non hanno ancora capito». La *Storia* fu il testo fondamentale per la preparazione dei compagni che rientravano in Italia dal 1940 al 1943 e che si sparsero in tutte le organizzazioni all'interno del paese, quando non furono inviati alle isole di confino. «Al momento della liberazione, la *Storia* era ormai largamente conosciuta anche tra i partigiani, molti dei quali l'avevano studiata o letta nelle giornate di sosta, tanto è vero che man mano che le nostre province venivano liberate dai tedeschi e dai fascisti [...] le maggiori federazioni del PC si affrettavano per loro conto a pubblicarne la loro edizione in decine di migliaia di esemplari. Si ebbero in quel periodo almeno cinque diverse edizioni della *Storia*, quasi simultanee, per un totale di 250.000 esemplari». Ivi, p. 462. Sull'argomento, cfr. P. Spriano, *Le passioni di un decennio (1946-1956)*, Milano, Garzanti, 1986, pp. 158-159; per la corretta valutazione dell'influenza dell'opera nel quadro europeo, Id., *I Comunisti europei e Stalin*, Torino, Einaudi 1983, pp. 74-77.

71 ACG, Federazione di Bologna, verbale del Comitato federale del 24 gennaio 1949, relazione cit. di A. Masetti, MF. 0301-2007.

72 Ivi, MF. 0301-2008.

73 P. Togliatti, *Sviluppo e trionfo del marxismo*, in *Rinascita*, a.VI, 4-12 dicembre 1949.

74 Lettera circolare (f.ta Gastone Marri) del Centro diffusione stampa della Federazione ravennate alle Federazioni di Sassari, Crotone, Matera e Foggia, 9 febbraio 1952, in ACG, Federazione di Ravenna, MF. 0345-3074.

75 Per un'analisi piú accurata, cfr. il ns. *Movimento pacifista e lotte popolari agli inizi degli anni '50*, in *Segno*, a. IX, nn. 11-12, novembre-dicembre 1983, pp. 105-109.

76 Sull'«allarme atomico» e sui processi da esso innescati nel Pci e nella società italiana, cfr. il ns. *Allarme sociale, coscienza antimperialista e progetto democratico*, in Atti del Convegno su «La cultura della pace dalla Resistenza al Patto Atlantico», Ancona, Il lavoro editoriale, 1988, pp. 435-458. Per un'acuta disamina delle inquietudini del tempo, cfr. F. Diaz, *Il senso del pericolo*, in *Rinascita*, a. IX, n. 9, settembre 1952.

77 Sul movimento, sulle sue forze, sui suoi sviluppi in Italia e nel mondo, cfr. R. Giacomini, *I partigiani della pace*, Milano, Vangelista 1954.

78 Tra gli altri, davvero innumerevoli, Cholokhov, Cotton, Bernal, Eluard, Kellermann, H. Mann, Neruda, Picasso, Vercors, Einstein, Russell, Dreiser, Dos Passos, Sinclair, Amado, R. Alberti, Matisse, Chaplin, Autant-Lara, Siqueiros. In Italia, fino dalle origini del movimento: Quasimodo, Guttuso, Levi, N. Ginzburg, S. Aleramo, G. Einaudi, A. Donini, S. Solmi, M. Socrate, V. Gorresio, G. Rossi Doria, G. Turcato, G. Caproni, A. Banfi, U. Barbaro, C. Muscetta, R. Battaglia, Bianchi Bandinelli, alla testa di parecchie decine di scrittori, artisti, giornalisti, studiosi.

[79] Cfr. il ns. *Don Mazzolari e gli intellettuali della pace*, in *Lavoro critico*, 2 (nuova serie), agosto 1985, pp. 10-11.

[80] Ivi, pp. 24-35. In particolare, su don Andrea Gaggero, cfr. R. Giacomini, *I partigiani della pace*, cit. pp. 187-192.

[81] Cfr. il ns. *Don Mazzolari e gli intellettuali della pace*, cit., p. 15. «In ogni caso», ha notato P. Spriano (*Le passioni di un decennio*, cit., p. 143), «la paura della guerra facilita enormemente, anche presso strati lontani da una scelta comunista, la propaganda per la pace del Pci, consente che le sue iniziative [...] abbiano un eccezionale successo. [...] E come succede per altri aspetti, ad esempio per la valorizzazione e la difesa della Costituzione democratica, anche per la questione della pace gli attivisti socialisti e comunisti, o invitati a persuadere la gente sui rischi catastrofici di un conflitto atomico, finiscono per farsi convinti per primi che quella guerra va evitata». Dal punto di vista di questo saggio, l'aspetto piú rilevante dell'intero processo fu la saldatura dell'iniziativa pacifista degli intellettuali (segnalata dagli *appelli* e dalla diretta partecipazione di essi alle manifestazioni pubbliche del movimento) con vaste lotte di massa che, anche al di là del tema specifico della mobilitazione, mettevano duramente in crisi gli apparati repressivi e la stessa legittimità democratica della repubblica del 18 aprile.

[82] Uno stato di fatto, cosí oggettivo e indiscutibile nei suoi dati essenziali, riconosciuto anche da E. Galli Della Loggia (cfr. Id., *Ideologie, classi e costume*, in AA.VV., *L'Italia contemporanea, 1945-1975*, Torino, Einaudi 1976, pp. 398-407) che identifica in esso «una cesura all'apparenza radicale rispetto alla precedente tradizione». Orientandosi a sinistra — rileva opportunamente Galli Della Loggia — «la cultura italiana non faceva che seguire in ritardo una tendenza già prepotentemente affermatasi da almeno quindici anni in tutto l'Occidente borghese e da noi soffocata per la presenza del fascismo». Si sarebbe trattato, pertanto, di un processo che già ubbidiva in qualche modo a una «tradizione culturale», una tradizione nella quale «la *forma* culturale faceva aggio sulla pretesa *essenza* politica». È però troppo schematico asserire che «quella scelta non suscitò in chi allora la compí alcun riesame radicale del proprio ruolo di intellettuale».

VI. Lavoro intellettuale e metafora staliniana

1   ACG, Federazione di Ferrara, verbale del Comitato federale allargato del 12 ottobre 1948, intervento di Bagnolati, MF. 0183-134.

2   Ivi, Federazione di Bologna, relazione cit. sulla stampa di partito di A. Masetti al Comitato federale del 24 gennaio 1949, MF. 0301-2008.

3   Ivi, verbale del VII Congresso della Federazione di Bologna (15-17 dicembre 1950), intervento di F. Cecchini, MF. 0325-2086.

4   Lettera di C. Bracci a P.G. Colombi, Roma, 17 luglio, 1944, cit.

5   [M. Alicata], *Sull'attività del Partito fra gli intellettuali*, cit.

6   Documento degli intellettuali comunisti di Caltanissetta, in IGS, cit.

7   Ivi, *passim*.

8   Ivi, *passim*.

9   Ivi. Ma, al nord, non era raro che ci si rappresentasse una situazione del tutto di-
     versa, fino al punto di «invidiare» le organizzazioni meridionali del partito. Per
     esempio, notava il modenese D'Ambrosio (cfr. relazione al comitato esecutivo dell'11
     maggio 1950, in ACG, Federazione di Modena, MF. 0325-3131) che «lo scarso
     numero di intellettuali progressisti» iscritti al Pci nel settentrione, e nel Modenese
     in particolare, era il risultato dell'«ancoraggio dei ceti intellettuali ad interessi bor-
     ghesi ancora vitali»: [...] «al contrario l'intellettualità meridionale attinge piú facil-
     mente una posizione di adesione alla lotta sociale per la scarsità di legami di inte-
     ressi con la aristocrazia terriera». Una valutazione, questa, di certo gravemente er-
     rata che rivelava quanto ancora fossero imprecise e superficiali le conoscenze di
     molti quadri comunisti settentrionali sulla realtà meridionale, nella quale — lo rile-
     verà G. Amendola (cfr. *Fascismo e Mezzogiorno*, Roma, Editori Riuniti 1973, pp.
     100-104) — sembrava talvolta insuperabile la «difficoltà di costruzione di una or-
     ganizzazione stabile delle masse lavoratrici», anche per gli effetti di «una imprepa-
     razione culturale [...] di fronte ai ritorni della vecchia retorica provinciale».

10   ACG, Federazione di Modena, relazione cit. di M. Silvestri al Comitato federale
     del 27 settembre 1952, MF. 0345-2338.

11   Ivi, MF. 0345-2339-40.

12   IGS, f.do «Li Causi», b. 7, f. 9, Atti ds. cit. del II Convegno della Cultura popola-
     re (Bologna, gennaio 1953), intervento dell'operaio Campari, II giornata, p. 2.

13   Ivi, relazione di E. Sereni, p. 20.

14   Ivi, p. 9.

15   Ivi, pp. 30-31.

16   Ivi, intervento di M. Sansone, p. 32.

17   Ivi, p. 25.

18   Ivi, intervento del senatore dc. Molè, cit., p. 71. «Non ci sono intellettuali e non
     intellettuali», asserí, tra l'altro, il vicepresidente del Senato. «La distribuzione del
     sapere è come la distribuzione delle ricchezze, è dovuta alle condizioni sociali: co-
     me nella vita fisica l'uomo è un'unità vivente, cosí nella vita spirituale l'uomo ha
     tutte le attività che sono proprie della natura umana. Ogni uomo, solo perché è
     uomo, ha una sua maniera di intendere la vita, un suo concetto del bene e del
     male, un suo gusto per giudicare del bello e del brutto [...], il che significa che ogni
     uomo ha dei rudimenti di filosofia, di estetica, di etica, di economia, prima di ave-
     re gli studi».

19   Ivi, p. 68.

20   Ivi, discorso di G. Di Vittorio, p. 7.

21   Ivi, intervento cit. dell'operaio Campari, p. 2.

22   Ivi, intervento di R. Ramat, p. 37.

23   Ivi.

24   Ivi, relazione cit. di E. Sereni, p. 12.

[25] Ivi, p. 25.

[26] ACG, Federazione di Genova, G. Trevisani, schema di conferenza «La cultura popolare», dattiloscritto, s.d., p. 1, carpetta «Stalin».

[27] A. Banfi, *La cultura popolare*, in *Rinascita*, a. VI, n. 11, novembre 1949, *passim*.

[28] Ivi.

[29] Ivi.

[30] M. Alicata, *La cultura della rinascita nazionale. Il Partito comunista agli intellettuali italiani*, Roma, maggio 1944, in ACG, Federazione di Roma, MF. 086-746.

[31] Dal discorso di Pietro Secchia, a La Spezia, in occasione del 60° compleanno di Giuseppe Di Vittorio, in ACG, Federazione di Ravenna, MF. 0345-3105.

[32] G. Trevisani, Schema di conferenza «La cultura popolare», cit., p. 1.

[33] Ivi.

[34] Ivi, p. 8. Di qui, la ferma opposizione di Trevisani alla «concezione paternalistica di una cultura elargita dall'alto: sia che fosse elargita», scriverà in un denso articolo del 1952 (*La cultura popolare* in *Rinascita*, a. IX, n. 12, pp. 684-687), «dalla classe dirigente, sia che fosse elargita dagli intellettuali *colti* del Partito».

[35] Documento degli intellettuali comunisti di Caltanissetta, in IGS, cit., p. 5.

[36] Cfr. *Propaganda*, n. 24, 15 agosto 1949, p. 7.

[37] ACG, Federazione di Modena, relazione di D'Ambrosio al Comitato esecutivo dell'11 maggio 1950, MF. 0325-3132.

[38] Ivi, Federazione di Ravenna, relazione cit. di D. Gobbi, al Comitato federale del 14 ottobre 1952, MF. 0345-3130.

[39] Ivi, Federazione di Modena, relazione cit. di M. Silvestri al Comitato federale del 27 settembre 1952, MF. 0345-2348.

[40] Ivi, Federazione di Bologna, verbale cit. del Convegno regionale per il lavoro culturale, 7 ottobre 1951, intervento del delegato di Reggio Emilia, MF. 0336-115.

[41] Ivi, Federazione di Modena, relazione cit. di M. Silvestri al Comitato federale del 27 settembre 1952, MF. 0345-2349.

[42] Ivi, verbale del cit. Comitato esecutivo dell'11 maggio 1950, relazione di M. Silvestri, MF. 0345-3105.

[43] Ivi, Federazione di Ravenna, verbale della riunione del Comitato federale allargato del 14 ottobre 1952, MF. 0345-3128.

[44] Ivi, Federazione di Bologna, verbale del cit. Convegno regionale per il lavoro culturale, 7 ottobre 1951, intervento di V. Mattioli, MF. 0396-120.

[45] Ivi.

[46] Ivi, intervento cit. di C. Salinari, MF. 0336-123.

[47] Ivi.

[48] Ivi, MF. 0336-124.

[49] Ivi, intervento conclusivo di Roasio, MF. 0336-126.

⁵⁰ Sull'intero processo di crisi e di evoluzione, cfr. P. Spriano, *Le passioni di un decennio*, cit., pp. 195-220.

⁵¹ ACG, Federazione di Genova, verbale del Comitato federale del 6 agosto 1948, intervento di Cavalli, MF. 0181-1614.

⁵² Ivi, MF. 0181-1615.

⁵³ Ivi, Federazione di Bologna, verbale del Comitato federale del 28 ottobre 1948, intervento di A. Masetti, MF. 0182-1793.

⁵⁴ IGS, f.do «Li Causi», b. 7, f. 9, Atti, dattiloscritto del cit. Il Convegno della cultura popolare, intervento cit. di R. Ramat, p. 36.

⁵⁵ ACG, Federazione di Bologna, intervento cit. di C. Salinari al cit. Convegno regionale per il lavoro culturale, 7 ottobre 1951, MF. 0336-123.

VII. La mediazione sociale dello stalinismo

1 ACG, Federazione di Genova, verbale del cit. Comitato federale del 2 ottobre 1948, intervento di Pessi, MF. 0181-1625.

2 Ivi, MF. 0181-1620.

3 Roderigo di Castiglia (P. Togliatti), *Orientamento dell'arte*, in *Rinascita*, a.VI, n. 10, ottobre 1949.

4 Trattasi della recensione al libro di Alexander Werth, *Musical Uproar in Moscow*, nel n. 3, 1948, della *Rassegna musicale*.

5 Cfr. M. Mila, *Disorientamento dell'arte*, in *Rinascita*, a.VI, n. 11, novembre 1949.

6 Roderigo di Castiglia, *Orientamento dell'arte*, cit.

7 Ivi.

8 Ivi.

9 Ivi, *passim*.

10 Ivi.

11 Intervento conclusivo di Roasio al Convegno regionale emiliano sul lavoro culturale, 7 ottobre 1951, cit. MF. 0336-126.

12 G. Trevisani, Schema di conferenza «La cultura popolare», cit., p. 15.

13 Ivi, p. 12. Contro il *Reader's Digest* e la *Selezione* che ne veniva pubblicata in Italia, intervenne anche Cesare Pavese su *Rinascita* (cfr. *Cultura americana e cultura democratica*, ivi, a. VII, n. 2, febbraio 1950): «La rivista *Selezione* offre un bell'esempio di come non vada fatta la diffusione della cultura. Il pretenzioso volumetto [...] diffonde un evidente sentore di stanza da bagno in materia plastica, neon e metallo cromato, che lo fa subito riconoscere per quello che è: uno specchietto della propaganda americanista. La sua materia oscilla infatti tra l'esaltazione pedante di sempre nuove faccette del *sogno americano* e la denuncia di sempre nuove iniquità del mondo socialista. [...] A farla breve, secondo noi, la colpa di *Selezione* non è tanto di difendere un capitalismo volgare quanto di arrivarci avvilendo, nel mo-

do piú volgare, il concetto di cultura. O meglio, speculando su una diffusa abitudine di falsa cultura che ha ormai investito tutta la nostra società. Giacché la cultura non è quella cosa facile, di tutto riposo, condensabile tra una barzelletta e una reclame, che sembran ritenere i redattori di essa rivista».

[14] Cfr. il ns. *L'autarchia della cultura*, cit., pp. 113-117. Di contro, si era radicata in vari settori culturali una rappresentazione mitica del mondo americano. Sull'argomento, cfr. D. Fernandez, *Il mito dell'America negli intellettuali italiani*, Caltanissetta-Roma, Sciascia, 1969; N. Carducci, *Gli intellettuali e l'ideologia americana nell'Italia degli anni trenta*, Manduria, Lacaita, 1973.

[15] Cfr. *Americanus es, non es christianus*, in *Rinascita*, a.VI, n. 2, febbraio 1949.

[16] E. Sereni, *Per la difesa del cinema italiano* (discorso pronunziato al Senato della repubblica il 25 maggio 1948), opuscolo a cura del Pci, p. 31.

[17] Intervento della prof.ssa Gobetti al II Congresso della cultura popolare, dattiloscritto cit., pp. 12-13.

[18] Cfr. *La stampa comunista per la democrazia e la pace*, in *Propaganda*, n. 24, 15 agosto 1949, p. 7.

[19] Cfr. *Per la salvezza della cultura italiana*, risoluzione della Direzione nazionale del Pci, Roma 2 marzo 1948, cit.

[20] Cfr. G. Trevisani, schema di conferenza «La cultura popolare», cit.

[21] Ivi, *passim*. Per una vivace critica all'ermetismo, cfr. M. Caprara, *Rinascita dell'ermetismo*, in *Rinascita*, a.V, n. 1, gennaio 1948.

[22] G. Trevisani, schema di conferenza «La cultura popolare», cit.

[23] Ivi.

[24] D. Gobbi, relazione al Comitato federale ravennate sui problemi della cultura, 14 ottobre 1952, in ACG, Federazione di Ravenna, MF. 0345/3107.

[25] G. Trevisani, schema di conferenza «La cultura popolare», cit.

[26] Intervento di C. Salinari al Convegno regionale emiliano sul lavoro culturale, cit., 7 ottobre 1951, MF. 0336/123.

[27] M. Alicata, *Una linea per l'unità degli intellettuali progressivi*, cit. Ma, il realismo, certo, era tutt'altro che una novità in Italia: già delineatosi negli anni trenta, come reazione di gusto alla retorica alimentata dal fascismo e in polemica con la «letteratura autosufficiente e squisita (la prova lirica, l'evocazione politico-nostalgica, il frammentismo, la memoria elegiaca, l'impeccabile immobilismo della pagina rondesca, l'aspirazione alla classicità e alla compiutezza formale assoluta, e perciò anche quella poetica della *liricità pura* [...] che il Croce aveva di fatto notevolmente favorito)», il movimento — con tutti i suoi limiti e con i suoi gravi equivoci che potevano portare, sul filo dell'opposizione al «borghesismo» e all'accademismo, persino a «convergere con le posizioni del *fascismo di sinistra*» — non può essere minimamente rapportato al «realismo socialista» sovietico. Cfr. G.C. Ferretti, *Introduzione al neorealismo*, Roma, Editori Riuniti 1974, p. 12 sgg., *passim*. Tuttavia è indubbio, nella stagione del dopoguerra, l'intreccio tra gli sviluppi del realismo italiano e la modellistica zdanoviana sostenuta e divulgata dalla cultura ufficiale del Pci togliattiano (Vittorini, ritraendosene, stigmatizzò tale intreccio definendolo,

dispregiativamente, *socialrealismo*), anche se la prevalente adozione della definizione *neorealismo* rimarcò l'insistenza sul carattere autonomo del fenomeno, addirittura vissuto da alcuni, e rappresentato, in termini di continuità rispetto alla tradizione letteraria italiana che precedeva il fascismo e il decadentismo. Ivi, p. 11. Per un'approfondita analisi del fenomeno, al di là dei caratteri non specialistici e dei limiti delle osservazioni svolte in questo saggio, si rinvia all'abbondante letteratura critica inaugurata dalla celebre *Inchiesta sul neorealismo* di C. Bo (Torino, Rai 1951): si segnalano, tra gli altri, C. Muscetta, *Letteratura militante* (Firenze, Parenti 1953), Id., *Realismo e controrealismo* (Milano, Del Duca 1958), C. Salinari, *La questione del realismo* (Firenze, Parenti 1960), A. Romanò, *Discorso degli anni cinquanta* (Milano, Mondadori 1965), G. Scalia, *Critica, letteratura, ideologia* (Padova, Marsilio 1968) e, per uno studio più attento e una revisione critica dei «modelli» ideologici e dei processi storico-culturali del realismo, A. Asor Rosa, *Scrittori e popolo*, Roma, Samonà e Savelli 1965, Id., *Sintesi di storia della letteratura italiana*, Firenze, La Nuova Italia 1972, pp. 96-103; R. Luperini, *Gli intellettuali di sinistra e l'ideologia della ricostruzione nel dopoguerra*, Roma, Ideologia 1971, A. Leone de Castris (a cura di), *Critica politica e ideologia letteraria*, Bari, De Donaro 1973. Con particolare riguardo alla cinematografia, ma anche per l'analisi dell'intero fenomeno, cfr. *Sul neorealismo, testi e documenti (1939-45)*, Quaderno, n. 59, X Mostra internazionale del nuovo cinema, Pesaro, 12-19 settembre 1974.

28 M. Caprara, *Rinascita dell'ermetismo?*, cit.

29 Ivi. «Dante, ad esempio», continuava Caprara, «è già un grande poeta realista perché quelle sue cantiche lui le affollò di usi, parole, gusti e vizi dei suoi tempi e, quel che più conta, la sua figura di uomo di parte "ghibellina" invelenita dai contrasti l'ha tutta diffusa e spiegata nella sua poesia».

30 G. Trombatore, *Moravia e il verismo*, in *Rinascita*, a.V, n. 3, marzo 1948.

31 I. Calvino, *Letteratura, città aperta?*, in *Rinascita*, a.V., nn. 4-5, aprile-maggio 1948.

32 Ivi.

33 Cfr. il cit. intervento di Roasio al Convegno regionale emiliano sul lavoro culturale, 7 ottobre 1951, MF. 0336/126.

34 Cfr. U. Barbaro, *Il Convegno cinematografico di Perugia*, in *Rinascita*, a. VI, n. 10, ottobre 1949.

35 Ivi. Per una più ampia e articolata riflessione sulla questione cfr. C. Zavattini, *Tesi sul neorealismo* (intervista del 1953 a E. Muzii), in *Sul neorealismo, testi e documenti*, cit., pp. 229-232.

36 Cfr. l'intervento di L. Zampa alla «tribuna libera» *In difesa del cinema italiano*, in *Rinascita*, a. VI, n. 3, marzo 1949.

37 Cfr. l'intervento di G. De Santis, ivi.

38 Cfr. l'intervento di P. Germi, ivi.

39 Intervento di G. De Santis, cit., ivi. Più riduttiva, perché meno ideologizzante e deliberatamente «tecnica» ed estranea alla discussione politica è la definizione coniata da Roberto Rossellini: «Il neorealismo è soprattutto l'arte della *constatazione* (cioè di un avvicinarsi con amore a una realtà obbiettiva vista qual è, senza filtri

di pregiudizi e di schemi). È quindi un prendere contatto diretto con l'uomo. Il neorealismo ha soprattutto valore come denunzia dei bisogni morali, spirituali, materiali dell'uomo. È un mezzo per sollecitare le coscienze e per mostrare i problemi». R. Rossellini, *Neorealismo e Kitsch*, in Id., *Il mio metodo, Scritti e interviste*, a cura di Adriano Aprà, Padova, Marsilio 1987, p. 125.

[40] Intervento di C. Lizzani al II Congresso della cultura popolare, in *Atti*, dattiloscritto cit., III giornata, p. 3.

[41] E. Sereni, *Per la difesa del cinema italiano*, cit., p. 40.

[42] Cfr. «p.i.» (P. Ingrao), *Cinema realistico*, in *Rinascita*, a. IX, n. 2, febbraio 1952.

[43] Ivi, *passim*.

[44] Si ricordino, inoltre, *Luce sopra la Russia* di N. Pogodin, *Una casetta a Koltusci* di V. Kreps, *In nome della vita* di I. Kheifits e A. Sarkhi, *Miciurin* di A. Dovgenko, *L'educazione dei sentimenti* di M. Donskoi e, ancora di F. Ermler, *Arscin Mal Alan*, *Takhir e Sukhra*, *I figli*, *Il falso aerodromo*, *Il fiore di pietra*, *La terra liberata*.

[45] I. Bolsciakov, *Il piano quinquennale (1946-1950) per la ricostruzione e lo sviluppo della cinematografia dell'Urss*, Roma, 1946, p. 5, *passim*.

[46] R. Guttuso, *Osservazioni generali a proposito della XXIV Biennale*, in *Rinascita*, a. V, n. 6, giugno 1948.

[47] Ivi, *passim*.

[48] Ivi.

[49] R. Guttuso, *La XXVI Biennale: il pro e il contro*, in *Rinascita*, a. IX, n. 6, giugno 1952.

[50] Ivi.

[51] Cfr. *Rassegna sovietica*, a. VI, n. 5, maggio 1955, p. 29.

[52] Ivi, p. 35.

[53] Ivi, p. 39.

[54] R. Guttuso, *Alcuni artisti italiani e stranieri*, in *Rinascita*, a. V, n. 7, luglio 1948. Una tesi, questa, davvero rivelatrice del tradizionalismo che stava alla base del realismo italiano, confermata dalle dichiarazioni di Vespignani (in *Realismo*, novembre 1953, cit. da G.C. Ferretti, in *Introduzione al neorealismo*, cit., p. 19): «Ansiosi di una tradizione nella quale inserire le nostre esperienze, si guardava dunque sempre più indietro nel tempo: nella pittura dell'Ottocento ci pareva che fosse soluzione ad ogni problema. Guardavamo a Goya, a Courbet, a Ingres, scoperti al Louvre. Guardavamo a Fattori». Ha quindi ragione Antonello Trombadori: quei realisti intendevano poco e male, «dal punto di vista rivoluzionario», la questione del realismo e tendevano a risolverla nella ricerca di un «generico figurativismo» se non addirittura nella fedeltà a «un'accademica teoria dei modelli». Cfr. A. Trombadori, intervento al Convegno sul tema «Problemi del realismo in Italia», Roma, Istituto Gramsci, 3-5 gennaio 1959, in *Il Contemporaneo*, febbraio-marzo 1959, p. 20.

[55] ACG, Federazione di Bologna, verbale del cit. Comitato federale del 28 ottobre 1948, intervento di Bozzoli, MF. 0182-1795.

[56] Ivi, Federazione di Genova, verbale del Comitato federale del 2 ottobre 1948, intervento di Mattei, MF. 0181-1626.

[57] Ivi, Federazione di Ravenna, relazione cit. di D. Gobbi al Comitato federale allargato sui problemi della cultura, MF. 0345-3105.

[58] Trattasi di un ricordo personale dell'autore di questo saggio.

[59] Cosí padre Riccardo Lombardi: cfr. *Radiorientamenti*, cit., pp. 27-38, dove, tra l'altro, si legge: «Togliere Dio dalla visione del mondo è togliere tutto: togliere il punto di partenza e d'arrivo, togliere la spiegazione delle cose, rapire la felicità. Si può essere piú rovinosi pel genere umano, che predicando la negazione di Dio? che organizzando le masse alla negazione di Dio? [...] Guai a mettere all'origine delle cose la materia: scopo dell'esistenza apparirà allora la materia, la vita sarà strapparsi gli uni con gli altri la materia, agire si disegnerà come odio».

[60] Cfr. L. Bedeschi, *Cattolici e comunisti*, Milano, Feltrinelli 1974, pp. 141-146. Per un'analisi polemica, ma approfondita e corretta, dell'elaborazione ideologica cattolico-comunista cfr. A. Del Noce, *La prima sinistra cattolica italiana postfascista*, in G. Rossini (a cura di), *Modernismo, fascismo, comunismo - Aspetti e figure della cultura e della politica dei cattolici nel '900*, Bologna, Il Mulino 1973, pp. 415-504.

[61] Sul caso Lysenko, cfr. R.A. Medvedev, *Lo stalinismo*, II, Milano, Mondadori 1972, pp. 614-618; per un'analisi particolareggiata dei suoi precedenti e delle sue conseguenze (nel complesso un «fenomeno penoso e disonorevole»), cfr. Ž. Medvedev, *Ascesa e caduta di Lysenko*, Milano, Mondadori 1969. La denuncia degli aspetti grotteschi e di volgare disonestà dell'intera vicenda è esposta dal pubblicista del «dissenso» sovietico in termini drastici e impietosi e coinvolge l'intero sistema delle relazioni politica-scienza dai tempi di Stalin a quelli di Chruščëv. I concetti di Lysenko e quelli dei suoi seguaci — soprattutto negli anni cinquanta — «cominciarono ad assumere un carattere assurdo e informe. Ai disonesti esperimenti sulla trasformazione di una specie in un'altra [...] venne data ampia pubblicità. *Scoperte* del genere furono riportate a dozzine nella rivista di Lysenko, *Agrobiologia*, e quei vergognosi articoli pieni di strafalcioni vennero reclamizzati come conquiste della scienza progressista». A sostegno di queste fantastiche trasformazioni ci si richiamò ancora una volta all'autorità di Stalin: «L'insegnamento di Stalin sui cambiamenti quantitativi graduali, nascosti, impercettibili, portando a rapidi e radicali cambiamenti qualitativi, ha permesso ai biologi sovietici di scoprire nelle piante la realizzazione di transizioni quantitative di questo genere, come la trasformazione di una specie in un'altra». Ivi, pp. 163-164.

[62] Cfr. s.a. *Gli scienziati sovietici aprono nuove vie alla scienza biologica*, in *Rinascita*, a. VI, n. 12, dicembre 1948.

[63] F. Dvorjankin, *La vittoria della scienza biologica miciuriniana*, in *Bolševik*, n. 16, 1948, diffuso ds. dalla Federazione comunista di Roma.

[64] s.a., *Gli scienziati sovietici aprono nuove vie alla scienza biologica*, cit.

[65] Cfr. *Breve corso di cultura marxista*, dattiloscritto, s.d., ad uso delle Scuole di partito, dispensa II, p. 10, in ACG, carpetta «Stalin».

[66] Intervento di G. Marri al Comitato federale ravennate del 14 ottobre 1952, in ACG, Federazione di Ravenna, MF. 0345/3157.

[67] Cfr. *Rassegna sovietica*, a. VII, n. 10, ottobre 1953, pp. 26-39.

[68] Relazione di R. Zangheri al Convegno regionale emiliano sul lavoro culturale, cit. MF. 0336/116.

[69] Intervento di Spinella, ivi, MF. 0336/121.

[70] Intervento di D'Ambrosio, ivi, MF. 0336/117.

[71] «p.i.» (P. Ingrao), *Fallimento di Don Camillo*, in *Rinascita*, a. IX, n. 3, marzo 1952.

[72] Ivi.

[73] Cfr. Roderigo di Castiglia (P. Togliatti), *«Fabiola» ovvero tutte le strade conducono al comunismo*, in *Rinascita*, a. VI, n. 3, marzo 1949.

Epilogo

[1] Cfr. P. Togliatti, *Il memoriale di Yalta*, a cura e con introduzione di G. Frasca Polara, Palermo, Sellerio 1988.

[2] Sull'argomento, cfr. A. Ricciardi, *Il «Partito romano» nel secondo dopoguerra (1945-1954)*, Brescia, Morcelliana 1983.

[3] ACG, Federazione di Genova, «carte Ciuffo», cit., schema di conferenza per il XII anniversario della morte di Antonio Gramsci, dattiloscritto a cura della Segreteria provinciale, 26 aprile 1950.

[4] Ivi, Federazione di Rovigo, *L'attivista comunista* (bollettino della Segreteria provinciale), 9 agosto 1947, MF. 0140-1494.

[5] Ivi, Federazione di Ferrara, verbale cit. del Comitato federale del 30 ottobre 1948, relazione, cit., di I. Scalambra, MF. 0183-145.

[6] Ivi, Federazione di Brescia, risoluzione del Comitato direttivo provinciale, a. 1949, MF. 0300-3253-54.

[7] Ivi, Federazione di Bologna, verbale cit. del Comitato federale del 20 ottobre 1950, intervento di Bonazzi, MF. 0325-1807.

[8] Cfr. *Come si fa la propaganda*, cit., p. 11. Erano proposizioni, queste, corrispondenti a una ferma linea politica tracciata da Togliatti e tenacemente perseguita. «L'obiettivo dei nemici della democrazia», aveva detto il leader comunista nel suo rapporto alla sessione del C.C. del 10-12 novembre 1952, è quello di «distruggere la Costituzione democratica e repubblicana che il popolo si è data dopo la guerra di liberazione». Aveva poi tracciato un profilo dell'ordinamento costituzionale, mettendone in evidenza i princípi avanzati e i valori, scaturiti dal processo resistenziale, dato che la Costituzione era da intendersi — aveva rilevato — come un risultato diretto dell'«insurrezione popolare del 1945», momento culminante di quella Resistenza alla cui testa «non ci furono i gruppi borghesi privilegiati, non ci furono le forze politiche clericali» ma «la classe operaia e le masse lavoratrici avanzate». «*Il nostro partito* — aveva poi precisato Togliatti — *ha sempre dichiarato, e io lo ripeto qui nel modo piú impegnativo, che questo è il regime che abbiamo scelto e accettiamo per la nostra azione nell'attuale fase di sviluppo della società italiana*: questo regime democratico e repubblicano è uscito dalla lotta che abbiamo condotto per venti anni contro la tirannide fascista». Ma, allora, perché accusare i comunisti di

rappresentare una minaccia per le libertà democratiche? «Non solo noi accettiamo
la Costituzione come norma della nostra condotta, ma nessuno ha mai potuto né
può accusarci della piú piccola violazione o mancanza di rispetto per la Costituzione repubblicana». E perché l'insistenza del riferimento ai paesi a democrazia popolare per indicare i comunisti come fautori di un sistema totalitario? «I regimi di
democrazia popolare riconoscono di adempiere le funzioni della dittatura del proletariato», costretti, pertanto, ad imporre misure di limitazione ai diritti di libertà
perché «senza queste limitazioni di libertà sarebbe stata impossibile l'attuazione
delle trasformazioni economiche e sociali rivendicate dai lavoratori». I moderati,
i reazionari, le classi privilegiate e i ceti dirigenti dell'Italia democristiana avevano
paura della «rivoluzione»? Per superare tale paura non avrebbero avuto via migliore da seguire che quella di «applicare la Costituzione nella sua lettera e nel suo spirito». Invece insistevano nelle inadempienze, soprattutto eludendo gli impegni di
«un'attività legislativa e di governo atta alla realizzazione delle trasformazioni sociali indicate dalla Costituzione» e insistendo nella prassi, alimentata dall'anticomunismo, di «una continua violazione della Costituzione». Cfr. il rapporto di Togliatti, sotto il titolo *La difesa della Costituzione repubblicana nel Parlamento e nel
Paese*, in Togliatti, Longo, Salinari, *Per la Costituzione democratica e per una libera
cultura*, cit., pp. 23-32. Il corsivo è ns.

9   ACG, Federazione di Firenze, verbale del Comitato federale del 18 ottobre 1950,
     relazione di G. Mazzoni, MF. 0326-2179.

10   Ivi, Federazione di Ravenna, verbale del Comitato federale del 26 settembre 1950,
     intervento di G. Ferrari, MF. 0325-2615.

11   E. Sereni, relazione al II Congresso della cultura popolare (1953), in *Atti*, cit., pri-
     ma giornata, p. 11.

12   Ivi, p. 12, *passim*.

13   Ivi.

14   ACG, Federazione di Bologna, relazione di E. Bonazzi al VII Congresso provin-
     ciale del partito, 15 dicembre 1950, MF. 0325-93. Per una valutazione d'insieme
     dell'impegno comunista in difesa della dignità nazionale, cfr. V. Crisafulli, *Liqui-
     dazione della sovranità nazionale*, in *Rinascita*, a.VIII, n. 12, dicembre 1951. Cfr.,
     in proposito, anche L. Gruppi, *Socialismo e democrazia*, ediz. del Calendario, Mila-
     no 1972, p. 632.

15   Cfr. *Breve corso di cultura marxista*, cit., dispensa IV, p. 13.

16   ACG, Federazione di Genova, verbale cit. del Comitato federale del 2 ottobre 1948,
     relazione, cit., di S. Pessi, MF. 0181-1623.

17   Ivi, Federazione di Ferrara, verbale cit. del Comitato federale del 30 ottobre 1948,
     relazione cit. di I. Scalambra, MF. 0183-145. Queste idee, capillarmente circolan-
     ti alla base del partito, rivelavano il profondo radicamento sociale delle proposte
     politiche di fondo della strategia togliattiana, la strategia della *via democratica al
     socialismo*, la via delle riforme, ribadita con estrema chiarezza nel cit. rapporto del
     10-12 novembre 1952 al C.C. del Pci (cfr. P. Togliatti, *La difesa della Costituzione
     repubblicana*, cit., p. 26): «*La classe operaia attraverso il suo reparto di avanguardia
     che siamo noi, non chiede altro che di continuare la propria lotta per il progresso eco-*

nomico e sociale nel regime democratico repubblicano che l'Italia si è data dopo il crollo del fascismo e la cacciata dei tedeschi [...]; su questo terreno *noi lavoreremo per la conquista della maggioranza, per l'attuazione di quelle riforme sociali che riteniamo indispensabili al benessere del paese e al progresso dell'Italia in generale*». Il corsivo è ns.

18 ACG, Federazione di Ravenna, testo, in copia, della *Dichiarazione della Direzione del Pci* del 14 settembre 1950, *passim*.

19 Ivi.

20 Ivi, Federazione di Ferrara, la relazione di I. Scalambra cit. sopra, MF. 0183-145.

21 Cfr. G. Di Vittorio, discorso cit. al II Congresso della cultura popolare (1953, in *Atti*, cit., terza giornata, p. 15).

22 ACG, Federazione di Genova, verbale cit. del Comitato federale del 2 ottobre 1948, relazione, cit., di S. Pessi, MF. 0181-1622.

23 Ivi, Federazione di Ferrara, verbale cit. del Comitato federale del 30 ottobre 1948, intervento, cit., di Roasio, MF. 0183-163.

24 Ivi, verbale cit. del Comitato federale del 12 ottobre 1948, intervento, cit., di Bagnolati, MF. 0183-133.

25 Cfr. P. Togliatti, rapporto al VI Congresso del Pci (4-10 gennaio 1948) in *l'Unità*, 5 gennaio 1948.

Indice dei nomi*

* Nell'indice non figurano i nomi citati nelle note

Finito di stampare nel mese di febbraio 1991
per conto degli Editori Riuniti
dalla tipografia L. Chiovini, Roma